Marie Benedict

Wszystkie życia Hedy Lamarr

Przekład:
Natalia Mętrak-Ruda

Znak Horyzont
KRAKÓW 2019

Tytuł oryginału
The Only Woman in the Room

Projekt okładki
Mariusz Banachowicz

Fotografia na pierwszej stronie okładki
Shutterstock

Opieka redakcyjna
Natalia Gawron-Hońca

Adiustacja
Ewa Penksyk-Kluczkowska

Korekta
Aneta Iwan
Joanna Kłos

Łamanie
Piotr Poniedziałek

ISBN 978-83-240-5693-4
Znak Horyzont
www.znakhoryzont.pl

znak

Książki z dobrej strony: www.znak.com.pl
Więcej o naszych autorach i książkach: www.wydawnictwoznak.pl
Społeczny Instytut Wydawniczy Znak, 30-105 Kraków, ul. Kościuszki 37
Dział sprzedaży: tel. (12) 61 99 569, e-mail: czytelnicy@znak.com.pl
Wydanie I, Kraków 2019. Printed in EU

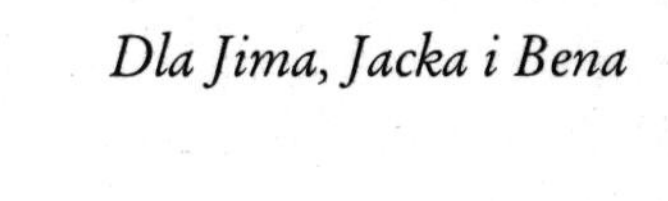

Dla Jima, Jacka i Bena

Część I

Rozdział pierwszy

17 maja 1933 roku
Wiedeń, Austria

Uniosłam powieki, ale oślepiły mnie światła rampy. Ostrożnie opierając dłoń na ramieniu mojego partnera, uśmiechnęłam się pewnie i czekałam, aż odzyskam wzrok. Rozległy się owacje, a ja kołysałam się w kakofonii dźwięków i świateł. Maska, którą ściśle przytwierdziłam do twarzy na czas występu, na chwilę spadła i nie byłam już dziewiętnastowieczną bawarską cesarzową Elżbietą, lecz po prostu młodą Hedy Kiesler.

Nie mogłam zawieść widzów słynnego Theater an der Wien, niewłaściwie przedstawiając ukochaną władczynię. Nawet podczas oklasków. Cesarzowa była symbolem wspaniałej Austrii Habsburgów – imperium, które trwało niemal czterysta lat i do którego obrazu przywiązani byli ludzie w te upokarzające dni po wielkiej wojnie.

Zamknęłam na chwilę oczy i sięgnęłam w głąb siebie, odsuwając na bok Hedy Kiesler z jej błahymi problemami i równie nieznaczącymi aspiracjami. Zebrałam siły i ponownie przywdziałam płaszcz cesarzowej, jej hardość i poważne obowiązki. Otworzyłam oczy i spojrzałam na moich poddanych.

Już widziałam publiczność. Zdałam sobie sprawę, że widzowie nie siedzą na swoich wygodnych, czerwonych, aksamitnych fotelach. Zerwali się na nogi, by uhonorować nas jakże rzadką w Wiedniu owacją na stojąco. Dla cesarzowej było to oczywiste, ale jako Hedy zastanawiałam się, czy ten aplauz na pewno przeznaczony jest dla mnie, a nie któregoś z pozostałych aktorów grających w *Sissy*. Występujący w roli cesarza Franciszka Józefa Hans Jaray był legendą Theater an der Wien. Czekałam, aż reszta obsady złoży swoje ukłony. Chociaż publiczność nagrodziła solidnymi oklaskami moich kolegów, prawdziwie oszalała, gdy ja stanęłam na środku sceny. To ja tu byłam gwiazdą.

Tak bardzo żałowałam, że papa nie widzi mojego występu. Gdyby mama nie udała choroby, wyraźnie zamierzając ściągnąć na siebie uwagę w tak ważny dla mnie wieczór, papa zobaczyłby mój debiut w Theater an der Wien. Wiem, że byłby zachwycony reakcją widowni, a dzięki temu może by zapomniał o mojej śmiałej roli w filmie *Ekstaza*. A bardzo chciałam, żeby o niej zapomniał.

Oklaski stopniowo ucichły, wśród publiczności rozległ się pełen niepokoju szmer, kiedy środkowym przejściem ruszyła procesja teatralnych bileterów z bukietami kwiatów. Ten wspaniały gest w tak niewłaściwym, jakże publicznym momencie wyraźnie poruszył spokojnych zazwyczaj wiedeńczyków. Niemal dało się słyszeć, jak zastanawiają się, kto ważył się zakłócić premierę w Theater an der Wien zuchwałym popisem. Usprawiedliwieniem mogłaby być jedynie rodzicielska nadgorliwość, jednak moi dyskretni rodzice nigdy by się na coś takiego nie odważyli. Czy to może członek rodziny któregoś z innych aktorów popełnił ten błąd?

Kiedy bileterzy zbliżali się do sceny, zobaczyłam, że nie niosą zwykłych kwiatów, lecz wspaniałe szklarniowe róże. Kilkanaście bukietów. Ile kosztowała ta obfitość rzadkich, czerwonych pąków? Kto może sobie pozwolić na taką rozpustę w tych trudnych czasach?

Kiedy mężczyźni weszli po schodach, zrozumiałam, że kazano im wręczyć bukiety adresatce na oczach publiczności. Niepewna, jak poradzić sobie z tym zaburzeniem dekorum, spojrzałam na pozostałych aktorów. Wszyscy wyglądali na równie zakłopotanych. Inspicjent gestem próbował ich powstrzymać, ale najwyraźniej zostali dobrze opłaceni, bo zignorowali go i ustawili się przede mną.

Jeden po drugim wręczali mi bukiety, aż nie byłam ich w stanie utrzymać. Wtedy zaczęli kłaść mi je u stóp. Czułam na sobie krzywe spojrzenia reszty obsady. Moja kariera sceniczna zależała od kaprysu tych sędziwych aktorów; starczyło kilka ich słów skierowanych do właściwych uszu, by wymienić mnie na dowolną spośród młodych aktorek walczących o tę rolę. Chciałam odmówić przyjęcia bukietów, póki do głowy nie przyszła mi pewna myśl.

Ofiarodawcą mógł być ktokolwiek. Prominentny członek każdej ze skonfliktowanych partii rządzących – konserwatywnej Partii Chrześcijańsko-Społecznej albo socjaldemokratów. Albo, co gorsza, mógł ten ktoś sympatyzować z narodowymi socjalistami i marzyć o zjednoczeniu Austrii z Niemcami pod wodzą ich nowo wybranego kanclerza Adolfa Hitlera. Sytuacja zmieniała się każdego dnia i nikt nie mógł sobie pozwolić na ryzyko. A już na pewno nie ja.

Widzowie przestali klaskać. W niezręcznej ciszy usiedli na miejscach, wszyscy prócz jednego. Pośrodku trzeciego rzędu, w najlepszym możliwym miejscu, stał mężczyzna z wydatnym torsem i kwadratową szczęką. Stał jako jedyny pośród widzów Theater an der Wien.

I patrzył na mnie.

Rozdział drugi

17 maja 1933 roku
Wiedeń, Austria

Kurtyna opadła. Pozostali aktorzy spojrzeli na mnie pytająco, a ja wzruszyłam ramionami i pokręciłam tylko głową, licząc na to, że zauważą moje zakłopotanie i niechęć wobec prezentu. Pośród gratulacji jak najszybciej wróciłam do garderoby i zamknęłam drzwi za sobą. Ogarnęły mnie niepokój i złość, że te kwiaty odwróciły uwagę od mojego triumfu, od tej roli, która miała mi pomóc zapomnieć o *Ekstazie* raz na zawsze. Musiałam się dowiedzieć, kto to zrobił – i czy miał to być komplement, czy może coś całkiem innego.

Wyciągnęłam kopertę ukrytą pomiędzy kwiatami w największym z bukietów, sięgnęłam po nożyczki do paznokci i rozcięłam ją. W środku był sztywny kremowy bilecik zdobiony złotą obwódką. Przysunęłam go do lampy na toaletce i przeczytałam:

Niezapomnianej Sissi. Szczerze Pani oddany Friedrich Mandl

Kim był Friedrich Mandl? Gdzieś słyszałam to nazwisko, ale nie byłam pewna gdzie.

Drzwi mojej garderoby zatrzęsły się pod naporem stanowczego pukania.

– Panno Kiesler?

Była to Else Lubbig, zasłużona garderobiana, która pracowała przy każdym przedstawieniu Theater an der Wien przez ostatnie dwadzieścia lat. Nawet w czasie wielkiej wojny i w ponurych latach, które nastąpiły po klęsce Austro-Węgier, siwowłosa matrona asystowała aktorom przed występami odgrywanymi ku pokrzepieniu serc wiedeńczyków – takimi jak rola cesarzowej Elżbiety przypominająca ludziom o dawnej wspaniałości cesarstwa i zachęcająca do marzeń o świetlanej przyszłości. Nasze przedstawienie nie wspominało oczywiście o późniejszych latach życia cesarzowej, kiedy została zamknięta w złotej klatce cesarskiego niezadowolenia. Wiedeńczycy nie chcieli o nich myśleć, a sztukę zaprzeczania opanowali do perfekcji.

– Proszę wejść – zawołałam.

Nie zerkając nawet na bukiety róż, pani Lubbig zaczęła rozwiązywać moją żółtą suknię. Kiedy smarowałam twarz kremem, żeby pozbyć się ciężkiego makijażu i ostatnich śladów postaci, wyplątała moje włosy ze skomplikowanego koka, który według reżysera pasował do wizerunku cesarzowej Elżbiety. Chociaż pani Lubbig milczała, wyczułam, że czeka na stosowną chwilę, żeby zadać pytanie, które z pewnością zadawali sobie w teatrze wszyscy.

– Piękne kwiaty, panienko – powiedziała wreszcie, kiedy pochwaliła już mój występ.

– To prawda – odparłam, czekając na właściwe pytanie.

– Czy mogę zapytać, kto je przysłał? – Skończyła rozczesywać mi włosy i zabrała się za rozwiązywanie gorsetu.

Milczałam, zastanawiając się nad odpowiedzią. Mogłam skłamać i przypisać kwiatową gafę moim rodzicom, ale ta plotka była walutą, za pomocą której można było z panią Lubbig pohandlować, gdybym więc się nią podzieliła, byłaby mi winna przysługę. A przysługa ze strony pani Lubbig mogłaby się okazać przydatna.

Uśmiechnęłam się i podałam jej bilecik:

– Pan Friedrich Mandl.

Nie odezwała się, ale gwałtownie wciągnęła powietrze.

– Słyszała pani o nim? – zapytałam.

– Tak, panienko.

– Był dzisiaj w teatrze? – wiedziałam, że pani Lubbig ogląda zza kulis każdy spektakl, nie odrywając wzroku od swojej aktorki, by w razie czego poprawić rozdarty rąbek sukni czy przekrzywioną perukę.

– Tak.

– Czy to ten mężczyzna, który nie usiadł nawet po ostatnich owacjach?

– Tak, panienko – westchnęła.

– Co pani o nim wie?

– Wolałabym nie mówić. To nie moja rzecz.

Niemal się uśmiechnęłam, słysząc w jej głosie fałszywą skromność. Uzbrojona w swoje sekrety była najpotężniejszą osobą w całym teatrze.

– Wyświadczyłaby mi pani wielką przysługę.

Milczała, gładząc swoje zaczesane włosy, jakby zastanawiała się nad moją prośbą.

– Słyszałam tylko plotki. Niekoniecznie pochlebne.

– Bardzo panią proszę.

Śledziłam w lustrze mimikę pokrytej drobnymi zmarszczkami twarzy, gdy pani Lubbig zastanawiała się, którą informacją ze szczegółowego dossier się ze mną podzielić.

– Cóż, pan Mandl ma reputację kobieciarza.

– Jak każdy mężczyzna w Wiedniu – uśmiechnęłam się. Jeśli tylko o to chodziło, nie miałam się czym przejmować. Z mężczyznami, a przynajmniej z większością, potrafiłam sobie radzić.

– Chodzi o coś więcej niż zwykłe krętactwa. Jeden z jego romansów doprowadził młodą niemiecką aktorkę Evę May do samobójstwa.

– Ojej – wyszeptałam, choć mając za sobą taką, a nie inną przeszłość i próbę samobójczą zawiedzionego kochanka, nie powinnam osądzać ludzi zbyt surowo. Ten smakowity kąsek był dramatyczny, ale pani Lubbig wiedziała coś więcej. Z jej tonu wyczułam, że ukrywa przede mną pewne informacje. Chciała, żebym napracowała się, by je zdobyć. – Jeśli jest coś jeszcze, będę pani zobowiązana.

Zawahała się.

– Takimi informacjami człowiek niechętnie dzieli się w dzisiejszych czasach, panienko.

Rzeczywiście, w okresie tak niepewnym wiedza miała ogromną wartość. Wzięłam garderobianą za rękę i popatrzyłam jej w oczy:

– Chodzi tylko o moje własne bezpieczeństwo. Przysięgam, że nie podzielę się tą informacją z nikim innym.

Po dłuższej przerwie powiedziała:

– Pan Mandl jest właścicielem Hirtenberger Patronenfabrik. Jego zakład produkuje amunicję i inną broń, panienko.

– To pewnie nieprzyjemny interes. Ale ktoś to musi robić, jak sądzę. – Nie rozumiałam, czemu o człowieku miałaby świadczyć dziedzina, którą się zajmuje.

– Nie chodzi o to, że produkuje broń, ale o to, komu ją sprzedaje.

– Ach, tak?

– Tak, panienko. Nazywają go Sprzedawcą Śmierci.

Rozdział trzeci

26 maja 1933 roku
Wiedeń, Austria

Dziewięć dni po moim debiucie w *Sissy* na wiedeńskim niebie świecił blady księżyc rzucający ciemnofioletowe cienie. Jego blask wystarczał, by oświetlić ulice miasta, pomimo późnej pory postanowiłam więc wysiąść z taksówki i pokonać na piechotę resztę drogi z teatru położonego w modnej dziewiętnastej dzielnicy. Marzyłam o chwili spokoju między teatralnym szaleństwem a rodzicielskimi pogadankami, które musiałam znosić po powrocie z każdego występu.

Czułam się bezpiecznie, bo widziałam tylko kilku przechodniów: siwowłosą parę wracającą do domu z kolacji i pogwizdującego młodego człowieka. Im bliżej byłam domu rodziców w dzielnicy Döbling, tym robiło się zamożniej, wiedziałam więc, że nic mi nie grozi. Gdyby jednak moi rodzice wiedzieli, że wracam sama, na pewno by się tak łatwo nie uspokoili. Byli bardzo opiekuńczy wobec swojego jedynego dziecka.

Odsuwając myśli o mamie i papie, uśmiechnęłam się na wspomnienie recenzji opublikowanej w tym tygodniu w „Die Presse". Entuzjastyczne pochwały mojej roli tak napędziły sprzedaż biletów, że na ostatnie trzy wieczory teatr sprzedał nawet miejsca stojące. Zajmowałam teraz wyższą pozycję w teatralnej hierarchii, usłyszałam komplementy nawet od krytycznego zazwyczaj reżysera. Wyrazy uznania sprawiały mi przyjemność po skandalu, który wywołała moja nagość w *Ekstazie* – tamta decyzja zdawała się w pełni uzasadniona i zgodna z wrażliwością artystyczną filmu, póki publiczność, z moimi rodzicami włącznie, nie zareagowała szokiem – i pomyślałam, że powrót do teatru po przygodzie z filmem był dobrym pomysłem. Czułam się jak w domu.

Aktorstwo było dla mnie w dzieciństwie bronią przeciwko samotności, sposobem na wypełnienie spokojnej egzystencji ludźmi innymi niż niania i guwernantka, które zastępowały wiecznie nieobecnych rodziców. Zaczęło się od wymyślania postaci i historii dla moich licznych lalek na improwizowanej scenie pod wielkim biurkiem w gabinecie papy, potem jednak niespodziewanie odgrywanie ról stało się czymś znacznie więcej. Kiedy poszłam do szkoły i poznałam nagle ogromną rzeszę różnych ludzi, aktorstwo zostało moim sposobem na poruszanie się po świecie, monetą, po którą sięgałam w dowolnym momencie. Mogłam stać się, kim tylko chcieli mnie widzieć ludzie wokół mnie, a w zamian dostać od nich to, czego ja pragnęłam. Jednak dopiero gdy stanęłam pierwszy raz na scenie, zrozumiałam, jak wielki otrzymałam dar. Potrafiłam ukryć się i włożyć maskę dowolnej osoby stworzonej przez reżysera czy pisarza. Mogłam spojrzeć na widzów i objąć nad nimi władzę.

Jedynie codzienna dostawa róż kładła się cieniem na blasku roli Sissi. Kolor się zmieniał, ale liczba nie. Dostałam już kwiaty fuksjowe, bladoróżowe, kremowe, czerwone, a nawet wyjątkowo rzadkie o barwie delikatnego fioletu – zawsze jednak było ich dwanaście tuzinów. To było nieprzyzwoite. Przynajmniej jednak zmienił się sposób dostarczania kwiatów. Bileterzy nie przynosili mi już róż na scenę z wielką pompą: teraz dyskretnie umieszczali je w mojej garderobie podczas ostatniego aktu.

Tajemniczy pan Mandl. Wydawało mi się, że kilka razy widziałam go pośród tłumu na cennym miejscu w trzecim rzędzie, ale nie byłam pewna. Od dnia premiery, kiedy przesłał mi liścik, nie próbował się ze mną skontaktować. Aż do dzisiaj. Na obramowanym złotem bileciku wciśniętym między intensywnie żółte pąki – żółte jak moja suknia – napisał:

Droga Panno Kiesler, byłbym zaszczycony, gdyby przyjęła Pani zaproszenie na kolację po spektaklu w restauracji hotelu Imperial. Jeśli się Pani zgadza, proszę poinformować o tym mojego szofera, który będzie czekał przy wejściu dla aktorów do północy. Szczerze Pani oddany, Friedrich Mandl

Moi rodzice wpadliby w rozpacz, gdybym choć rozważyła możliwość spotkania się z obcym mężczyzną – zwłaszcza w hotelowej restauracji, nawet w miejscu tak szacownym jak budynek projektu Josefa Hoffmanna – a wiedza, jaką zebrałam na temat pana Mandla, utwierdziła mnie w przekonaniu, że nie powinnam się do tego posuwać. Dzięki ostrożnemu śledztwu zebrałam więcej informacji na temat mojego tajemniczego wielbiciela.

Moi nowi przyjaciele z ciasnego świata teatru słyszeli, że w interesach kieruje się on żądzą zysku, nie moralnością klientów. Najistotniejszą informacją podzieliła się jednak niespodziewanie dostarczycielka sekretów pani Lubbig, która wyszeptała, że pan Mandl cieszy się względami czołowych prawicowych autokratów zdobywających władzę w całej Europie. Ta informacja martwiła mnie najbardziej, ponieważ Austria walczyła o zachowanie niezależności otoczona przez spragnionych zdobyczy terytorialnych dyktatorów.

Chociaż nie miałam śmiałości zjeść z nim kolacji w hotelu Imperial, nie mogłam też nadal całkiem go ignorować. Z tego, co było mi wiadomo, pan Mandl był człowiekiem ustosunkowanym politycznie, a w obecnej sytuacji wszyscy wiedeńczycy musieli zachować ostrożność. Wciąż nie miałam jednak pojęcia, jak radzić sobie z jego zainteresowaniem, jako że dotąd zdarzało mi się flirtować tylko z uległymi chłopcami w moim wieku. Póki nie wymyśliłam żadnego planu, poprosiłam panią Lubbig o pomoc w odwróceniu uwagi pana Mandla, tak bym mogła wyjść z teatru frontowymi drzwiami.

Moje obcasy wybijały rytm staccato na Peter-Jordan-Strasse. Mijałam kolejne dobrze znane budynki, zbliżając się do naszego *cottage* – bo tak właśnie moi rodzice i inni mieszkańcy Döbling błędnie nazywali swoje domy. Nazwa miała składać hołd angielskiemu stylowi architektonicznemu przestronnych domów okalających rodzinne ogrody, nie pasowała jednak do ich znaczących rozmiarów.

Kiedy zostały mi do pokonania ostatnie metry, odniosłam wrażenie, że światło przygasa. Uniosłam wzrok, żeby sprawdzić, czy to chmury zakryły księżyc, ale ten nadal świecił jasno. Nigdy wcześniej nie dostrzegłam tego zjawiska, ale też prawie nigdy nie wracałam do domu nocą sama. Zastanawiałam się, czy ciemność można przypisać niewielkiej odległości dzielącej Peter-Jordan-Strasse od gęstwiny Lasku Wiedeńskiego – Wienerwald – gdzie chodziliśmy z papą na niedzielne spacery.

Na całej ulicy elektryczne światło można było ujrzeć jedynie w domu moich rodziców. Ciemne okna od czasu do czasu rozjaśnione tylko płomieniem świecy spoglądały na mnie z sąsiednich budynków, a ja nagle przypomniałam sobie, czemu panuje tu taki mrok. Wielu mieszkańców naszego Döbling zgodnie z tradycją powstrzymywało się od używania elektryczności od piątkowego do sobotniego zachodu słońca, chociaż ich praktyki religijne nie skłaniały się ku ortodoksji nakazującej takie zachowania. Zapomniałam o tym, bo moi rodzice tego zwyczaju nigdy nie przestrzegali.

W Döbling, żydowskiej dzielnicy w katolickim kraju, trwał szabas.

Rozdział czwarty

26 maja 1933 roku
Wiedeń, Austria

W chwili gdy przekroczyłam próg, zaatakował mnie intensywny zapach. Nie musiałam nawet widzieć róż, żeby wiedzieć, że cały dom jest ich pełen. Czyżby pan Mandl wysłał je też tutaj? Dlaczego?

W bawialni, gdzie stał fortepian Bechsteina, rozbrzmiewały niezbyt entuzjastyczne akordy Bacha. Kiedy zamknęłam za sobą drzwi, muzyka ucichła, a moja mama zawołała:

– Hedy? To ty?

Podałam płaszcz naszej pokojówce Inge:

– A któż inny mógłby to być o tej porze, mamo?

Papa wyszedł z bawialni, żeby się ze mną przywitać. Z kącika ust zwisała mu misternie rzeźbiona drewniana fajka:

– Jak się miewa nasza cesarzowa Elżbieta? Czy scena należała tylko do ciebie, jak piszą w „Die Presse"?

Uśmiechnęłam się do mojego wysokiego papy, wciąż przystojnego mimo siwizny na skroniach i zmarszczek wokół niebieskich oczu. Nawet o tak późnej godzinie, po dwudziestej trzeciej, był elegancko ubrany w odprasowany grafitowy garnitur i burgundowy krawat w paski. Był godnym zaufania, znamienitym dyrektorem jednego z największych wiedeńskich banków – Creditanstalt-Bankverein.

Wziął mnie za rękę. Przypomniały mi się weekendowe popołudnia, kiedy byłam dzieckiem, a on cierpliwie odpowiadał na wszystkie moje pytania o to, jak działa świat. Nie było żadnych tematów tabu: ani historycznych, ani naukowych, ani literackich, ani politycznych. Chciwie pochłaniałam czas, w którym obdarzał mnie niepodzielną uwagą. Pewnego pięknego, słonecznego popołudnia przez całą godzinę opowiadał mi o fotosyntezie w odpowiedzi na moje dziecinne pytania o to, co jedzą rośliny; jego cierpliwość w zaspokajaniu mojej nieskończonej ciekawości świata natury wydawała się bezkresna. Godzin tych było jednak niewiele, ponieważ przez resztę czasu zajmowała go mama, praca i obowiązki towarzyskie. Bez niego czekały mnie długie godziny nauki w towarzystwie guwernantek i prac domowych lub ćwiczeń w towarzystwie niani czy, rzadziej, mamy, która interesowała się mną jedynie, kiedy siadałam przy fortepianie, a ona mogła oceniać moje umiejętności. Chociaż kochałam muzykę, teraz grałam tylko pod jej nieobecność.

Poprowadził mnie do salonu i posadził na jednym z czterech obitych brokatem foteli wokół kominka, w którym napalono na chłodny wiosenny wieczór. Czekając, aż dołączy do nas mama, papa zapytał:

– Jesteś głodna, moja mała księżniczko? Poprosimy Inge, żeby coś ci przygotowała. Wciąż jesteś wychudzona po tamtym zapaleniu płuc.

– Nie, dziękuję. Zjadłam przed występem.

Rozejrzałam się po pokoju, którego oklejone pasiastą tapetą ściany obwieszono licznymi rodzinnymi portretami, i zobaczyłam, że ktoś – prawdopodobnie moja matka – rozmieścił w nim tuzin bukietów bladoróżowych róż. Papa uniósł tylko brew, ale nie poruszył tematu kwiatów. Oboje wiedzieliśmy, że zadawaniem pytań zajmie się mama.

Weszła do pokoju i nalała sobie kieliszek schnappsa. Nie odzywając się ani nie spoglądając na mnie, okazywała mi swoje rozczarowanie.

W gęstniejącej ciszy czekaliśmy, aż mama się odezwie.

– Wygląda na to, że masz wielbiciela, Hedy – powiedziała wreszcie, wziąwszy dużego łyka schnappsa.

– Tak, mamo.

– Co takiego zrobiłaś, żeby zachęcić kogoś do podobnego gestu?

Jak zwykle mnie osądzała. Wbrew jej nadziejom po ukończeniu wybranej przez nią szkoły nie zostałam gotową do małżeństwa młodą *Hausfrau*. Kiedy wybrałam zawód, który uważała za „prostacki" – chociaż teatr był w Wiedniu bardzo szanowany – uznała, że takie będzie całe moje późniejsze zachowanie. Przyznaję, że czasami, w imię swojego osobistego buntu, potwierdzałam jej podejrzenia, pozwalając, by niektórzy moi wielbiciele – jak arystokrata Ritter Franz von Hochstetten czy początkujący aktor, mój partner z *Ekstazy* Aribert Mog – dotykali mnie na wszystkie sposoby, jakie wyobrażała sobie mama. „Czemu nie?" – myślałam sobie. I tak była pewna, że zachowuję się nieobyczajnie. Podobało mi się też, że władza, którą mam nad mężczyznami, podobna jest do tej, którą mam nad publicznością – zniewalałam ich.

– Nic, mamo. W ogóle nie znam tego mężczyzny.

– Czemu zatem miałby dawać ci wszystkie te róże, skoro nie dałaś mu nic w zamian? A nawet go nie znasz? Czyżby widział twój naganny występ w *Ekstazie* i uznał, że jesteś kobietą lekkich obyczajów?

– Dosyć – wtrącił się tata. – Może to podziękowanie za jej występ, Trude.

Matka miała na imię Gertrude, a papa zwracał się do niej zdrobniale jedynie, kiedy chciał ją udobruchać.

Umieściwszy zabłąkany czarny włos z powrotem w idealnej koafiurze, mama wstała. Miała jedynie metr pięćdziesiąt wzrostu, ale wydawała się wyższa. Podeszła do biurka, na którym stał bukiet z bilecikiem. Sięgnęła po swój srebrny nożyk i rozcięła znajomą, kremową kopertę. Uniosła obramowany złotem bilecik do światła i przeczytała na głos:

Szanowni Państwo Kiesler, w zeszłym tygodniu miałem szczęście czterokrotnie oglądać Waszą córkę w roli cesarzowej Elżbiety i chciałbym pogratulować Wam jej talentu. Życzyłbym sobie poznać Państwa osobiście, by poprosić o pozwolenie na spotkanie z Państwa córką. Jeśli przyjmą Państwo moją propozycję, przybędę do Państwa domu w niedzielę o osiemnastej – w jedyny wieczór, gdy w teatrze jest ciemno. Z poważaniem, Friedrich Mandl

Pan Mandl chciał zmusić mnie do spotkania.

Ku mojemu wielkiemu zdziwieniu rodzice umilkli. Sądziłam, że matka zadrwi z zuchwałego, niestosownego zaproszenia albo zgani mnie za jakieś wyimaginowane przewinienie, które rozbudziło zainteresowanie pana

Mandla. Zakładałam też, że ojciec – łagodny we wszystkich sprawach prócz tych dotyczących mnie – zaprotestuje przeciwko prośbie człowieka, z którym nie łączyli nas ani przyjaciele, ani rodzina. Tymczasem ulubiony zegar kominkowy, ślubny prezent od rodziców mamy, tykał głośno przez prawie minutę, a oni wciąż się nie odezwali.

– Co się stało? – spytałam.

Papa westchnął, co w ostatnich miesiącach zdarzało mu się coraz częściej.

– Musimy być ostrożni, Hedy.

– Dlaczego?

Mama wypiła do końca i zapytała mnie:

– Czy wiesz cokolwiek o tym panu Mandlu?

– Wiem troszkę. Kiedy zaczął wysyłać róże do mojej garderoby, podpytałam o niego w teatrze. Jak rozumiem, zajmuje się produkcją broni.

– Już wcześniej wysyłał ci kwiaty? – papa wydawał się przestraszony.

– Tak – odrzekłam cicho. – Co wieczór od premiery *Sissy*.

Rzucili sobie nawzajem nieodgadnione spojrzenia. W końcu papa zabrał głos:

– Odpowiem panu Mandlowi. Zaprosimy go na koktajl w niedzielę o osiemnastej, a potem ty, Hedy, pójdziesz z nim na kolację.

Byłam wstrząśnięta. Chociaż mama na pewno by chciała, żebym poślubiła miłego chłopca z Döbling, a papa zapewne myślał podobnie, nawet jeśli nigdy nie powiedział tego otwarcie, dotąd nie mieszali się w moje życie osobiste. Nawet kiedy nie chciałam zrezygnować z kariery, żeby przyjąć oświadczyny syna jednej z najbardziej szanowanych niemieckich rodzin, Hochstettenów. A już na pewno nigdy nie nalegali, bym umówiła się z konkretnym mężczyzną. Czemu robili to teraz?

– Czy mam w tej sprawie jakiś wybór?

– Przykro mi, Hedy, ale musisz to zrobić. Nie możemy obrazić tego człowieka – powiedział ze smutkiem ojciec.

Chociaż domyślałam się, że kiedyś będę musiała poznać pana Mandla, chciałam odmówić. Powstrzymał mnie jednak grymas bólu na twarzy ojca. Widziałam, że działa pod przymusem.

– Dlaczego, papo?

– Urodziłaś się już po wielkiej wojnie, Hedy. Nie rozumiesz, jak niszczycielską siłą jest polityka. – Pokręcił głową i znów westchnął.

Nie rozwinął jednak myśli. Kiedy zaczął ukrywać przede mną informacje, uznając, że nie jestem w stanie zrozumieć bardziej skomplikowanych spraw? Zawsze mówił, że mogę wszystko, a ja mu wierzyłam. To jego zapewnienia uzbroiły mnie w pewność siebie, bez której nie zostałabym aktorką.

Starałam się nie okazać złości i rozczarowania.

– Fakt, że wybrałam aktorstwo, nie oznacza jeszcze, że nie rozumiem nic poza teatrem, tato. Ty akurat powinieneś o tym wiedzieć.

Zirytowała mnie jego protekcjonalność, tak nietypowa po tylu latach traktowania mnie jak równej sobie. Ileż niedzielnych wieczorów spędziliśmy przy kominku, dyskutując o artykułach opublikowanych w gazecie? Kiedy byłam jeszcze dziewczynką, omawiał ze mną szczegóły wszystkich nagłówków, póki nie upewnił się, że rozumiem niuanse wydarzeń na scenie politycznej krajowej i międzynarodowej, nie wspominając nawet o kwestiach ekonomicznych. Przez cały ten czas mama popijała schnappsa i kręciła z niezadowoleniem głową, mamrocząc coś o „stracie czasu". Czyżby tata zmienił zdanie tylko dlatego, że teraz spędzałam wieczory w teatrze, a nie przed kominkiem?

Uśmiechnął się do mnie blado i powiedział:

– To prawda, moja mała księżniczko. Zapewne zatem wiesz, że ledwie dwa miesiące temu, w marcu, kanclerz Dollfuss wykorzystał nieprawidłowość w parlamentarnych procedurach głosowania, by przejąć austriacki rząd i rozwiązać parlament.

– Oczywiście, papo. Czytałam o tym w gazetach. Nie ograniczam się do działu teatralnego. Widziałam też drut kolczasty wokół budynku parlamentu.

– A zatem rozumiesz również, że tym samym w Austrii mamy dyktaturę, tak jak w Niemczech, we Włoszech i w Hiszpanii. Teoretycznie wciąż mamy demokratyczną konstytucję i dwie partie, konserwatywną Austriacką Partię Chrześcijańsko-Społeczną, która z różnych powodów podoba się ludziom ze wsi i z klas wyższych, oraz opozycyjną Socjaldemokratyczną Partię Austrii. Rzeczywistość jest jednak inna: kanclerz Dollfuss rządzi i pracuje nad przejęciem pełni władzy. Podobno zamierza zdelegalizować Schutzbund, lewicową organizację paramilitarną.

Zrobiło mi się słabo, kiedy usłyszałam, jak papa wymienia Austrię w jednym ciągu z faszystowskimi sąsiadami, przypisując jej przywódcę do tej samej kategorii co Adolf Hitler, Benito Mussolini i Francisco Franco.

– Nie wiem, czy słyszałam, by ktoś mówił o tym tak otwarcie, papo. – Wiedziałam, że Austrię otaczają faszystowscy dyktatorzy, ale sądziłam, że nasz kraj jest od nich wolny. Przynajmniej na razie.

– Nawet jeśli w gazetach słowo „dyktator" się nie pojawia, tym właśnie stał się kanclerz Dollfuss, także dzięki Heimwehr, która, jak wiesz, jest paramilitarną organizacją służącą za jego prywatną armię, ponieważ traktat podpisany po zakończeniu wielkiej wojny zmusił Austrię do ograniczenia liczebności wojska. Pozornie przywódcą Heimwehr jest Ernst Rüdiger von Starhemberg, za nim stoi jednak jego przyjaciel i partner w interesach: pan Friedrich Mandl. Mandl zaspokaja wszystkie militarne potrzeby Heimwehr i wszystko wskazuje na to, że bierze też udział w ustalaniu strategii.

Z początku sądziłam, że papa pogrąża się w dygresjach w toku swojego politycznego wykładu, teraz jednak zrozumiałam. Jego opowieść prowadziła do pana Mandla: stawało się jasne, jak wielką władzę dzierży ten tajemniczy człowiek.

– Rozumiem, tato.

– Na pewno? To jeszcze nie koniec. Hedy, z pewnością czytałaś w gazetach, że Adolf Hitler został w styczniu kanclerzem Niemiec.

– Tak – odparłam, patrząc, jak mama wstaje, żeby nalać sobie drugi kieliszek schnappsa. Zazwyczaj wypijała powolutku tylko jeden.

– Słyszałaś też o antysemickiej polityce, jaką Hitler wprowadza w Niemczech?

Nie zwracałam większej uwagi na artykuły na ten temat, ponieważ nie sądziłam, że nas dotyczą. Nie chciałam jednak przyznać się do ignorancji.

– Tak – powiedziałam.

– Wiesz zatem również, że kiedy tylko naziści przejęli władzę, rozpoczęli formalny bojkot żydowskich przedsiębiorców i usunęli z pracy wszystkich nie-Aryjczyków zatrudnionych na posadach prawniczych i urzędniczych. Niemieccy obywatele pochodzenia żydowskiego nie tylko padli ofiarą licznych ataków, lecz także pozbawiono ich praw obywatelskich. Praw, którymi austriaccy Żydzi cieszą się od lat czterdziestych dziewiętnastego wieku.

– Czytałam o tym. – Szczerze mówiąc, ledwie rzuciłam okiem na te historie.

– W takim razie czytałaś może artykuły o austriackich nazistach, którzy marzą o zjednoczeniu naszego kraju z Niemcami. Cokolwiek ludzie myślą na temat Dollfussa, przede wszystkim boją się, że kanclerz Hitler przeprowadzi zamach stanu i przejmie Austrię. Oficjalnie nic nie wiadomo, słyszałem jednak plotki o spotkaniu kanclerza Dollfussa z włoskim wodzem Mussolinim. I o tym, że Mussolini zgodził się pomóc Austrii w razie inwazji Niemiec.

– To chyba dobra wiadomość, chociaż nie jestem pewna, czy Austria powinna zaciągać dług u Włoch – powiedziałam. – Mussolini też jest dyktatorem i niewiele nam pomoże, jeśli to on będzie nami rządził zamiast Hitlera.

– To prawda, Hedy – przerwał mi papa – ale Mussolini nie jest aż takim antysemitą jak Hitler.

– Rozumiem – odparłam, choć nie byłam pewna, czemu ojciec tak bardzo się przejmuje antysemityzmem, skoro nas on nie dotyczy. – Ale co to ma wspólnego z panem Mandlem?

– Pan Mandl od dawna ma bliskie związki z Mussolinim, od lat zaopatruje go w broń. Podobno to właśnie on zorganizował jego spotkanie z Dollfussem.

Kręciło mi się już w głowie na myśl o roli Mandla w tym haniebnym przedstawieniu. I właśnie ten mężczyzna mnie adorował?

– To pan Mandl stoi za kanclerzem Dollfussem. Niewykluczone, że od niego zależy niepodległość Austrii.

Rozdział piąty

28 maja 1933 roku
Wiedeń, Austria

Płyn lał się na kostki lodu pobrzękujące o kryształowe ścianki. Wymuszony śmiech i szmer pogawędek unosiły się na stromych, mahoniowych schodach. Łagodne dźwięki muzyki Beethovena, odgrywane przez sprawne palce mojej matki, wypełniały przerwy w konwersacji. Moi rodzice usiłowali poradzić sobie z Friedrichem Mandlem.

Postanowiliśmy, że poczekam na górze, póki papa mnie nie wezwie. Dzięki temu rodzice mogli ocenić, czy pan Mandl jest godzien spotkania z ich jedynaczką, chociaż wiedzieliśmy, że to wszystko tylko podstęp, ponieważ papa wydał zgodę na naszą kolację w chwili, gdy zobaczył podpis pana Mandla pod listem.

Dłonie mi się pociły, chyba pierwszy raz w życiu. Nigdy dotąd się nie denerwowałam – przynajmniej nie z powodu mężczyzn. Drżałam czasem, nim podniosła się kurtyna albo w ciągu tych długich minut, nim reżyser zawołał

„akcja", ale nigdy przed randką. Mężczyźni mnie nie onieśmielali, zawsze dominowałam nad nimi w związkach, bez trudu je inicjując i kończąc. Traktowałam chłopców jak poddanych, na których mogłam testować swoją zdolność przeistaczania się w różne postaci, podstawę mojej kariery aktorskiej.

Wstałam ze swojego miejsca na szezlongu i po raz setny stanęłam przed dużym lustrem. Zastanawiałyśmy się z mamą nad strojem odpowiednim na to spotkanie. Nie mógł być zbyt prowokujący, bym nie zrobiła na Mandlu niewłaściwego wrażenia, ani zbyt dziecinny, by nie uznał, że nie traktuję go poważnie. Wybrałyśmy suknię ze szmaragdowozielonej krepy z rozbudowanymi ramionami, zakrytym dekoltem i spódnicą za kolana.

Chodząc w tę i z powrotem po pokoju, usiłowałam podsłuchać toczącą się na dole rozmowę. Od czasu do czasu wychwytywałam jakiś wyrwany z kontekstu fragment. Usłyszałam głośny wybuch śmiechu, a potem wołanie papy:

– Hedy, zejdź proszę na dół, jeśli jesteś gotowa.

Ostatni raz zerknęłam w lustro i zeszłam na dół, stukając obcasami o stopnie. Papa czekał w drzwiach salonu. Miał na twarzy maskę uprzejmości. Ukrywała niepokój, którego obecności byłam świadoma.

Wzięłam tatę pod ramię i razem przekroczyliśmy próg salonu. Mama siedziała na sofie naprzeciwko pana Mandla. Na jej twarzy malowała się ostrożność. Jeśli chodzi o mojego adoratora, widziałam jedynie tył jego głowy o starannie uczesanych włosach.

– Panie Mandl, chciałbym przedstawić panu moją córkę, Hedwig Kiesler. Wiem, że już ją pan widział, choć nie zostaliście sobie oficjalnie przedstawieni. – Papa delikatnie popchnął mnie naprzód.

Mama i pan Mandl wstali i obrócili się w moją stronę. Po wszystkich nieprzyjemnych plotkach na temat polityki i kobiet podejrzewałam, że mężczyzna wyda mi się odpychający. Kiedy jednak mi się ukłonił, znalazłam go zaskakująco atrakcyjnym. Nie do końca w sensie fizycznym – choć prezentował się przystojnie i wytwornie w swoim nienagannym granatowym garniturze z Savile Row, z błyszczącymi spinkami przy mankietach koszuli. Chodziło raczej o siłę i pewność siebie, którymi emanował. W odróżnieniu od moich dotychczasowych adoratorów nie był chłopcem, lecz mężczyzną.

Przejął inicjatywę.

– To prawdziwy zaszczyt, panno Kiesler. Jak pani zapewne wie, jestem wielkim wielbicielem pani talentu.

Znów wydarzyło się coś nieoczekiwanego: moje policzki zapłonęły.

– Dziękuję za kwiaty. To bardzo piękny i… – chwilę szukałam właściwego słowa – hojny gest.

– W żaden sposób nie odzwierciedla mojego podziwu dla pani pracy. – Gładkie słówka wypływały z jego ust wartkim strumieniem.

W pokoju zapadła niezręczna cisza. Mama, zazwyczaj doskonale odnajdująca się w towarzystwie, miała zwykle gotową odpowiedź na wszystko, jednak pan Mandl najwyraźniej także ją wprawiał w zakłopotanie. W sukurs pospieszył ojciec.

– Pan Mandl właśnie dzielił się z nami swoim upodobaniem do sztuki.

– Tak – mężczyzna spojrzał na mnie. – Dowiedziałem się, że pani matka była przed ślubem pianistką koncertową. Przyznaję, że to ja poprosiłem, by zagrała, choć protestowała, twierdząc, że robi to jedynie dla rodziny. Mistrzowsko wykonała utwór Beethovena.

Tym razem to mama się zarumieniła.

– Dziękuję panu, panie Mandl.

Fakt, że mama zgodziła się zagrać dla pana Mandla, powiedział mi więcej o strachu rodziców niż wcześniejszy monolog papy o jego manipulacjach politycznych i wojskowych. Kiedy dwadzieścia lat temu zrezygnowała z kariery, by poślubić tatę, przysięgła, że nigdy więcej nie zagra dla nikogo prócz rodziny. Wytrwała w swoim uporze do dzisiaj.

– Podejrzewam, że nauczyła pani pięknie grać także swoją córkę? – zapytał.

– Cóż… – zawahała się mama.

Wiedziałam, że komplement nie przejdzie jej przez usta. Wymagała doskonałości, a moje wysiłki rozczarowywały ją podobnie jak moja uroda. Tak jakby sądziła, że postanowiłam być piękna jej na złość.

– Widział pan może inne premiery tego miesiąca, panie Mandl? – odwróciłam uwagę od mojej wyraźnie zakłopotanej matki. Nie chciałam, by wypełniła ciszę konwersacją nerwową i niepochlebną wobec mnie.

Spojrzał na mnie swoimi brązowymi oczami.

– Mówiąc szczerze, panno Kiesler, po pani występie w *Sissy* wracam jedynie do Theater an der Wien.

Emanował takim napięciem i zaangażowaniem, że poczułam się niezręcznie. Miałam ochotę odwrócić wzrok, wyczułam jednak, że nie chce ode mnie powściągliwości, lecz siły. Spojrzałam mu więc w oczy, wypowiadając słowa, których wymagała ode mnie etykieta.

– Niezwykle mi pan pochlebia, panie Mandl.

– Każdy z moich komplementów jest szczery, a pani zasługuje na każdą z róż.

Mama otrząsnęła się i wypowiedziała zdanie, które od czasów mojego dzieciństwa powtarzała mnóstwo razy. Słyszałam je, ilekroć ktoś nazywał mnie ładną, komplementował moją grę na scenie czy na fortepianie, a także wówczas, gdy tata spędzał ze mną dużo czasu, wyjaśniając, jak działa silnik samochodu albo fabryka porcelany.

– Rozpieści pan dziewczynę, panie Mandl.

Formuła ta nie była, jak mogło się wydawać, pełną czułości przestrogą. Kryło się w niej przekonanie, że nie zasługuję, by mnie ktokolwiek rozpieszczał, że dostałam już zbyt wiele, że jestem niegodna. Czy ten obcy człowiek wyczuwał krytykę kryjącą się w słowach matki? Nawet jeśli pan Mandl odczytał właściwie jej intencje, nie zareagował. Nie odrywając ode mnie wzroku, podjął:

– Bardzo bym chciał ją rozpieszczać, pani Kiesler. – Potem zwrócił się do papy: – Czy zgodzi się pan, bym zabrał pańską córkę na kolację?

Ojciec posłał mi dyskretne przepraszające spojrzenie i odrzekł:

– Tak, panie Mandl, zgadzam się.

Rozdział szósty

28 maja 1933 roku
Wiedeń, Austria

Ledwie wysiedliśmy z limuzyny pana Mandla i wkroczyliśmy do holu hotelu Imperial, podbiegła doń obsługa. Nawet słynący z wybredności *maître d'* legendarnej restauracji hotelowej zaoferował swoje usługi. Przy tych kilku szczególnych okazjach, kiedy jadłam z rodzicami kolację w tej restauracji – w dniu urodzin i po ukończeniu szkoły – niemal błagaliśmy o uwagę obsługi i czekaliśmy prawie godzinę, by złożyć zamówienie. Znana z wyrafinowanej kuchni i wyniosłego personelu restauracja wydawała się zupełnie innym miejscem teraz, kiedy byłam w niej z panem Mandlem. Starałam się jednak ukryć moje zdziwienie i odgrywać rolę światowej aktorki.

Szepty towarzyszyły nam po drodze do stolika na środku wykończonej boazerią sali. Zawsze uważałam papę za człowieka sukcesu – i był on człowiekiem sukcesu – jednak dopiero teraz zrozumiałam, czym jest prawdziwa władza. Zabawne, że dało się to poznać po zachowaniu obsługi w restauracji i po tym, jak patrzyli na nas inni klienci.

Na stole stały róże wszelkich możliwych kolorów, rozjaśniając luksusowe, lecz monochromatyczne wnętrze. Na żadnym z pozostałych nie było kwiatów – jedynie świeczniki z brązu, a w nich białe świece – co oznaczało, że pan Mandl musiał zamówić je specjalnie na ten wieczór. Najwyraźniej nie obawiał się, że moi rodzice nie wyrażą zgody na nasze spotkanie.

Kiedy usiadłam na obitym pasiastą tapicerką krześle, które, uprzedziwszy *maître d'*, odsunął dla mnie pan Mandl, poczułam się zbyt mało elegancka w zielonej sukni, którą wybrałyśmy z mamą. W lustrze wydawała się prosta, choć odpowiednio skromna. Tu jednak żony i narzeczone miały na sobie najmodniejsze kreacje, złożone głównie z lekkich pasków drogich materiałów, zdobionych łańcuszkami z kryształków. W porównaniu z nimi wyglądałam wręcz jak zakonnica.

Zadał mi kilka szczegółowych pytań o to, co lubię jeść i jakie wino wolę, po czym zapytał:

– Czy mogę zamówić za panią? Jadam tu często i dość dobrze wiem, które ich dania są najlepsze. Nie chciałbym, by była pani rozczarowana.

Wielu mężczyzn zabrałoby się do składania zamówienia, nie prosząc nawet o pozwolenie, doceniałam więc jego grzeczność. Wiedziałam jednak, że nie powinnam na wszystko potulnie się zgadzać: na jego siłę trzeba było odpowiadać siłą.

– Zazwyczaj zamawiam sama, ale w tym przypadku chętnie się zgodzę na pański wybór.

Moje zastrzeżenie zaskoczyło go i sprawiło mu przyjemność, tak jak podejrzewałam. Roześmiał się melodyjnie, gestem wzywając kelnera. Na początek zamówił dla nas ostrygi i szampana, a następnie chateaubriand, po czym rozpoczął rozmowę o świecie teatru. Dość dobrze znał najważniejszych wiedeńskich reżyserów, dramaturgów i aktorów i ciekaw był mojej opinii na temat inscenizacji i obsady niedawnych premier. Rzadko zdarzały mi się tak wnikliwe rozmowy – większość mężczyzn niewiele wiedziała o świecie teatru i nie była nim szczególnie zainteresowana – podobnie jak zachęty do wyrażania własnej opinii. Wydało mi się to niespodziewane i niebanalne.

Zamilkliśmy nad ostrygami, aż Mandl zapytał:

– Domyślam się, że dużo pani o mnie słyszała?

Zaskoczyła mnie szczerość tego pytania. Przebywanie w jego towarzystwie sprawiało mi przyjemność, tak że od razu zapomniałam o jego nieprzyjemnej reputacji. Nie wiedząc, jaka odpowiedź byłaby najbezpieczniejsza, też zdecydowałam się na szczerość.

– Owszem.

– Podejrzewam, że nic dobrego.

Poczułam ucisk w żołądku. Podobnie jak moi rodzice miałam nadzieję, że uniknę rozmowy na temat jego reputacji.

– Niezupełnie – odparłam z uśmiechem. Miałam nadzieję wprowadzić trochę humoru w tę nieprzyjemną wymianę zdań, a może wrócić do poprzedniego tematu.

Odłożył widelec na talerz i dokładnie wytarł serwetką kąciki ust.

– Panno Kiesler, nie zamierzam obrażać pani intelektu, twierdząc, że wszystkie plotki, które pani słyszała, są kłamstwem. To prawda, że spotykałem się z wieloma kobietami i że byłem raz żonaty. Prawdą jest również, że w swojej pracy muszę raz na jakiś czas stykać się z politykami i organizacjami, które innym wydają się podejrzane. Proszę tylko, by pozwoliła mi pani wykazać, że różnię się od ludzi, z którymi robię interesy, i że kobiety traktuję z większym szacunkiem, niż można by wnioskować po liczbie moich związków. Moja reputacja i ja to nie jest jedno i to samo.

Jego słowa mnie poruszyły, chociaż wiedziałam, że powinnam zareagować zupełnie inaczej, że powinnam się go strzec. Rozumiałam go. Ja też starałam się naprawić szkody, które wyrządziła mojej reputacji rola w *Ekstazie*. Zaraz po premierze z powodu nagości i sceny stosunku seksualnego – podczas której reżyser kłuł mnie szpilką, by uzyskać na mojej twarzy minę sugerującą orgazm – w kilku krajach go zakazano, a w innych ocenzurowano, co rzuciło cień na moje nazwisko. Chociaż oczywiście skandal jedynie podsycił w ludziach pragnienie obejrzenia nieosiągalnego filmu. Czy ten mężczyzna nie zasługiwał na odkupienie, którego sama szukałam?

Nim zdążyłam otworzyć usta, znów on się odezwał:

– Nie wie pani, co myśleć, i wcale mnie to nie dziwi. Nie interesują mnie gierki, więc za pani pozwoleniem przedstawię wprost swoje uczucia i zamiary.

Kiwnęłam głową, chociaż jego prośba sprawiła, że mój żołądek ścisnął się jeszcze bardziej.

– Nie jestem szczególnie pobożnym człowiekiem, panno Kiesler. Ani przesadnie romantycznym.

Bez zastanowienia uniosłam brew i zerknęłam na róże.

– Przynajmniej zazwyczaj – dodał z uśmiechem. Zaraz jego twarz znów spoważniała. – Kiedy jednak zobaczyłem panią na scenie, miałem wrażenie, że panią znam. Nie tak, jakbyśmy się poznali w jakiejś sytuacji towarzyskiej czy przez przyjaciół, ale odniosłem wrażenie, że znam panią od zawsze. Tuż przed opuszczeniem kurtyny przez kilka sekund widziałem w pani nie cesarzową Elżbietę, lecz panią samą.

Mówił dalej, ale ja już go nie słyszałam. Byłam zbyt oszołomiona jego słowami i zbyt pogrążona we własnych myślach.

– Było to dla mnie wyjątkowe doświadczenie i poczułem się z panią dziwnie związany... – przerwał i pokręcił głową. – Gdyby moi partnerzy w interesach usłyszeli, jak mówię do pani w ten sposób, uznaliby, że zachowuję się jak oszalały wielbiciel. Pani zapewne też tak myśli.

Mogłam patrzeć, jak brnie dalej. Mogłam w milczeniu czekać, aż ten człowiek, w którego rękach spoczywa ponoć los Austrii, się załamie. Jego zachowanie dawało mi wymówkę, by więcej się z nim nie spotkać. Czułam z nim jednak jakiś szczególny związek.

– Nie, nie myślę tak o panu.

– Czy zatem rozważyłaby pani kolejne spotkanie?

Nie pierwszy raz adorował mnie mężczyzna, a choć miałam dopiero dziewiętnaście lat, nie byłam niewinna. Miewałam wielu wielbicieli: byli wśród nich Wolf Albach-Retty, hrabia Blücher von Wahlstatt, nawet młody rosyjski naukowiec, którego długie, niemożliwe do wypowiedzenia nazwisko uciekło mi z pamięci. Niektórzy zajmowali moją uwagę tylko przez chwilę, z innymi spotykałam się nieco dłużej. Niewielu poznało moje ciało, większość trzymałam na dystans. Żaden z nich jednak nie okazał mi szacunku, obdarowując mnie szczerością.

Przeciwnie: bawiły ich skomplikowane zaloty, tak typowe dla większości mężczyzn, a jednocześnie tak obraźliwe dla mojej inteligencji, tak przewidywalne. Mimo wszystkich ich tytułów, pieniędzy i dyplomów, żaden z nich nie był mi równy, wytrzymywałam więc z nimi krótko. Ale Friedrich Mandl był inny.

Milczałam, by sądził, że zastanawiam się nad jego propozycją. Nie ukrywał zniecierpliwienia, a ja odwlekałam odpowiedź jak najdłużej, rozkoszując się jego zakłopotaniem i swoją władzą nad tym jakże potężnym mężczyzną.

Wzięłam łyk szampana i oblizałam wargi, nim wreszcie się odezwałam:

– Tak, panie Mandl. Jestem gotowa rozważyć następne spotkanie.

Rozdział siódmy

16 lipca 1933 roku
Wiedeń, Austria

Omal nie zaczęłam chichotać. Przykryłam usta dłonią, tłumiąc perlisty, dziewczęcy śmiech, który już miał wydobyć się z moich ust. Pozowałam na wyrafinowaną i nie mogłam sobie pozwolić na głupkowate zachowanie. Chociaż Fritzowi by to pewnie nie przeszkadzało. Zdawał się zachwycony nawet tymi z moich cech, których ja sama nie lubiłam.

Kiedy się opanowałam, przeciągnęłam palcem po krawędzi talerza. Powierzchnia błyszczała, jakby zrobiona była ze szczerego złota, choć była to z pewnością jedynie złocona porcelana. Jakby czytał w moich myślach – co zdarzało się ostatnio coraz częściej – Fritz odpowiedział:

– Tak, *Liebling*, talerze zrobione są ze złota.

Śmiech, który starałam się powstrzymać, wybuchł ze zdwojoną siłą.

– Talerze z czystego złota? Naprawdę?

Roześmiał się wraz ze mną i zaraz wyjaśnił:

– Niemal czystego. Samo byłoby zbyt miękkie, należy więc stworzyć stop metali. W tym wypadku dodano srebro, które czyni talerze jeszcze twardszymi, lecz nie mniej pięknymi... jak ty.

Uśmiechnęłam się, słysząc ten komplement, ciesząc się, że ktoś docenia moją siłę. Moja pewność siebie onieśmielała większość mężczyzn, Fritz jednak był ciekaw moich opinii i poglądów, nawet jeśli różniły się od jego.

– Zamówiłeś je? Trudno mi uwierzyć, by dało się znaleźć złote talerze w zwykłym sklepie z porcelaną.

– Powiedzmy, że stały się dostępne po niedawnym zamieszaniu na uczelniach. I to w całkiem dobrej cenie.

Nie zrozumiałam jego słów. Czyżby mówił o zamieszkach, które wybuchły zeszłej zimy i wiosny, kiedy socjaliści wyrzucili żydowskich studentów z Uniwersytetu Wiedeńskiego? Czemu te wydarzenia miałyby doprowadzić do wyprzedaży złotych talerzy? Jedno i drugie wydawało się zupełnie bez związku, ale czaił się on gdzieś na obrzeżach mojej świadomości.

Fritz przerwał moje rozmyślania, unosząc swój kielich ze zdobnego kryształu.

– Chciałbym wznieść toast za ostatnich siedem tygodni. Najpiękniejszych tygodni w moim życiu.

Kiedy kryształ zadzwonił o kryształ i zanurzyliśmy wargi w orzeźwiającym, musującym veuve clicquot, rozmyślałam o ostatnich tygodniach. Siedem wystawnych kolacji, każdego wieczoru, kiedy teatr był zamknięty. Dwadzieścia wystawnych obiadów, kiedy ja nie grałam w popołudniowym spektaklu, a on nie miał spotkań w interesach. Czterdzieści dziewięć dostaw świeżych kwiatów, których kolory nigdy nie powtarzały się dwa dni z rzędu. Siedem tygodni zmuszania się, by nie zerkać w stronę fotela w trzecim rzędzie, który wykupił na wszystkie spektakle i w którym siedział niemal co wieczór. Siedem tygodni, podczas których cały Theater an der Wien ekscytował się moim romansem – cały oprócz pani Lubbig, która zamknęła usta, ledwie dowiedziała się o rodzącym się związku, i więcej ich nie otworzyła. Siedem tygodni, podczas których moi rodzice byli na skraju załamania nerwowego za każdym razem, kiedy wracałam do domu po wieczorach spędzonych w towarzystwie najbogatszego mężczyzny w Austrii. Mężczyzny, który mówił, że przy mnie znów czuje się młody. I pełen nadziei.

Oddałam mu cały swój świat. Kiedy tylko nie stałam na scenie, należałam do niego. Tak jak prosił, pozwoliłam, by udowodnił mi swoją wartość.

Jadaliśmy we wszystkich eleganckich restauracjach w Wiedniu i okolicach, ale nigdy dotąd nie odwiedziliśmy ani jednego z jego trzech domów – ogromnego mieszkania w Wiedniu, zamku Schloss Schwarzenau obok miasteczka o tej samej nazwie, około 120 kilometrów na północny zachód od stolicy, ani wystawnego domku myśliwskiego o dwudziestu pięciu pokojach nazwanego Villa Fegenberg, położonego ponad 80 kilometrów na południe od Wiednia. Aż do dzisiaj. Kolacja sam na sam z dorosłym mężczyzną w jego domu oznaczała pogwałcenie wszystkich zasad, które wyznawali moi rodzice. Postanowiłam więc nic im o tym nie mówić.

Wcześniej poprowadził mnie pod kolumnami strzegącymi wejścia do białego kamiennego budynku na Schwarzenbergplatz 15, w najzamożniejszej części Wiednia niedaleko Ringu. Minęliśmy konsjerża w uniformie i trzech portierów, a następnie wjechaliśmy na ostatnie piętro. Tam pokazał mi swoje dwunastopokojowe mieszkanie – czy raczej rezydencję zajmującą całe trzy piętra. Komplementowałam ją powściągliwie, choć miałam ochotę piszczeć. Jego dom urządzony był w stylu, który z początku wydawał się przeciwieństwem swojskiego, eklektycznego wystroju, do jakiego przywykłam w Döbling. Im dłużej jednak przyglądałam się luksusowej prostocie monochromatycznych mebli, dywanów i dzieł sztuki, tym bardziej męczący wydawał mi się brak umiaru dostrzegalny w większości wiedeńskich domów. Tu nie widziałam sterylności, lecz nowoczesność i świeżość.

Kiedy siedzieliśmy nad pięcioma wykwintnymi daniami kuchni francuskiej pełnymi nieznanych mi sosów, o których przygotowanie Fritz poprosił swojego kucharza, dopasowując je do wspaniałego szampana, przeciągnęłam palcem po obiciu krzesła i obrusie. Nierówny jedwab wydawał mi się dekadencki. Chociaż twarz Fritza zwrócona była ku służącemu, który nalewał mu szampana, dostrzegłam ją w ogromnym lustrze na przeciwnej ścianie. Cały promieniał, widząc, jaką sprawia mi przyjemność.

Unosząc szampana do ust, zadał kolejne z pytań o moje wychowanie. Miałam wrażenie, że Fritz jest nieskończenie ciekawy mojej przeszłości, za to nigdy nie mówił o swojej. Wydawało mi się niemożliwe, by ten nieskazitelnie wyglądający, potężny mężczyzna był kiedykolwiek bezbronnym, delikatnym dzieckiem. Czy urodził się już silny i twardy? Czy już tak pewny siebie przyszedł na ten świat?

– Dość o mnie, Fritz. Na pewno już widzisz, że życie Hedwig Kiesler z Döbling nie jest szczególnie ekscytujące.

Ale ty to zupełnie co innego. Opowiedz mi, skąd się wziął Friedrich Mandl.

Uśmiechając się szeroko, zaczął opowiadać o Hirtenberger Patronenfabrik. Historia rodzinnej firmy, którą uratował, gdy zbankrutowała po porażce Austrii w wielkiej wojnie, a następnie rozbudował, zdawała się dobrze przećwiczona, zbyt gładka. Najwyraźniej wyciągał ją jak z rękawa za każdym razem, gdy wymagała tego sytuacja, ja jednak chciałam czegoś więcej niż tylko przygotowanej zawczasu opowieści o firmie. Chciałam poznać prawdziwą historię Fritza. Prywatną historię chłopaka, który stał się najbogatszym człowiekiem w kraju, a nie zgrabną narrację o sukcesie jego firmy.

– To niesamowite, Fritz. Zwłaszcza ta pożyczka, którą wynegocjowałeś, by fabryka wróciła do rodziny. To naprawdę przebłysk geniuszu.

Uśmiechnął się. Jakże uwielbiał pochwały.

– Ale opowiedz coś więcej o życiu rodzinnym – ciągnęłam. – O swojej matce.

Jego szeroki uśmiech zniknął. Zacisnął szczęki, które stały się niemal kwadratowe. Gdzie się podział ten zaślepiony moim urokiem, entuzjastyczny Fritz, którego poznałam? Przeszedł mnie dreszcz. Opadłam na oparcie, a on, widząc moją reakcję, zmusił się do uśmiechu.

– Nie mam wiele do powiedzenia na ten temat. Była typową austriacką *Hausfrau*.

Wiedziałam, że nie powinnam ciągnąć tematu. Chcąc zmienić nastrój, zapytałam:

– Pokazałbyś mi bawialnię?

– Świetny pomysł. Może tam zjemy deser i napijemy się likieru?

Wziął mnie za rękę i poprowadził w kierunku sofy stojącej naprzeciw dużego okna z widokiem na imponującą architekturę Ringstrasse. Światła w zdobionych budynkach migotały i odbijały się w licznych lustrzanych powierzchniach bawialni. Popijając kruszon, poczułam się irracjonalnie szczęśliwa. Sukces *Sissi* i mój rodzący się związek z Fritzem zdawały się zbyt piękne, by były prawdziwe. I jak powiedziałaby mama – niezasłużone.

Zerkając na Fritza, zdałam sobie sprawę, że patrzy na mnie i uśmiecha się, widząc mój uśmiech. Pochylił się ku mnie i delikatnie pocałował. Czułość ustąpiła jednak miejsca namiętności, gdy jego dłonie powędrowały na moje plecy. Poczułam jego wargi na szyi i palce rozpinające moją suknię.

Miewałam już intymne relacje z innymi chłopcami. Całowałam się z nimi i tuliłam na balkonach i za kulisami. Pieściłam i obmacywałam na tylnych siedzeniach samochodów. Podczas trzech popołudni w pustym profesorskim mieszkaniu rodziców jednego z chłopców pozbyłam się wszelkich zahamowań. Wyczuwałam jednak, że z Fritzem powinnam poczekać, że on musi mnie zdobyć. Chociaż więc go pragnęłam, wycofałam się.

– Muszę iść – powiedziałam niemal bez tchu. – Moi rodzice będą wściekli, jeśli dotrę do domu po północy.

Puścił mnie i uśmiechnął się tajemniczo.

– Skoro tak sobie życzysz, *Hase*.

Przyciągnęłam go do siebie, by pocałować po raz ostatni.

– Nie życzę sobie. Po prostu muszę wracać. Moi rodzice sztywno przestrzegają zasad.

– Myślę, że gdy wrócisz do domu – powiedział, owiewając mnie oddechem – zaskoczy cię status tych zasad. Być może powinnaś spodziewać się zmian.

Rozdział ósmy

16 lipca 1933 roku
Wiedeń, Austria

Szofer otworzył drzwi z mojej strony, ale palce Fritza zostały na moich.

– Tak bardzo nie chcę się z tobą żegnać – wyszeptał.

– Ja z tobą też – odpowiedziałam.

I była to prawda. Zaczęłam ten związek, wmawiając sobie, że wcale mi się to nie podoba, że całe to słuchanie, kiwanie głową, rozmowy, śmiech, nawet pocałunki – to rola, którą z konieczności odgrywam na polecenie moich rodziców. Kolejny występ. Sądziłam, że znajdę jakąś drogę wyjścia. A jednak Hedy, którą byłam w głębi duszy, naprawdę coś poczuła. Zdałam sobie sprawę, że moje serce jest teraz równie bezbronne co serca, które łamałam w przeszłości podczas flirtów.

Ale wyglądało na to, że z moimi prawdziwymi uczuciami nie wiążą się żadne konsekwencje, tak samo jak na scenie. Cofnęłam rękę i bez słowa wysiadłam z samochodu. W domu rodziców było ciemno. Gdyby nie blade promienie księżyca, mogłabym się przewrócić na kamiennej dróżce. Wymacałam w ciemności klamkę i w ciszy otworzyłam, po czym zamknęłam za sobą drzwi, uważając, by nie obudzić nikogo, nawet naszej służącej Inge. Było grubo po północy. Gdybym miała szczęście, mama i papa głęboko by już spali, tak że nie obudziłyby ich żadne hałasy. Na myśl o tym, że pójdę spać bez wcześniejszego przesłuchania, poczułam, jak ramiona mi się rozluźniają.

Rozpięłam sprzączki srebrnych pantofelków i wysunęłam z nich stopy. Delikatnie ustawiłam buty na podłodze, żeby nie narobić hałasu. Szłam lekkim krokiem, unikając skrzypiących desek. Udało mi się bezszelestnie wejść po schodach na górę.

Kiedy jednak otworzyłam drzwi sypialni, na skraju łóżka ujrzałam papę z fajką w ustach.

– Czy wszystko w porządku, tato?

Nigdy wcześniej nie czekał na mnie w mojej sypialni. Razem z mamą albo siedzieli w bawialni, paląc i pijąc schnappsa po wieczorze spędzonym w teatrze z przyjaciółmi, albo szli do łóżka. Przynajmniej zanim zaczęłam spotykać się z Fritzem.

– Nikt nie zachorował, jeśli to masz na myśli.

Zebrałam fałdy mojej długiej, niebieskiej sukni i usiadłam obok niego na krawędzi łóżka, kuląc pod siebie bose stopy.

– Co się dzieje, papo?

– Pan Mandl odwiedził mnie dzisiaj w banku – odrzekł, pykając fajkę.

– Naprawdę? – Po co Fritz poszedł do mojego ojca? A co ważniejsze, czemu nie wspomniał o tym podczas naszego wspólnego wieczoru?

– Tak. Zaprosił mnie na obiad do swojego prywatnego klubu. Nie mogłem się nie zgodzić.

Moją głowę wypełniła gonitwa myśli.

– O czym rozmawialiście? – spytałam drżącym głosem.

Wypuścił pierścień dymu w kierunku sufitu i patrzył, jak wznosi się ku zdobieniom na tynku, muska je i zaraz znika. Dopiero wtedy odpowiedział.

– Wymieniliśmy uprzejmości, ale oczywiście rozmawialiśmy głównie o tobie. Pan Mandl jest tobą bardzo zauroczony, Hedy.

Poczułam, że się rumienię. Cieszyłam się, że jest ciemno. Mimo wszystkich ostrzeżeń i okropnych historii, które słyszałam, Fritz mnie pociągał. Podobało mi się, jak jego siła promieniuje na mnie w czasie naszych spotkań. Za każdym razem udowadniał, że jego reputacja i on to dwie różne sprawy.

– To miło, że zaprosił cię na obiad. – Nie wiedziałam, co powiedzieć. Wstydziłam się pytać papę o szczegóły ich rozmowy.

– Chyba nie wyraziłem się jasno, Hedy. Wychwalanie twoich zalet nie było jedynym celem naszego spotkania.

– Tak? – Głos mi drżał, nie byłam pewna, czy z podniecenia, czy ze strachu.

– Pan Mandl poprosił mnie o twoją rękę.

– O rękę? – Byłam zszokowana. Poznaliśmy się ledwie siedem tygodni temu.

– Tak, Hedy. Jest zdecydowany uczynić cię swoją żoną.

– Och – szepnęłam. Zalała mnie fala sprzecznych uczuć: pochlebstwo, strach, siła. Fritz nie był zauroczonym chłopczykiem jak wszyscy, z którymi spotykałam się dotąd. Był dorosłym mężczyzną, który mógł mieć każdą, a wybrał mnie.

Papa odłożył fajkę i objął mnie ramionami.

– Bardzo mi przykro, Hedy. Tak bardzo zależało mi, byś nie uraziła tego potężnego człowieka, że doprowadziłem do tej okropnej sytuacji.

– Uważasz, że jest okropna, papo?

– Nie wiem, co o tym myśleć, *Liebling*. Dopiero co poznałaś tego mężczyznę, poza tym wiemy o nim tyle, ile się o nim mówi, a mówi się jak najgorzej. Choć wiele razy zgodziłaś się z nim spotkać, nie znam twoich prawdziwych uczuć. Wręcz boję się myśleć, co oznaczałoby życie u boku Friedricha Mandla, nawet jeśli naprawdę coś do niego czujesz. – Urwał, zastanawiając się nad dalszymi słowami. – Ale jeszcze bardziej boję się konsekwencji, jakie może mieć dla nas wszystkich twoja odmowa.

– Mnie jego oświadczyny nie wydają się straszne.

– Chcesz powiedzieć, że ci na nim zależy? – wydawał się zszokowany. Ale i pełen nadziei. Nie byłam tylko pewna, czego ta nadzieja dotyczy.

– Cóż… – przerwałam, niepewna, jak się wyrazić. Dziwnie się czułam, rozmawiając z papą o moich uczuciach do mężczyzny. Przy okazji wcześniejszych związków używałam raczej eufemizmów. – Bardzo mi to pochlebia, papo. I tak, coś do niego czuję.

Odsunął się i spojrzał mi w twarz. W słabym świetle nocnej lampki zobaczyłam łzy napływające do oczu mojego stoickiego ojca.

– Nie mówisz tego, by zrobić mi przyjemność, prawda?

– Nie, mówię szczerze.

– Jest ogromna różnica między darzeniem kogoś uczuciem a zgodą na poślubienie go, Hedy.

Zastanawiałam się, czy wypowiadając te słowa, myśli o swoim pełnym napięcia związku z mamą. Zamiast jednak odpowiedzieć na ukryte w nich pytanie – albo zapytać o słuszność mojego przypuszczenia – zmieniłam temat.

– A co ty sądzisz, papo?

– W normalnej sytuacji musiałbym zaprotestować, niezależnie od twoich uczuć. On jest dla ciebie za stary. Ledwie się znacie. Nie znamy jego rodziny. Ma fatalną reputację, zarówno jeśli chodzi o kobiety, jak i o interesy. Jestem pewien, że twoja matka się ze mną zgodzi, ale przed rozmową z nią chciałem poznać twoje uczucia.

Czy papa sugerował, żebym odrzuciła oświadczyny? Jego opinia wiele dla mnie znaczyła. Zdanie mamy wręcz przeciwnie, gdyż pogarda wobec mnie dyktowała jej opinie zgodne z jej interesem, a dla mnie nieprzydatne. Skoro nie kroczyłam drogą, którą ona uważała za właściwą, uważała mnie za kobietę upadłą.

Papa jeszcze nie skończył.

– Mówiąc szczerze, jestem rozdarty. Jeśli ci na nim zależy, w nadchodzących czasach ten związek może cię uchronić. To potężny człowiek. Niezależnie od tego, czy podzielasz jego poglądy polityczne i popierasz współpracę z kanclerzem Dollfussem, on chce Austrii niezależnej od Niemiec i tego nikczemnego antysemity Hitlera. A jeśli wierzyć plotkom, dla nas, Żydów, sytuacja stanie się jeszcze bardziej niebezpieczna.

O czym tata mówił? Nie byliśmy prawdziwymi Żydami, jak imigranci, którzy zalali Austrię w czasie wojny i później, w biednych, ponurych dniach, które nadeszły po naszej klęsce. Żydzi z Europy Wschodniej – *Ostjuden* – żyli z dala od reszty austriackiego społeczeństwa, trzymając się swojej ortodoksyjnej religii i tradycji. Nikogo takiego, odzianego w charakterystyczny strój, nawet nie znałam. Nieliczni pobożni Żydzi z sąsiedztwa – ci, którzy obchodzili szabas, trzymali w domach menory i mezuzy – nie afiszowali się ze swoją wiarą, w przeciwieństwie do *Ostjuden*, i nie wyróżniali się wyglądem. A moja rodzina... cóż, my w ogóle nie uważaliśmy się za Żydów, chyba że w bliżej nieokreślonym kulturowym znaczeniu. W pełni przystosowaliśmy się do tętniącej życiem stolicy. Przede wszystkim byliśmy wiedeńczykami.

– Przecież my nie jesteśmy tacy jak wschodnioeuropejscy Żydzi, którzy pojawili się tutaj w ostatnich latach.

– Rzeczywiście nie noszę jarmułki ani nie obchodzimy Jamim Noraim, ale to nie oznacza jeszcze, że nie jesteśmy Żydami, zwłaszcza dla ludzi postronnych. Na miłość boską, mieszkamy przecież w Döbling, które ma własną synagogę i prawie cztery tysiące żydowskich mieszkańców. I zarówno ja, jak i twoja matka zostaliśmy wychowani w żydowskich domach. Jeśli dotrą tu naziści ze swoimi przeklętymi swastykami, na pewno obiorą sobie za cel właśnie Döbling. I tutejszych mieszkańców.

– Nie, papo, to niemożliwe. – Wydawało mi się wręcz śmieszne, by ktokolwiek chciał zaatakować malownicze, bezpieczne Döbling.

W szorstkim dotąd głosie taty pojawił się smutek.

– Ataków na Żydów jest coraz więcej, Hedy, a nie o wszystkich można przeczytać w gazetach. Tylko tych najbardziej brutalnych, jak zeszłorocznego w Café Sperlhof, rząd nie może zamieść pod dywan. W dzielnicach zamieszkałych przez ortodoksyjnych Żydów, jak Leopoldstadt, regularnie pojawiają się antysemickie ulotki, ciągle dochodzi też do jakichś zamieszek. Napięcie rośnie, a jeśli Hitler położy łapę na Austrii, niech Bóg ma nas w opiece.

Zabrakło mi słów. Dotąd tylko jeden jedyny raz rozmawiałam z tatą o naszym pochodzeniu. Wspomnienie tamtej rozmowy wróciło teraz żywe, jakby się zdarzyła wczoraj. Miałam może z osiem lat i przez kilka godzin siedziałam pod biurkiem papy, bawiąc się w balet lalkami; uwielbiałam zamieniać tę ciemną kryjówkę pod jego zdobionym sekretarzykiem w mój własny teatr. Nagle odniosłam wrażenie, że mamy – zawsze czającej się za rogiem, zwłaszcza kiedy nie chciałam jej obecności – nie ma przez cały dzień. Zamiast ucieszyć się niespodziewaną wolnością – wolnością, która pozwoliła mi na tak długą zabawę w teatrzyk – wpadłam w panikę. Czyżby coś jej się stało?

Wybiegłam z gabinetu i znalazłam papę przed kominkiem w salonie – paląc fajkę, czytał gazetę i wydawał się całkiem zadowolony. Jego spokój mnie zdziwił. Czyżby nie martwił się o mamę?

– Gdzie ona jest? – zawołałam od progu.

Zaniepokojony uniósł wzrok znad gazety.

– Co się stało, Hedy? Jaka „ona"?

– Mama! Zginęła.

– Och, nie martw się. Bierze udział w sziwie w domu pani Stein.

Wiedziałam, że jedna z naszych sąsiadek, pani Stein, niedawno straciła ojca, ale czym była sziwa? To słowo brzmiało egzotycznie.

– Co to znaczy? – zapytałam, niestosownie, jak mówiła mama, marszcząc nos. Mamy tu jednak nie było, a tata nigdy nie skrytykowałby mnie za coś tak głupiego.

– Kiedy umiera Żyd, rodzina opłakuje go przez tydzień, przyjmując w domu kondolencje od żałobników. Ten zwyczaj nazywa się sziwa.

– To znaczy, że Steinowie są Żydami? – Słyszałam czasem, jak moi rodzice wypowiadają to słowo, ale nie byłam pewna, co oznacza. Wiedziałam tylko, że ludzie dzielą się na dwie grupy: Żydów i nie-Żydów. Wydawało mi się, że samo wypowiadanie tego słowa czyni mnie bardziej dorosłą.

Tata uniósł brwi, słysząc moje pytanie, a jego oczy otworzyły się szeroko, przyjmując nieznany mi dotąd wyraz. Kojarzył mi się ze zdziwieniem, tylko że nigdy dotąd nie widziałam, by mój niewzruszony papa czemukolwiek się dziwił.

– Tak, Hedy. Są Żydami. Podobnie jak my.

Chciałam zadać papie pytanie – przede wszystkim o to, co oznacza bycie Żydem – ale wtedy trzasnęły drzwi frontowe. Charakterystyczny stukot obcasów wchodzącej do domu mamy dotarł do salonu, a my z tatą wymieniliśmy spojrzenia. Czas na pytania minął, od tej pory jednak wiedziałam, do której kategorii należy moja rodzina – choć nie miałam świadomości, co dokładnie wiąże się z kwestią religii.

Ta druga rozmowa była naszą najdłuższą na temat naszego pochodzenia – chociaż zdążyłam się już mniej więcej dowiedzieć, o co chodzi w naszej religii i co oznacza nasza narodowość – i jego słowa mnie przeraziły. Do tej pory akty przemocy, o których czytałam w gazetach, zdawały się dotyczyć innej grupy Żydów, ludzi, którzy z moim odległym dziedzictwem nie mieli wiele wspólnego. Teraz nie byłam już tego pewna.

– Czy powinniśmy się martwić, papo?

Mój strach musiał być wyraźny, bo tata ścisnął moje dłonie, próbując mnie uspokoić.

– Za dużo powiedziałem o swoich zmartwieniach, Hedy. Nikt nie wie, co wyniknie z tego całego zamieszania. Jeśli jednak ktokolwiek może cię ochronić, to właśnie on. Niewykluczone, że Friedrich Mandl zapewni ci bezpieczeństwo w tych niebezpiecznych czasach.

Rozdział dziewiąty

18 lipca 1933 roku
Wiedeń, Austria

Tego wieczora czułam się, jakby wszystko wokół zostało wypolerowane. Stół stał dokładnie na środku jadalni, gdzie mogły spocząć na nas oczy wszystkich gości. Nasze twarze błyszczały w płomieniach świec z dwóch srebrnych kandelabrów o ramionach w kształcie gałęzi drzewa. W ciepłym blasku srebrzystych bibelotów kryształowe kieliszki lśniły jeszcze jaśniej, a lustrzane powierzchnie srebrnych sztućców migotały. Pośrodku stołu stał porcelanowy wazon pełen róż w każdym z odcieni, które do tej pory dostarczono do mojej garderoby: czyjeś sprawne dłonie przycięły kwiaty na idealną wysokość, tak by nie zasłaniać nas sobie nawzajem. W restauracji słychać było szmer rozmów pozostałych gości i ciche dźwięki fortepianu. Miałam wrażenie, że wszystkie dotychczasowe eleganckie obiady i kolacje były tylko próbami, które przygotowywały nas do tej chwili, kiedy to uniosła się kurtyna. Czy też może dopatrywałam się teatralności i doniosłości w błahych szczegółach, ponieważ sądziłam, że tego wieczora Fritz mi się oświadczy?

Wiedziałam, że wczoraj papa z nim rozmawiał. Ponownie umówili się na lunch w klubie Fritza, a rano przed wyjściem przećwiczyliśmy z papą, co powinien powiedzieć. Kiedy poprzedniego dnia wróciłam z teatru, w korytarzu unosiły się kłęby dymu z jego fajki. Pobiegłam do salonu, nie mogąc się doczekać szczegółów ich rozmowy. Według papy wszystko potoczyło się tak, jak zaplanowaliśmy, z jednym wyjątkiem. Fritz wyraził się jasno: nie życzy sobie, bym po ślubie pozostała aktorką. Podobny warunek odrzuciłam już ze strony innego wielbiciela. Te oświadczyny jednak, oświadczyny tego człowieka, były inne, chociaż ów warunek budził we mnie wciąż tę samą niechęć. Strach przed zagrożeniem politycznym podbijał stawkę, a poza tym znacznie silniejsze było moje uczucie do Fritza. Po długiej, bolesnej dyskusji z papą – pod czujnym okiem mamy, która dorzucała swoje powiedzonka, gdy ćwiczyliśmy moją reakcję – zaczęłam patrzeć na zastrzeżenie Fritza inaczej i przyjęłam je do wiadomości, a nawet zaakceptowałam.

Fritz nic mi jednak nie powiedział o tym drugim lunchu, tak samo jak o pierwszym. Ze wszystkich sił chciałam podtrzymać wesoły nastrój i mówić lekkim, pogodnym tonem – sądziłam, że tego właśnie ode mnie oczekuje. Musiałam wykorzystywać swoje umiejętności aktorskie, by ukryć niepokój, od którego ściskał mi się żołądek i pociły dłonie. Chciałam ukryć młodą, nerwową Hedy Kiesler z Döbling i stać się gwiazdą Hedwig Kiesler, nawykłą do zasłużonych pochwał najbogatszego człowieka w Austrii.

Opowiadałam właśnie Fritzowi historyjkę zza kulis o moim scenicznym partnerze i coraz bardziej absurdalnych wymaganiach naszego reżysera, kiedy przy naszym stoliku pojawił się mężczyzna. W czasie naszych spotkań w restauracji wielu ludzi podchodziło przywitać się z Fritzem i zamienić z nim parę słów, on jednak nigdy nie wstawał i nigdy mnie im nie przedstawiał. Tym razem jednak zerwał się na nogi i podał rękę wysokiemu dżentelmenowi.

– Och, Ernst. Pozwól, że przedstawię ci pannę Hedwig Kiesler. Hedy, to książę Ernst Rüdiger von Starhemberg.

Książę von Starhemberg. Nawet gdyby papa nie wspomniał ostatnio o tym prawicowym – czy nawet faszystowskim – austriackim polityku i przywódcy Heimwehr, znałabym to nazwisko. Rodzina Starhembergów należąca do starej austriackiej szlachty posiadała tysiące hektarów ziemi i liczne zamki w całym kraju.

Dżentelmen o długim arystokratycznym nosie i poważnym wyrazie twarzy zwrócił ku mnie spojrzenie swoich blisko osadzonych oczu.

– Słyszałem o pani triumfalnym występie w *Sissy*, panno Kiesler. To zaszczyt móc panią poznać – powiedział, kłaniając mi się nisko.

Książę von Starhemberg słyszał o mnie? W głowie mi się zakręciło na myśl o tym, że tak ważna osoba mnie zna, i na chwilę się zapomniałam. Ostre spojrzenie Fritza obudziło mnie jednak.

– Miło mi, książę. – Skinęłam głową. – Dziękuję za komplement.

Oczy księcia spoczywały na mnie nieco zbyt długo, a ja zastanawiałam się, jak Fritz zareaguje na to zainteresowanie. Ku mojemu zdziwieniu, na jego twarzy widać było raczej aprobatę niż zazdrość. Mężczyźni znów popatrzyli na siebie.

– Czy realizacja planów związanych z naszym włoskim kolegą przebiega zadowalająco? – zapytał Starhemberg.

– Och, tak. Jest bardzo dobrze – odrzekł Fritz. – Czy data naszego kolejnego spotkania jest już ustalona?

Kiedy ich głosy zniżyły się do szeptu, starałam się nie słuchać, nie zgadywać, na czym polegają ich machinacje dotyczące „włoskiego kolegi", którym musiał być Mussolini. Zajęłam się podziwianiem słynnego wystroju lokalu. Restauratorzy stworzyli miejsce austriackie par excellence, składając hołd jednocześnie przeszłości i przyszłości, równoważąc eleganckie francuskie meble i luksusowe belgijskie obrusy elementami stylu tyrolskiego.

Mężczyźni zakończyli rozmowę, a Starhemberg ujął moją dłoń.

– Muszę przyjść do teatru, obejrzeć panią w roli legendarnej cesarzowej Elżbiety. Nasz naród bardzo dziś potrzebuje bohaterek – powiedział, po czym złożył pocałunek na moim ręku. Raz jeszcze pokłonił się i ruszył ku frontowym drzwiom restauracji, uprzedzony przez kelnerów, którzy otworzyli je przed nim.

Usiedliśmy z Fritzem z powrotem, a każde z nas sięgnęło po kieliszek i napiło się szampana.

– Przepraszam, Hedy – powiedział Fritz.

– Nie musisz przepraszać. Cieszę się, że poznałam księcia von Starhemberga.

– Miło mi to słyszeć. Ernst to nie tylko dobry kolega. Wspólne poglądy polityczne i ekonomiczne sprawiły, że zawiązaliśmy silny sojusz. Podejrzewam, że w przyszłości spotkacie się jeszcze wiele razy.

Na słowo „przyszłość" przełknęłam ślinę. Czy to teraz? Czy właśnie teraz moje życie się zmieni?

Starałam się ukryć narastający niepokój i podniecenie.

– To bardzo miłe, że pochwalił moje aktorstwo. Człowiek taki jak książę von Starhemberg z pewnością ma na głowie ważniejsze sprawy niż moja rola w *Sissy*.

Fritz milczał, a ja przestraszyłam się, że obraziłam go, sugerując, że człowiek ważny nie powinien interesować się teatrem czy aktorką. I że w związku z tym on nie jest równie ważny co książę.

– *Hase*, czy bardzo kochasz światła ramp? – zapytał.

Czułam, że to pytanie prowadzi nas do celu dzisiejszego spotkania. Musiałam odpowiedzieć właściwie, inaczej wszystko będzie stracone. Razem z papą – i mamą za kulisami – aż do świtu rozważaliśmy tę drażliwą kwestię i moją jeszcze bardziej drażliwą odpowiedź. Chociaż porzucenie aktorstwa byłoby dla mnie straszliwym poświęceniem, zaczęłam dostrzegać, że zamiana kariery scenicznej na spokój i bezpieczeństwo, jakie mógł mi dać Fritz, jest koniecznością. Teraz jednak, kiedy nadeszła ta chwila, nie byłam pewna, czy dam radę wypowiedzieć przygotowane słowa.

Wzięłam głęboki oddech.

– Nigdy nie zależało mi na świetle ramp i owacjach, Fritz. Uwielbiam za to wcielać się w inne postaci, prowadzić inne życie. – Te właśnie słowa przećwiczyliśmy z tatą.

– A gdybyś mogła wieść inne życie? Przez resztę życia odgrywać nową rolę nie tylko na scenie? Czy wciąż potrzebowałabyś teatru?

Wiedziałam, jakiej oczekuje odpowiedzi, co muszę zrobić, by nie zaprzepaścić swojej szansy. Przyjęłam powściągliwy wyraz twarzy, opuściłam wzrok i powiedziałam:

– To zależy od roli, jaką by mi zaproponowano. I od tego, kto by ją proponował.

Przełknął ślinę.

– Chodzi o rolę żony. I to ja proszę cię o rękę.

Spojrzałam na Fritza spod rzęs i spytałam:

– Naprawdę?

Przesunął po stole czarne, aksamitne pudełeczko i otworzył je, gdy znalazło się przede mną. W środku znajdowała się szeroka złota obrączka wysadzana blaskiem diamentów. Była to najkosztowniejsza biżuteria, jaką w życiu widziałam; nie ważyłam się nawet odgadywać liczby karatów. Omal się nie roześmiałam, myśląc o sobie, dziewiętnastolatce, która ledwie dwa lata wcześniej uczyła się na szwajcarskiej pensji, a teraz miała włożyć na palec pierścionek, który nadawał się raczej dla księżniczki.

– Co powiesz, *Hase*?

– Tak, Fritz. Zostanę twoją żoną.

Włożył mi pierścionek na palec i gestem kazał kelnerowi przynieść więcej szampana. Kiedy wznosiliśmy toast na cześć przyszłej pani Mandl, poczułam spodziewany żal za aktorką Hedy Kiesler. Kim mogłaby się stać, gdyby Fritz Mandl nigdy nie przyszedł do teatru na *Sissy*? Wiedziałam, że rola jego żony to angaż na zawsze. Nie mogłam zrzucić tej nowej maski po zakończeniu prób i opadnięciu kurtyny.

Ten toast i to małżeństwo były pożegnaniem.

Rozdział dziesiąty

10 sierpnia 1933 roku
Wiedeń, Austria

Wmawiałam sobie, że przejście do ołtarza jest po prostu kolejną sceną. Że nie ma się czym denerwować. Po raz kolejny wygładziłam suknię i wepchnęłam niesforny kosmyk z powrotem w niski kok, w który wetknięto delikatne białe orchidee. Krążąc w tę i z powrotem po małej przestrzeni przeznaczonej dla nas w kaplicy, omal nie wpadłam na papę. Zauważył, że bardzo się niecierpliwię, i przyciągnął mnie do siebie, uważając na elegancki bukiet orchidei i misternie ułożone fałdy sukni. Choć uszyta przez firmę Mainbocher, wydawała się zbyt skromna w zestawieniu z barokowym wnętrzem Karlskirche.

– Wyglądasz przepięknie, *Liebling*. Nie ma się czego bać.

Tata zawsze powtarzał, że uroda, którą zostałam obdarzona, musi mieć swój cel. Z początku sądziłam, że jest nim wiedeński teatr – wysoce ceniony świat kultury, w którym wymogiem była fizyczna atrakcyjność. Teraz jednak ogarnęły mnie wątpliwości. Czy naprawdę chodziło mu o to, że dzięki prezencji znajdę wpływowego męża? Takiego, który pomoże mnie i mojej rodzinie?

– Tylko oczu setek obcych ludzi – odpowiedziałam.

Papa omal nie wybuchł śmiechem.

– To chyba nie powinno robić na tobie wrażenia, moja aktoreczko. Co wieczór stajesz przed setkami obcych ludzi.

– Była aktoreczko – poprawiłam go i zaraz pożałowałam tych słów, widząc smutek w jego oczach.

– W tłumie zobaczysz wiele znajomych twarzy z Döbling. – Próbował zmienić temat.

– Bez wątpienia kręcą nosem na ten ślub kościelny. Chupy tu nie będzie – odparłam. Teraz, kiedy tata dopuszczał rozmowy o żydostwie, nie mogłam powstrzymać się od przytyku.

– No, no, *Liebling*. Większość mieszkańców Döblig żyje w Wiedniu od pokoleń i dobrze zna ceremonię chrześcijańską.

– Być może byli na niej jako goście. Ale wątpię, by widzieli, jak jedno z nich bierze chrześcijański ślub.

– Zdziwiłabyś się.

Tygodnie od oświadczyn Fritza minęły jak we mgle. Umówiliśmy się, że odegram ostatnie przedstawienia *Sissy*, po czym wydam oświadczenie następującej treści: „Zaręczyny napełniają mnie taką radością, że nie smuci mnie nawet pożegnanie ze sceną. Tak bardzo nie mogę się doczekać małżeństwa, że bez żalu rezygnuję z kariery w teatrze". Przygotowując je, bynajmniej nie cieszyłam się na myśl o porzuceniu aktorstwa. Chociaż nie zwierzyłam się z mojej udręki Fritzowi, musiał coś zauważyć, ponieważ postanowił złagodzić cios, zabierając mnie do Paryża po suknię ślubną.

Spędziliśmy trzy dni w Paryżu z moją mamą w roli przyzwoitki. Tęskniłam za teatrami i muzeami, które odwiedzaliśmy z rodzicami podczas poprzednich podróży. Przepuszczaliśmy wtedy pieniądze, zatrzymując się w luksusowym Hôtel Le Meurice, wybranym ze względu na bliskość Luwru, w którym spędzaliśmy poranki, zwiedzając niezrównane kolekcje obrazów i rzeźb – mamie najbardziej się podobały różowawe palety Fragonarda, podczas gdy papa mógł stać godzinami przed stonowanymi portretami Rembrandta – a później szliśmy na lunch do luksusowej restauracji hotelowej. Później mama odpoczywała, a my z tatą szliśmy na spacer do pobliskich ogrodów Tuileries, w których przyglądaliśmy się starym morwom zasadzonym jeszcze przez Henryka IV czy eleganckim rzeźbom, a czasem oddawaliśmy się bardziej plebejskim rozrywkom, które mamie by się nie spodobały, takim jak oglądanie akrobatów, teatrów lalkowych czy miniaturowych łódek pływających po małym jeziorku. Potem wszyscy razem szliśmy do opery w Palais Garnier albo słuchaliśmy muzyki symfonicznej w jednym z teatrów, zależnie od tego, którą orkiestrę wybrali rodzice. Część moich najmilszych rodzinnych wspomnień pochodziła właśnie z Paryża.

Ta podróż nie obejmowała jednak żadnych kulturalnych wycieczek. Fritz zaplanował serię spotkań z najlepszymi krawcami w mieście, których pracownie znajdowały się na modowych bulwarach rue Cambon, avenue Montaigne, place Vendôme i avenue George V. Podczas godzin spędzonych z projektantami w salonach Chanel, Vionnet, Schiaparelli i wreszcie Mainbocher, mama siedziała, dziwnie milcząca, a Fritz patrzył, jak defiluję przed nim w kolejnych sukniach.

W garderobie w Mainbocher Couture przyglądałam się, jak asystentka projektanta upina na mnie bladoniebieskie pasy materiału, drapowane jak u greckiej bogini. Cofnęła się o krok, żebym przyjrzała się projektowi w potrójnym lustrze, nim pokażę się Fritzowi i mamie, a ja aż krzyknęłam z zachwytu. Pasowała mi jak żadna kreacja dotąd, podkreślając moją figurę w sposób, który był zarówno pochlebiający, jak i odpowiedni do okazji, jednocześnie sprawiając, że uwaga skupiała się na mojej twarzy, jakby otoczonej miękkim światłem. Wyjątkowa suknia na wyjątkową okazję. Była doskonała.

Nie mogłam doczekać się reakcji Fritza. Wyszłam do prywatnego saloniku, w którym siedział z mamą wygodnie w jedwabnych wyszywanych ręcznie fotelach z kieliszkami w dłoniach, i zaprezentowałam się im. Jemu.

Kiedy Fritz mnie zobaczył, na jego twarzy pojawił się lekki uśmiech. Jego wzrok na dłuższą chwilę zatrzymał się na krągłościach mojego dekoltu. Ze względu na obecność mamy odebrałam to zachowanie jako nieprzyzwoite.

– No i co sądzisz? – spytałam, obracając się, by przestał wpatrywać się w moją pierś.

– Bardzo twarzowa, *Hase*.

– To ta – ogłosiłam, zerkając na mamę. Nawet ona nie mogła powstrzymać uśmiechu.

Fritz wstał i podszedł do mnie tak blisko, że czułam ciepło jego oddechu.

– Jest bardzo ładna, Hedy, ale to nie ta.

– Jak możesz tak mówić, Fritz? – spytałam kokieteryjnie. Odeszłam znów o krok, obróciłam się wokół własnej osi i zapytałam: – Czyż nie pasuje idealnie?

Sięgnął ku mnie i przez chwilę wydawało mi się, że mnie pocałuje. Ale nie: jego palce mocno ścisnęły moje ramię i cichym, gniewnym głosem, który tylko ja słyszałam, powiedział:

– To nie ta. Przymierzysz inne.

Cofnęłam się o krok, niemal się potykając, i weszłam z powrotem do garderoby. Czy Fritz mi groził?

Drżąc, pozwoliłam, by garderobiana zdjęła ze mnie grecką suknię. Ściągnęła z wieszaka inną, biało-czarną, i włożyła ją na mnie. Spoglądając w lustro, widziałam, że pasuje do moich czarnych włosów i jasnej cery, ale ostre krawędzie i geometryczne wzory zdawały się lepiej nadawać na bal niż na ślub. Czy jednak wolno mi będzie w ogóle podzielić się z Fritzem tymi wątpliwościami? Czy ośmielę się to zrobić? Czułam się rozdarta. Nie chciałam po raz kolejny usłyszeć tego tonu w jego głosie ani poczuć, jak jego palce wbijają się w moje ramię, ale nie chciałam też poświęcać wszystkiego – łącznie z wyborem sukni ślubnej – byle go nie denerwować.

Nie obracając się ani nie kłaniając, weszłam do salonu, gotowa na jego ocenę. Kiedy tylko mnie zobaczył, zerwał się na nogi i przyciągnął do siebie mamę.

– To ta – powiedział, nie pytając o zdanie ani jej, ani mnie.

Kiedy mama zobaczyła, że się czerwienię, pokręciła głową. Najwyraźniej nie wolno było nie zgodzić się z Fritzem. Zwłaszcza nie po tej scenie, której była świadkiem.

– Jest śliczna – powiedziałam, starając się ukryć złość na jego wcześniejszą szorstkość i skupić się raczej na tym, z jakim podziwem patrzy na mnie teraz. Czy warto było złościć się o sukienkę? Ważniejsze było, by poślubić Fritza, a tym samym zapewnić sobie jego ochronę i bezpieczeństwo w nadchodzącym czasie.

Znów zerknęłam w lustro, próbując zobaczyć siebie taką, jaką Fritz mnie widział, jaką chciał mnie widzieć. Wyglądałam w tej sukni przepięknie. Napotkałam jego wzrok w lustrze i kiwnęłam głową, na znak zgody z jego decyzją.

Po przymiarkach w Mainbocher odwieźliśmy mamę do hotelu i udaliśmy się na krótki spacer po dobrze mi znanych ogrodach Tuileries, a potem na północ do placu Vendôme. Oktagonalny plac o wspaniałych budynkach z łukowatymi oknami, otoczonymi pilastrami i zdobionymi filarami na parterach, wzbudził mój podziw, a Fritz opowiedział mi historię kolumny stojącej pośrodku placu. Wysoka na ponad czterdzieści metrów zbudowana została na wzór słynnej rzymskiej kolumny Trajana na zamówienie Napoleona, by uczcić jego zwycięstwa na początku dziewiętnastego wieku. Kolumna z brązu ze swoimi płaskorzeźbami stała się przedmiotem sporów i po upadku Napoleona została rozmontowana, a na dobre wróciła na miejsce dopiero pod koniec stulecia.

– Rządy i partie mogą zdobywać władzę i ją tracić, ale siła pieniądza zawsze zwycięża – powiedział Fritz. Chociaż pozornie podsumowywał w ten sposób pewien aspekt historii Napoleona, w rzeczywistości zdanie to odzwierciedlało jego poglądy polityczne. Wyglądało na to, że władza jest dla niego celem samym w sobie.

Przechadzaliśmy się wzdłuż luksusowych sklepów, które zajmowały przestrzeń wokół placu, i zatrzymaliśmy się na dłużej przed zwieńczoną łukiem witryną sklepu Cartiera. Biżuteria lśniła w złotym popołudniowym słońcu, a ja zachwycałam się kompletem złożonym z kolczyków, naszyjnika i bransoletki, wysadzanym diamentami, rubinami, szafirami i szmaragdami ułożonymi w geometryczny wzór. Ta chwila była tak cudowna, że całe moje wcześniejsze zdenerwowanie ustąpiło.

– Te klejnoty nie dorównują ci urodą, *Hase*. Nic nie dorównuje ci urodą – powiedział Fritz, otaczając mnie ramieniem.

Znów podejmując temat dnia naszego ślubu, zaczął planować kolację po ceremonii. Zorganizował ją w niemal najmniejszym szczególe – wybrał kwiaty, suknię, muzykę, restaurację, menu, listę gości, niczym scenograf czy reżyser. Jedyne, o czym dotąd nie zadecydował, to przebieg samej ceremonii, podejrzewałam więc, że ten temat podejmie w najbliższej kolejności. Z początku w zaciszu naszego domu mama złościła się, twierdząc, że to „niestosowne", by pan młody zajmował się organizacją wesela. Gdy jednak spędziła z Fritzem więcej czasu, obserwując, jak szalenie skupiony jest na tym wydarzeniu, te narzekania też ustały. Nie tylko sama nie ważyła się interweniować, ale i mnie przed interwencją przestrzegała.

Jedynym elementem planowania wesela, którym wciąż się zajmowałam, było kompletowanie listy gości. Fritz nalegał, by zaprosić nie tylko arystokratów takich jak książę Gustaw z Danii, książę Albert Bawarski czy książę Mikołaj z Grecji, ale też najważniejszych polityków, w tym kanclerzy Engelberta Dollfussa i Kurta von Schuschnigga. Ja miałam niewiele próśb: chciałam zaprosić piątkę czy szóstkę moich przyjaciół z teatru i kilkoro krewnych mamy i papy, Fritz jednak się wzdragał. Martwiła go liczba gości. Postanowił, że uroczystość weselna odbędzie się w wiedeńskim Grand Hotelu przy Kärntner Ring, w którego największej sali mieściło się dwieście osób. Sami goście Fritza właściwie wystarczali.

Podczas spaceru poprosiłam o zaproszenie dla mojego teatralnego mentora Maxa Reinhardta, ważnego reżysera i producenta, jednak Fritz przerwał mi, zmieniając temat:

– Co sądzisz o kościele świętego Karola Boromeusza? Znasz go dobrze?

Czemu pytał mnie o jeden z najsłynniejszych budynków w Wiedniu, fantastyczny barokowy kościół o ogromnej, miedzianej kopule z kolumnami po obu stronach? Co miał on wspólnego z moją prośbą o zaproszenie dla Maxa? Czy był większy od innych rozważanych lokalizacji i mógł przyjąć więcej gości? Nie, to niemożliwe. To kościół chrześcijański.

– Oczywiście, Fritz. – Starałam się ukryć swoje zdenerwowanie w nadziei, że rozszerzy naszą listę gości. – Wszyscy mieszkańcy Wiednia znają ten kościół. Dominuje nad miastem. – Pokręciłam lekko głową, a po krótkiej przerwie wróciłam do tematu gości: – Jesteś pewien, że nie znajdzie się miejsce dla Maxa? A dla cioci i wujka? Papa będzie rozczarowany, jeśli nie zobaczy tam rodziny swojego brata.

– Hedy, nie pytałem cię o ten kościół ot, tak. Zastanawiałem się, czy nie chciałabyś wziąć ślubu tam – odparł.

Ja? Miałabym wziąć ślub w kościele świętego Karola Boromeusza? Czyżby Fritz nie wiedział o moim żydowskim dziedzictwie? Nigdy nie rozmawialiśmy ani o mojej, ani o jego religii. A jednak zakładaliśmy z papą, że się domyśli, wiedząc, że pochodzę z Döbling.

– Nie jestem chrześcijanką, Fritz – powiedziałam cicho. – Nie jesteśmy religijni, ale moja rodzina to Żydzi.

Jego wyraz twarzy się nie zmienił.

– Tak też podejrzewałem, Hedy. Ale to nie powinno stanowić problemu. Mój własny ojciec porzucił judaizm na rzecz chrześcijaństwa, żeby poślubić moją matkę. Możemy zorganizować szybką konwersję, tak byś mogła wziąć ślub w kościele.

Mówił to lekkim tonem, tak jakby zmiana religii z żydowskiej na chrześcijańską była równie łatwa i bezsporna jak zmiana zamówienia w restauracji z ryby na wołowinę. A jako że nigdy nie słyszałam, by mówił cokolwiek o wyznaniu swojej rodziny, zdziwiłam się, słysząc, że sam ma żydowskie pochodzenie.

Konwersja? Moja rodzina nie była religijna, ale konwersja była posunięciem drastycznym. Co powie na to papa? Wiedziałam, jak bardzo martwi się o los mój i naszej rodziny w antysemickiej atmosferze politycznej, i jak bardzo pragnie, by to małżeństwo stanowiło dla nas tarczę ochronną. Czy jednak zgodzi się na taki krok? A może uda nam się dojść do porozumienia bez konieczności konwersji?

Starannie dobierałam słowa.

– Czy nie ma jakiegoś innego miejsca, które by ci się podobało? Któryś z twoich pozostałych domów? Może Schloss Schwarzenau? Albo nasze mieszkanie w Wiedniu, które mieści się blisko Grand Hotelu, tam gdzie się odbędzie kolacja?

Zmrużył oczy i zacisnął szczęki w sposób, jaki dotąd widziałam tylko, kiedy rozmawiał z bezimiennymi wspólnikami w interesach, którzy witali się z nim w restauracjach, albo kiedy wspominałam o jego dzieciństwie.

– Kościół świętego Karola to miejsce, w którym biorą śluby ludzie z towarzystwa, a ja chcę, by nasza ceremonia wyglądała jak należy. Poza tym nie powinienem mieć

Żydówki za żonę, biorąc pod uwagę interesy, jakie czekają mnie w nadchodzących miesiącach. – Kiwnął głową, jakby doszedł do ostatecznego wniosku. – Tak, im dłużej się nad tym zastanawiam, tym bardziej jestem przekonany, że powinniśmy zorganizować chrześcijańską ceremonię w Karlskirche.

Zwolniłam kroku. Papa pragnął bezpieczeństwa, jakie mogło mi dać to małżeństwo, tyle tylko, że teraz małżeństwo oznaczało konwersję. Czy mogłam podążyć jakąkolwiek inną drogą, nie narażając siebie i swojej rodziny na niebezpieczeństwo? Poza tym, myślałam, moje związki z religią były luźne. Żydowskie dziedzictwo pozostawało jedynie cieniem, a konwersja nie oznaczałaby wyparcia się go. Za daleko zaszłam, by się teraz wycofać.

Chwyciłam Fritza za ramię i przyspieszyłam, by dotrzymać mu kroku.

– Oczywiście – powiedziałam, siląc się na wesoły ton. – Karlskirche to wspaniały wybór.

Tego wieczora, po kolacji w oznaczonej gwiazdką Michelin restauracji Lapérouse, na łóżku w pokoju hotelowym czekało na mnie duże pudełko zapakowane w czerwony papier i obwiązane białą jedwabną wstążką, pod którą leżała biała koperta. Otworzyłam ją i przeczytałam liścik bez podpisu:

Dla mojej panny młodej na dzień ślubu.

Wyciągnęłam aksamitne pudełko z grubego papieru i zobaczyłam na nim napis: Cartier. Powoli uniosłam wieko. Ujrzałam komplet, który podziwiałam w witrynie sklepu. Kolczyki, naszyjnik i bransoletka błyszczały w świetle żyrandola w moim apartamencie, a ja nie mogłam uwierzyć, że ten królewski skarb złożony z diamentów, rubinów, szafirów i szmaragdów należy teraz do mnie. Im dłużej się w nie wpatrywałam, tym bardziej zastanawiało mnie, czy Fritzowi nie za wiele uchodzi na sucho.

Czy te klejnoty nie były żałosnym zadośćuczynieniem za wszystkie moje poświęcenia? Najpierw musiałam zrezygnować z kariery, teraz z dziedzictwa. Nawet jeśli mój związek z religią był luźny, ofiara pozostawała ogromna.

Zagrała muzyka. Fritz zaprosił pierwsze głosy z Wiedeńskiej Orkiestry Symfonicznej, by zagrały orkiestrowe wersje niektórych spośród moich ulubionych utworów, zanim jeszcze sama się pojawię. Uśmiechnęłam się, słysząc *Night and Day* Cole'a Portera, zaraz jednak dopadła mnie panika i dłonie zaczęły mi się pocić.

Wzięłam głęboki oddech, wsunęłam rękę papie pod ramię, gotowa ruszyć przed ołtarz. Zanim jednak wyszliśmy z prezbiterium i wkroczyliśmy na rozłożony w kościele czerwony dywan, wyszeptał:

– Nie możesz traktować tego mężczyzny tak, jak traktowałaś dotąd wszystkich tych chłopców, Hedy. Kiedy się nim znudzisz, kiedy cię rozzłości, nie możesz zachować się, jakby to był przelotny romans. Zbyt wiele od tego zależy. Rozumiesz, Hedy?

Papa nigdy nie mówił do mnie w ten sposób. Czyżbym popełniała straszliwy błąd?

– Rozumiem – odparłam, bo cóż mogłam powiedzieć innego? Nie wolno mi było przecież uciec sprzed ołtarza i nie poślubić najbogatszego człowieka w Austrii, Friedricha Mandla, Sprzedawcy Śmierci.

– To dobrze, Hedy, bo tu chodzi o życie. Twoje i nas wszystkich.

Rozdział jedenasty

14 sierpnia 1933 roku
Wenecja, Włochy

Światło przezierało przez szczebelki żaluzji. Promienie słońca padały na twarz Fritza śpiącego w naszym łóżku w apartamencie dla nowożeńców w hotelu Excelsior. Na mojego nowego męża.

Otworzył oczy i uśmiechnął się do mnie leniwie. Ten wyraz twarzy mojego olśniewającego mężczyzny zarezerwowany był wyłącznie dla mnie.

– *Hase* – wyszeptał.

Splotłam nogi z jego nogami, ale nie przysunęłam się bliżej. Uwielbiał pogoń, nawet taką po materacu. Chwycił palcami zwisające mi z ramion jedwabne paseczki i podciągnął moją koszulę nocną. Kiedy zaczął zsuwać je z moich ramion, bardzo delikatnie się odsunęłam.

– Ominęło nas już śniadanie. Jeśli zatrzymasz mnie w tym łóżku jeszcze chwilę, spóźnimy się też na obiad – zaprotestowałam, moim słowom przeczyła jednak kokieteryjna minka. Chociaż świadomie przybrałam pociągający wyraz twarzy, nie musiałam udawać pożądania. Fritz, mężczyzna, który miał przede mną dziesiątki kobiet, był znakomitym kochankiem, znającym tajemnice kobiecego ciała znacznie lepiej niż chłopcy, z którymi byłam dotąd.

– Teraz na pewno sama już wiesz, że do życia potrzebuję tylko ciebie – wyszeptał mi do ucha, przyciągając mnie do siebie.

– W takim razie cię nakarmię – odparłam, siadając na nim okrakiem.

Potem, kiedy rzeczywiście spóźniliśmy się na lunch w Pajama Café i zdecydowaliśmy się w zamian zamówić jedzenie do pokoju, popijał espresso i podjadał chleb z dżemem, patrząc, jak się ubieram.

– Włóż lepiej zielony kostium kąpielowy. Ten od Jeana Patou – nakazał. – Podoba mi się, jak wyglądają w nim twoje nogi.

Zdjęłam kostium w pasy, który zamierzałam włożyć na plażę Lido rozciągającą się przed hotelem Excelsior. Zielony był bardziej skąpy, brzuch przykrywał ledwie trójkąt materiału. O dziwo, wkładając go, czułam się bardziej naga, niż kiedy odgrywałam erotyczne sceny w *Ekstazie*. Być może to z powodu pożądliwych spojrzeń innych turystów, jakże odmiennych od profesjonalnej oceny, z którą miałam do czynienia na planie filmowym.

Kiedy wciągałam wybrany przez niego kostium na biodra, wydał kolejny rozkaz.

– Użyj ciemnej szminki. – Od dnia naszego wesela stał się bardziej drobiazgowy i nieustępliwy w sprawach związanych z moim wyglądem.

Rzadko odmawiałam jego pragnieniom – zarówno w tej dziedzinie, jak i pozostałych – ponieważ tak naprawdę najłatwiej jest zadowolić kogoś, kto jasno wyraża, czego chce. Fakt, że nie musiałam ciągle odczytywać jego emocji i próbować się do nich dostosować, wręcz przyniósł mi ulgę. Ta prośba wydała mi się jednak głupia: przyzwyczaiłam się do chodzenia na spacery bez niepotrzebnych warstw kosmetyków.

– Na plażę? Czy mocny makijaż naprawdę jest konieczny?

Łagodna próba protestu sprawiła, że zmarszczył brwi i odpowiedział gniewnie:

– Tak, Hedy. Szminka podkreśla kształt twoich ust.

Zaskoczył mnie jego upór. Nie widziałam podobnego zachowania, odkąd rozkazał mi włożyć na ślub suknię od Mainbocher. Gdzie się podział mężczyzna, który podziwiał moją siłę i własne zdanie?

A jednak zrobiłam, o co prosił. Potem zeszliśmy po schodach do holu urządzonego w weneckim stylu, z elementami bizantyjskimi i mauretańskimi. Hotel Excelsior był ogromny: ponad siedemset pokojów, trzy restauracje, liczne tarasy, dwa kluby nocne, dziesięć kortów tenisowych, prywatne port i plaża. Sam spacer z naszego apartamentu nad morze zajął prawie pół godziny.

Wyszliśmy na zewnątrz, a włoskie słońce nas oślepiło. Opuściwszy na oczy szerokie rondo kapelusza i poprawiwszy okulary przeciwsłoneczne, owinęłam się kimonem i wzięłam Fritza pod ramię. Kiedy prowadząca na plażę promenada stała się na tyle wąska, że nie mogliśmy iść obok siebie, szedł za mną, czujnie mnie obserwując, póki nie dotarliśmy nad morze.

Rozciągała się przed nami szeroka plaża Lido, wyspy oddzielającej Wenecję od Adriatyku. Chociaż pełno tu było kabin i leżaków, zajmowanych przez eleganckich plażowiczów w strojach jakby wyjętych ze stron magazynów modowych, to szum fal i krzyk mew sprawiły mi szczególną radość. Odetchnęłam słonym morskim powietrzem i przez chwilę poczułam się jak dawna ja, nieodgrywająca roli pani Mandl.

Nastrój prysł, kiedy Fritz uniósł ramię, wzywając do nas służącego. Młody chłopak w pasiastej koszulce podszedł, niosąc ręczniki.

– W czym mogę panu pomóc? – zapytał po niemiecku z wyraźnym włoskim akcentem. Skąd wiedział, że to nasz język? Uznałam, że przyzwyczajona do gości z różnych krajów obsługa ma swoje sposoby na rozpoznanie narodowości.

– Poprosimy dwa leżaki i dwa parasole.

– Oczywiście, proszę pana. – Poprowadził nas ku jedynym wolnym leżakom na plaży. Były pokryte materiałem w biało-czerwone pasy, pasującym do koszuli chłopca, i stały w tylnym rzędzie. Gęsto ustawione siedzenia pozostałych plażowiczów zasłaniały widok na morze.

W ciągu kilku dni spędzonych w hotelu Excelsior zdążyliśmy poznać hierarchię plażowych leżaków. Tylko najbogatsi i najważniejsi goście mieli szansę usiąść z przodu, nad samą wodą. Goście mniej istotni kierowani byli ku leżakom w głębi.

Wiedziałam, co powie Fritz, zanim zdążył otworzyć usta.

– Naprawdę sądzisz, że zgodzimy się na takie miejsca?

– Przykro mi, proszę pana, ale wszystkie pozostałe są zajęte.

– Powiedz swojemu kierownikowi, że jeden z gości chce z nim porozmawiać. Nazywam się Mandl i tutaj będę na niego czekał.

Nieszczęsny chłopak zamarł. Kiedy wreszcie zebrał się na odwagę, by się odezwać, głos mu drżał.

– Pan Mandl?

– Tak. Masz problemy ze słuchem? – warknął Fritz.

– Najgoręcej pana przepraszam. Dostaliśmy polecenie, żeby szczególnie się panem zaopiekować, że jest pan przyjacielem... – Chłopak przerwał, nim zdążył powiedzieć czyim, ale ja dobrze wiedziałam, o kim mówi. – Zarezerwowaliśmy dla państwa najlepsze miejsca, ale godziny mijały, więc pozwoliłem je zająć innym gościom.

– Z pewnością dostałeś za to niezły napiwek.

Twarz chłopaka zrobiła się czerwona jak pasy na jego koszulce.

– Poinformuję naszego kierownika, że chce pan z nim rozmawiać, ale tymczasem proszę pozwolić mi spełnić państwa żądanie.

Fritz spojrzał na niego sceptycznie, ale kiwnął lekko głową. Przyglądaliśmy się, jak chłopiec kręci się po plaży, niosąc dwa pozostałe leżaki i parasole na sam przód. Nasze sprzęty zasłaniały teraz widok kilku zirytowanym gościom z dotychczasowego pierwszego rzędu, którzy z pewnością zapłacili za swoje miejsca niezłą sumkę.

Ale Fritz był zadowolony. Zanim jednak zdążyliśmy usiąść, mężczyzna w doskonale skrojonym, granatowym garniturze – zdecydowanie zbyt ciepłym na tę pogodę – podszedł do nas, prowadząc za sobą kelnera. Wyciągnął dłoń i odezwał się po niemiecku ze znakomitym akcentem:

– Szanowni państwo Mandl, proszę pozwolić, że się przedstawię. Nazywam się Nicolo Montello, jestem jednym z właścicieli hotelu Excelsior.

– Cała przyjemność po mojej stronie, panie Montello – odparł Fritz, podając mężczyźnie rękę.

– Kiedy dowiedziałem się, jakiej zniewagi dopuścił się wobec państwa jeden z naszych pracowników, byłem przerażony. Przedstawiciel samego Duce poprosił nas, byśmy okazali panu i pańskiej żonie naszą włoską gościnność, a my państwa zawiedliśmy. Zapewniam, że od tej pory wasz pobyt w hotelu Excelsior będzie prawdziwie magiczny.

– Będziemy wdzięczni, panie Montello.

Mężczyzna pokłonił się nisko, po czym gestem przywołał kelnera. Podniósł srebrną kopułę przykrywającą niesioną przez niego tacę i wyciągnął butelkę Château Haut-Brion – nawet ja wiedziałam, że to bardzo drogie wino. Po chwili pojawił się drugi kelner, niosący stół przykryty płóciennym obrusem. Postawił go przed naszymi leżakami. Trzeci przyniósł z kolei figi i melony, którymi posilali się także inni plażowicze, jak również wybór świeżych owoców morza. Następnie czterej mężczyźni ukłonili się i odeszli.

Usiedliśmy na naszych miejscach. Popijając wino, Fritz odłamał ogon homara.

– Pamiętasz, co ci mówiłem, *Hase*? – spytał z uśmiechem. – Pieniądze i władza zawsze zwyciężają.

Rozdział dwunasty

14 sierpnia 1933 roku
Wenecja, Włochy

Brzdęki basu rozbrzmiewały coraz szybciej, podobnie jak zawodzenie instrumentów dętych i uderzenia perkusji. Słowa jazzowego szlagieru także przyspieszyły, a ja zamknęłam oczy i poddałam się dzikim dźwiękom *I Don't Mean a Thing* Duke'a Ellingtona.

Czternastoosobowy amerykański band opanował scenę Chez Vous, klubu jazzowego hotelu Excelsior. Luksusowy klub nocny z dekadenckimi kompozycjami kwiatowymi i wysoką na niemal dziesięć metrów fontanną skupiał się wokół wewnętrznej sceny. Ta z kolei przechodziła w scenę na powietrzu i ogród oświetlony setkami migoczących lampek, które zmieniały co chwilę kolor.

Goście hotelowi i kilku intruzów zebrało się na parkiecie na zewnątrz, gdzie co lato występowali legendarni artyści tacy jak Cole Porter, a stolik, który zarezerwował dla nas pan Montello, zapewniał nam doskonały widok na całą zabawę. Kobiety w zwiewnych sukniach wieczorowych przyozdobionych błyszczącymi wzorami wykonywały ze swoimi partnerami szalone tańce takie jak lindy hop czy shag, starając się dotrzymać tempa przyspieszającej muzyce. Kiedy patrzyłam na beztroskich tancerzy, myślałam sobie, że to niemożliwe, by spełniły się obawy papy. Jakim cudem antysemicki faszyzm Hitlera miałby się rozprzestrzenić wśród tych radosnych hulanek?

Przyszliśmy z Fritzem do klubu około dwudziestej drugiej. Wcześniej do siedemnastej plażowaliśmy, do dziewiętnastej upajaliśmy się koktajlami w jedwabnych kimonach na tarasie i niespiesznie zjedliśmy przepyszną kolację w cudnej, różowej jadalni – tym razem w strojach wieczorowych. Miałam ogromną ochotę dołączyć do tancerzy, ale po dwóch dniach w hotelu Excelsior wiedziałam już, że Fritz lubi trzymać się – i mnie – z daleka od tłoku.

Wcześniej, na plaży, kiedy wypiliśmy całe wino i zjedliśmy wszystkie przysmaki dostarczone przez pana Montella, Fritz przeprosił i odszedł. Niespodziewanie zaczęło wiać, a gwałtowna bryza zrzuciła czasopismo modowe, które przeglądałam, prosto na piasek. Włożyłam buty i wstałam, żeby je podnieść, nie zdążyłam jednak zajść daleko, kiedy jakiś mężczyzna zszedł ze swojego leżaka i złapał je za mnie.

Ściskając w dłoni pogniecione „Modenschau", mężczyzna podszedł do mnie.

– *Parlez-vous français*?

– Tak – odpowiedziałam.

– Przepraszam bardzo, że nie udało mi się schwytać pani czasopisma, nim się zniszczyło. – Podał mi magazyn. Był młodszy od Fritza, miał najwyżej trzydzieści lat, był też znacznie wyższy i jasnowłosy.

Zmrużyłam oczy, uniosłam wzrok i podziękowałam. Zamieniliśmy kilka nieznaczących uwag na temat zmiennej pogody, kiedy wrócił Fritz. Widząc jego zaciśniętą szczękę, domyśliłam się, że nie podoba mu się, że rozmawiam z innym mężczyzną, choćby na najbardziej niewinne tematy.

– O, a to jest mój mąż – przedstawiłam go po francusku, sądząc, że moje słowa ucieszą Fritza. Dopiero po chwili przypomniałam sobie, że nie zna języka.

Fritz zaborczym gestem objął mnie w pasie i zapytał nas po niemiecku:

– Co tu się dzieje? – Jego ton był bez wątpienia oskarżycielski.

Już miałam opowiedzieć mu o uratowanym czasopiśmie, kiedy mężczyzna zapytał łamanym niemieckim, czy nie dołączylibyśmy do niego i jego przyjaciół na partyjkę tryktraka.

Fritz przyciągnął mnie do siebie tak mocno, że ledwie mogłam oddychać.

– Dziękuję, ale wolimy z żoną być sami.

Szybka piosenka Duke'a Ellingtona zakończyła się gwałtownie, a centralne miejsce zajęły trąbki. Zagrały powolne, wijące się pierwsze nuty *Night and Day* Cole'a Portera, a na parkiecie zrobiło się pusto. Wiedziałam, że Fritzowi przyjemność sprawi nie tylko brak ludzi, ale też zmysłowe tempo, jako że taniec do szybkiego jazzu uważał za nieprzyzwoity.

Wstałam z krzesła i stanęłam naprzeciw niego, zapraszając go do tańca lekkim kołysaniem bioder. Dołączył do mnie i ruszyliśmy na parkiet łagodnym two-stepem.

Chociaż zespół grał instrumentalną wersję *Night and Day*, tekst szeptałam Fritzowi do ucha.

Uśmiechał się, a ja pogratulowałam sobie małego zwycięstwa: nakłoniłam go do tańca. Na parkiecie dołączyło do nas kilka par – chociaż nie tyle, ile tańczyło do dwóch poprzednich, szybkich utworów – a my wirowaliśmy wesoło. Dwaj starsi dżentelmeni patrzyli na mnie z uznaniem, a na twarzy Fritza dostrzegłam dumę. Wyglądało na to, że chce, by mnie pożądano – byle z daleka. Kiedy jednak pożądliwe spojrzenia zanadto się zbliżały czy zyskiwały do mnie dostęp, duma zmieniała się w złość.

Młoda para – oboje ciemnowłosi, o patrycjuszowskich rysach i elegancko ubrani – tańczyła blisko, zbyt blisko nas. Ich ruchy były kanciaste, wręcz niezgrabne. Widziałam, że kobieta próbuje zaciągnąć swojego nietrzeźwego małżonka ku pustej części parkietu. Opierał jej się, póki nie zdenerwowała się i nie odeszła.

Pozbawiony partnerki mężczyzna podszedł do nas chwiejnym krokiem.

– Odbijany? – zapytał po niemiecku.

– Nie – odparł Fritz, odsuwając mnie od mężczyzny.

Tańczyliśmy dalej, jak gdyby nigdy nic, czułam jednak, że jego palce wbijają mi się w biodra. Mężczyzna znów zbliżył się do nas, odsuwając innych tancerzy.

– Może jednak? Taka ładna, młoda dziewczyna nie powinna być skazana na cały wieczór tańcowania z takim starym dziadem.

Wciąż obejmując mnie ramieniem, Fritz pchnął pijaka i powalił go na ziemię. Trzymając mnie za rękę, minął go i poprowadził nas w stronę baru, gdzie czekał już kelner z dwoma kieliszkami szampana. Fritz wypił wszystko, nim ja zdążyłam wziąć choćby łyka, po czym wyprowadził mnie z klubu.

Bez słowa ciągnął mnie przez hol i po schodach do naszego apartamentu. Kiedy szukał klucza, wreszcie przyjrzałam się jego twarzy i zobaczyłam, że gniew zmienił się w prawdziwą furię. Ledwie zamknął za nami drzwi, przycisnął mnie do ściany obok naszego łóżka. Włożył mi dłonie pod sukienkę, odgarnął majtki i posiadł mnie, może nie wbrew mojej woli, ale nie obdarowując mnie nawet pocałunkiem. W tym momencie odgrodziłam się od niego murem: zrozumiałam, że życie z Fritzem oznacza ryzyko większe, niż zakładałam.

Rozdział trzynasty

28 września 1933 roku
Schwarzau, Austria

Założył mi opaskę na oczy. Usłyszałam obracający się w zamku klucz, a potem kliknięcie. Ściskając moją dłoń, Fritz poprowadził mnie na schodek. Drzwi zamknęły się za mną, puścił mnie. Poczułam jego palce we włosach na tyle głowy, jedwabny szal przykrywający moje oczy spadł. Czemu się bałam?

– Możesz otworzyć oczy, *Hase* – powiedział mój mąż.

Stałam w przepastnym holu willi Fegenberg. Budowla, błędnie nazywana przez Fritza „domkiem myśliwskim", najbardziej przypominała wiejską rezydencję jakiegoś magnata. Podczas gdy dekoracje w głównym holu – głowy niedźwiedzi i złocona broń – rzeczywiście składały hołd myśliwskim motywom, stare arrasy i obrazy flamandzkich mistrzów zaprzeczały wiejskiemu charakterowi tego przybytku.

Fritz chciał, żeby jego ukochana Villa Fegenberg była naszym pierwszym przystankiem po powrocie do Austrii z miesiąca miodowego. Jak twierdził, w ten sposób przedłużymy świętowanie. Rzeczywiście dalsza część naszego miesiąca miodowego była luksusową zabawą. W Wenecji, nad jeziorem Como, na Capri, w Biarritz, Cannes, Nicei i wreszcie w Paryżu Fritz spełniał każdy mój kaprys, przez cały czas trzymając nas z daleka od innych ludzi, a tym samym od jego złości. Pomyślałam, że wściekłość, jaką okazał mi po wieczorze w klubie Chez Vous, była odosobnionym przypadkiem, który więcej się nie powtórzy.

Kiedy weszliśmy do salonu, zza dużych okien, rozciągających się od podłogi aż po sufit, moim oczom ukazał się widok na nieskazitelnie piękne góry. Wiecznie zielone zbocza wznosiły się ku ostrym szczytom, gdzieniegdzie przykrytym śniegiem. W tej bujnej zieleni migotały jaskrawe plamy wijących się niebieskich potoków i małych jeziorek. Widok przypominał mi krajobraz graniczącego z Döbling Lasu Wiedeńskiego, gdzie w niedziele chodziliśmy na niespieszne spacery z papą.

Fritz podszedł do środkowego okna i otworzył je. Chłodne i świeże górskie powietrze wypełniło pokój. Wzięłam głęboki oddech. Mój mąż przytulił mnie i powiedział:

– Będziemy tu szczęśliwi, Hedy.

– Tak – odparłam, uwalniając się z jego uścisku i spoglądając mu w oczy.

– Chodź – polecił, trzymając mnie wciąż za rękę. – Musisz poznać służbę. Wszyscy pewnie czekają w głównym holu.

Kiedy tam weszliśmy, czekała już na nas ustawiona w równej linii falanga służących. Jeśli zebrali się w takim porządku bez żadnego polecenia wydanego przez Fritza, oznaczało to, że musiał z wyprzedzeniem zaaranżować nasz powrót z ostatniego z przystanków, Paryża. Przywitałam się z lokajem, gospodynią, kucharzem, dwoma służącymi i czterema pokojówkami. Wszyscy byli niezwykle uprzejmi, choć nieco zdystansowani. Wszyscy prócz jednej osoby – ładna służąca o imieniu Ada, w moim wieku czy nawet nieco młodsza, popatrzyła mi prosto w oczy, niemal wyzywająco. Być może nie podobało jej się, że nowa pani jest tak młoda. Omal nie zwróciłam Fritzowi uwagi na jej zachowanie, jednak coś mnie powstrzymało. Nie chciałam, żeby pomyślał, że nie radzę sobie ze służbą.

Wszyscy zostali na swoich miejscach, a Fritz wziął mnie za rękę i poprowadził po schodach na górę. Na podeście w połowie drogi, na oczach wszystkich, pocałował mnie, po czym wciągnął do pomieszczenia, które musiało być naszą sypialnią. Starałam się nie myśleć o służących słuchających hałasów, które robiliśmy, rzuciwszy się na łóżko.

Kilka godzin później, kiedy słońce chowało się za ciemniejącym konturem gór, usiedliśmy z Fritzem do kolacji. Ubraliśmy się elegancko jak do hotelu Excelsior: Fritz w smoking, a ja w jego ulubioną suknię ze złotej lamy, wykończoną czarnym aksamitem. Stroje wydawały mi się zbyt formalne, ale Fritz nalegał: „To niezwykle ważny wieczór, *Hase*. Pierwszy w naszym wspólnym austriackim domu".

Stuknęliśmy się kryształowymi kieliszkami szampana w złotym świetle słońca, po czym weszliśmy do jadalni. W pomieszczeniu dominował ogromny prostokątny stół. Aż pisnęłam z zachwytu. Fritz zachichotał, widząc moją reakcję.

– Przy tym stole zmieści się czterdzieści osób. I tyle zaprosimy. To będzie twoje królestwo.

Czterdzieści osób na kolacji? Nie zastanawiałam się dotąd, jakie będę miała obowiązki jako żona ważnego człowieka interesów. Byłam zbyt podekscytowana ślubem i luksusowymi podróżami. O codzienności życia w roli żony Fritza nie myślałam. Podejrzewałam jednak, że nie mogę tego dłużej odwlekać.

– Jak sobie życzysz – wyszeptałam, niepewna, co innego powiedzieć.

Fritz podszedł do szczytu stołu, a służący pospiesznie odsunął jego krzesło. Instynktownie ruszyłam ku miejscu obok niego i czekałam, żeby i moje krzesło zostało odsunięte. Mężczyzna jednak zamarł, nerwowo zerkając na Fritza.

– Hedy – skarcił mnie Fritz. – Zajmij swoje miejsce na drugim końcu stołu.

Spojrzałam na długi stół, a potem znów na niego. Czy to jakiś dowcip? Siedzenie Fritza od tego, które wskazał dla mnie, dzieliło jakieś dziesięć miejsc, a do tej pory podczas naszej podróży poślubnej jedliśmy w intymnej atmosferze – *à deux*.

– Chyba żartujesz. Z tej odległości będę musiała krzyczeć, żebyś mnie usłyszał.

Na twarzy Fritza nie pojawił się nawet cień uśmiechu. Jego głos był chłodny, podobnie jak spojrzenie.

– Nie, nie żartuję. Musisz ćwiczyć, bo już w przyszłym tygodniu wydasz tu pierwsze kolacje.

– W przyszłym tygodniu?

– Tak, Hedy, mamy cały tydzień zaplanowany. – Jego głos brzmiał twardo. – Większość umów zawieram właśnie przy kolacji. Jedzenie pomaga też nawiązywać kontakty biznesowe. Razem stworzymy idealną drużynę: ty będziesz doskonałą gospodynią, ja zaś gospodarzem i właścicielem Hirtenberger Patronenfabrik.

Ja? Mam być doskonałą gospodynią? Miałam dziewiętnaście lat i żadnego doświadczenia prócz dwóch lat na scenie. Nie znałam takiego stylu życia: moi rodzice woleli spotykać się z przyjaciółmi w restauracjach i teatrach, niż urządzać eleganckie kolacje w naszym domu w Döbling, któremu daleko było do dowolnej z licznych siedzib Fritza. Jakie miałam kwalifikacje i zdolności, by stać się „doskonałą gospodynią" najbogatszego człowieka w Austrii?

Odpowiedź brzmiała: żadnych. Wiedziałam jednak, że Fritz nie zniesie mojej ignorancji. Przedstawiłam mu wizję siebie, w której nie było miejsca na żadne słabości. Uznałam, że będę musiała po prostu odegrać swoją rolę. Może jednak nie porzucę aktorstwa.

Co powiedziałaby w tym momencie kobieta światowa? Szukałam odpowiedzi w swoich dotychczasowych rolach, aż udało mi się znaleźć kilka linijek dialogu, który – po pewnych modyfikacjach, oczywiście – mógł do tej sytuacji pasować. Starałam się mówić mocno i pewnie:

– W takim razie muszę jutro rano porozmawiać z gospodynią i resztą służby i przejrzeć nasz kalendarz. Razem z nimi zajmę się listą gości, ich miejscami przy stołach, kartą dań i tak dalej.

Fritz uśmiechnął się protekcjonalnie – podobnym wyrazem twarzy mógłby obdarzyć dziecko. Nie takiej reakcji się spodziewałam. Czyżbym powiedziała nie to, co trzeba? Co rozbawiło go w moich słowach?

– *Hase* – powiedział głosem, w którym dało się wyczuć zarówno czułość, jak i irytację. – Nie zajmuj swojej ślicznej główki takimi rzeczami. Od wielu lat organizuję podobne spotkania, nie musisz się nimi kłopotać. Jedyne, co musisz dźwigać na swoich delikatnych barkach, to ogrom swojej urody.

Rozdział czternasty

24 listopada 1933 roku
Schwarzenau, Austria

Zaciągnęłam się głęboko papierosem i wyjrzałam za balustradę, patrząc, jak dym miesza się na tle nocnego nieba z wydychanym przeze mnie powietrzem. Wyciągnęłam szyję i plecy niczym kot, na próżno próbując się rozluźnić. Jak nam się to często zdarzało, gościliśmy przez weekend grupę polityków i arystokratów w renesansowym zamku Schwarzenau, w którym znajdowały się kręte wieże, marmurowo-stiukowa kaplica z freskami przedstawiającymi apostołów, dwanaście sypialni, sala balowa i fosa. Za dnia jeździliśmy wokół zamku i urządzaliśmy pikniki nad jeziorem z naszymi gośćmi. Było zaskakująco ciepło – dopiero noc przyniosła miłe wytchnienie. Mimo spadku temperatury atmosfera podczas niekończącej się kolacji i pogawędek była tak duszna – być może z winy męczących gości Fritza – że musiałam wyjść.

Podróż poślubna zakończyła się nazajutrz po naszym przybyciu do willi Fegenberg. Tego poranka zaczęło się moje życie w roli pani Mandl. Nawet gdybym spędziła dużo czasu, wyobrażając sobie swoją codzienność u boku najbogatszego człowieka w Austrii, byłby to czas zmarnowany. Za nic bym się nie domyśliła, że pierwszego wieczora Fritz mówił poważnie. Oczekiwał, że będę spędzała każdą godzinę dnia, przygotowując się na wieczór, dbając o swoją urodę. Byłam niczym egzotyczny ptak, którego wypuszczano ze złotej klatki na czas występu i potem zaraz z powrotem w niej zamykano.

Zarządzanie kalendarzem wydarzeń towarzyskich, które zazwyczaj przypadałoby żonie, mnie było zabronione. Fritz kontrolował każdy aspekt naszych zajęć i rozrywek, od nadzorowania służby po wybór menu i umawianie naszych spotkań. Uważał, że powinnam się koncentrować na kupowaniu sukni na kolejne okazje i strojeniu się, w konsekwencji więc spędzałam całe dnie zupełnie sama, jeśli nie liczyć garderobianej i spotkań towarzyskich, na które woził mnie – rolls royce'em phantomem, spóźnionym prezentem ślubnym od Fritza – mój szofer Schmidt. Spotkania z tymi nielicznymi przyjaciółmi, którzy pozostali mi z teatru i szkoły, były niemile widziane, a czasem nawet zabronione, Fritz pozwalał za to na wizyty moich rodziców. Póki nie nadszedł wieczór, nie licząc rodziny, miałam do towarzystwa tylko książki i fortepian, a biało-czarne klawisze, których kiedyś unikałam, bo kojarzyły mi się z mamą, stały się moimi przyjaciółmi. Podziw dla mojej siły i niezależności, który Fritz zdawał się okazywać podczas naszego krótkiego narzeczeństwa, zniknął zastąpiony przez żądanie uległości i chęć strofowania mnie, kiedy tylko nie spełniałam jego standardów.

Od czasu do czasu spędzaliśmy z Fritzem w willi Fegenberg dzień sam na sam, a wtedy zdarzało mi się dostrzec ślady mężczyzny, którego znałam przed ślubem. Podczas konnych wycieczek po górach i pikników na ukwieconych łąkach rozluźniał się, a ja znowu mogłam być energiczną, pewną siebie kobietą, z którą się kiedyś spotykał. Godziny te podtrzymywały mnie na duchu i dawały mi nadzieję na inną przyszłość.

Swoim licznym znajomym i wspólnikom w interesach Fritz opisywał moje życie jako „luksusowe i rozpustne", a ktoś patrzący na nie z zewnątrz pewnie by się z tym zgodził. Przenosiliśmy się przecież z jednego wielkiego, bogato urządzonego domu do drugiego, w każdym czekała na nas służba, a ja spędzałam całe dnie na zakupach. Jak na ironię moje życie było teraz podobne do tego, które wiodła ostatnia bohaterka, jaką miałam kiedykolwiek zagrać – cesarzowa Elżbieta. Tyle że nie w tym pierwszym, romantycznym okresie, który odgrywałam na scenie, lecz w późniejszych latach, kiedy jej starszy mąż, cesarz Franciszek Józef, przejął kontrolę nad nią i jej dziećmi i zamknął ich w królewskiej złotej klatce, odbierając światło i wolność. Podobnie jak Elżbieta pragnęłam tylko swobody i poczucia sensu. Ale jak mogłam narzekać?

Z zamyślenia wyrwały mnie czyjeś kroki. Obejrzałam się i zobaczyłam sylwetki dwóch mężczyzn wchodzących na taras. Rozpoznałam w nich gości przyprowadzonych przez jednego z finansistów, z którym Fritz robił czasem interesy, poza tym niczym się jednak nie wyróżniali. Przed każdym spotkaniem Fritz przeglądał listę gości, podkreślając nazwiska najważniejszych graczy, ci mężczyźni do nich jednak nie należeli, a co więcej – nie zostali mi nawet przedstawieni. Jeśli o mnie chodzi, spędzili wieczór jako dwie białe plamy.

Żaden z nich nie przywitał mnie – a była to uprzejmość wobec pani domu wymagana – domyśliłam się więc, że nie dostrzegli mnie stojącej za kolumnadą. Nie miałam wcale ochoty kończyć zbyt krótkiej przerwy w sprawowaniu obowiązków gospodyni, by prowadzić pozbawione znaczenia rozmowy z ludźmi, których Fritz uważał za nieistotnych.

– Jak się mają nasze plany? – spytał szorstkim głosem jeden z mężczyznm.

– W porządku. Mój kontakt twierdzi, że nikt nic nie zauważył – odparł drugi, zaciągając się papierosem.

– Linz to świetne miejsce, jeśli ktoś chce pozostać niedostrzeżony.

– Kiedy Schutzbund postanowił zejść do podziemia, dokonali dobrego wyboru.

Słowo Schutzbund od razu zwróciło moją uwagę. Podczas wielu dyskusji o polityce, których wysłuchałam w ciągu ostatnich miesięcy przy kolacji, dowiedziałam się, że jest to militarne ramię partii socjaldemokratycznej, kierowanej przez żydowskiego przywódcę Otto Bauera. Kanclerz Dollfuss, stojący na czele przeciwnej frakcji i bliski towarzysz Fritza, zdelegalizował Schutzbund w lutym, likwidując rywala własnej grupy wojskowej Heimwehr, kierowanej przez księcia von Starhemberga i zbrojonej przez mojego męża. Schutzbund była, w pewnym sensie, wrogiem Fritza.

Czy ci mężczyźni naprawdę rozmawiali o intrygach Schutzbundu? Jeśli tak, Fritz z pewnością chciałby wiedzieć, że zakazana grupa militarna, stojąca w bezpośredniej opozycji do jego stronnictwa, wcale się nie rozwiązała, lecz tylko ukryła. I działała.

Mężczyźni dalej rozmawiali o Schutzbundzie.

– Czy są już gotowi?

– Staram się trzymać z daleka od szczegółów. Zajmuję się tylko pieniędzmi.

– Rzeczywiście, w dzisiejszych czasach ignorancja jest cnotą. A chyba…

Tak się zasłuchałam, że papieros oparzył mi palce. Upuściłam go na ziemię i przydeptałam swoim granatowym, satynowym bucikiem. Chociaż starałam się być jak najciszej, moje ruchy musiały zwrócić uwagę. Jakby nagle zdali sobie sprawę, że ktoś jeszcze dzieli z nimi przestrzeń, mężczyźni urwali w pół zdania.

Dudnienie butów mężczyzn odbijało się echem, kiedy zbliżali się na mój koniec tarasu. Chwyciłam szybko papierosa i wyciągnęłam z torebki srebrną zapalniczkę z monogramem, udając, że jestem bardzo zajęta manewrowaniem nią.

Kiedy kroki stały się głośniejsze, obróciłam się, żeby lepiej się im pokazać, i zawołałam:

– Ach, panowie, jesteście moimi wybawicielami. Czy któryś z was ma może zapałki? Moja zapalniczka się wyczerpała.

Włożyłam do ust papierosa i pochyliłam się ku nim w geście otwartym na wiele interpretacji.

Zamarli. Dopiero po chwili starszy z nich opanował się i powiedział:

– Proszę przyjąć nasze przeprosiny, pani Mandl. Nie śmielibyśmy pani ignorować, gdybyśmy dostrzegli pani obecność na balkonie. Od dawna tu pani stoi?

Badał teren, starając się dowiedzieć, czy coś usłyszałam. Uśmiechnęłam się szeroko i odpowiedziałam:

– Ależ proszę nie przepraszać. Cieszę się świeżym powietrzem ledwie od kilku minut. Mówiąc szczerze, byłam zajęta swoimi myślami. Zastanawiałam się, czy można uznać ten wieczór za udany. Dla młodej kobiety takiej jak ja przyjmowanie tak szacownych gości stanowi wielką odpowiedzialność. – Zatrzepotałam rzęsami.

Mężczyźni zerknęli na siebie z ulgą. Ten, który dotąd milczał, odezwał się wreszcie:

– Sądzę, iż można bez wahania stwierdzić, że wieczór ten jest wielkim sukcesem, pani Mandl. Państwa dom zapiera dech w piersiach, a przyjęci zostaliśmy jak królowie.

– To dla mnie wielka ulga słyszeć te słowa – westchnęłam. – Czy mogliby mi panowie coś obiecać?

Popatrzyli na siebie z niepokojem. Wyższy z mężczyzn powiedział:

– Oczywiście, pani Mandl. Czego tylko sobie pani życzy.

– Obiecają mi panowie, że nie wspomną o tej rozmowie mojemu mężowi? Byłby srogo zasmucony, słysząc, że jego młoda żona chowa się na balkonie, zdenerwowana przyjęciem.

– Ma pani nasze słowo.

Kwartet, który Fritz zamówił na ten wieczór, odgrywał smutną jazzową melodię.

– Panowie, to chyba sygnał dla mnie. Muszę panów przeprosić.

Skinęli głowami, gdy odchodziłam. Weszłam przez podwójne drzwi do środka, minęłam korytarz i wkroczyłam do salonu, w którym goście tańczyli i popijali likiery, które Fritz dopasował do menu.

Nie musiałam długo szukać mojego męża, jako że czekał na mnie w drzwiach. W jego oczach była taka złość, że zrobiło mi się słabo. Co ja znowu zrobiłam? Jakie oskarżycielskie słowa tym razem wyszepcze mi do ucha? Miał nieprawdopodobnie wysokie standardy, jeśli chodzi o moje zachowanie podczas tych wieczorów, i wściekał się, kiedy ich nie spełniałam.

– Gdzieś ty się podziewała? Goście o ciebie pytali. – Wyciągnął do mnie rękę i uśmiechnął się w stronę gości, ale w jego głosie była wściekłość. Podejrzewałam, że jeśli nie rozładuję jego złości, czeka mnie później ostra bura.

– Słuchałam bardzo ciekawej rozmowy.

Zaczerwienił się: z pewnością wyobraził sobie czułe szepty podczas potajemnej schadzki. Nawet tu, w miejscu, które w pełni kontrolował, sam dobierając gości, jego zazdrość pozostawała niepohamowana. Chcąc go jak najszybciej uspokoić, powtórzyłam, co usłyszałam o Schutzbundzie i Linzu. Jako że nie znałam nazwisk mężczyzn, kazał mi ich wskazać i zażądał dokładnego powtórzenia ich rozmowy. W tym momencie przydało się moje teatralne doświadczenie i zdolność do zapamiętywania dialogów.

Złość zniknęła z jego twarzy, a zastąpiła ją rozwijająca się stopniowo euforia.

– Właśnie tego nam potrzeba. – Poderwał mnie z ziemi i obrócił w koło. Goście zachichotali, sądząc pewnie, że to czułości nowożeńców.

– Nie poślubiłem jedynie ładnej buzi – wyszeptał mi do ucha Fritz. – Poślubiłem tajną broń.

Rozdział piętnasty

17 lutego 1934 roku
Wiedeń, Austria

– Jesteś bezpieczna? – spytałam mamę, dysząc ciężko. Popędziłam ku wejściu, ledwie mój szofer wysadził mnie pod domem rodziców w Döbling.

– Tak, Hedy – odparła, jakby w jej życiu zawsze musiało być wszystko w porządku. Jakby nawet wybuch austriackiej wojny domowej w Wiedniu jej nie wzruszał. Co zyskiwała dzięki tej nieczułości?

– Gdzie papa? – spytałam, wieszając futro na rzadko używanym wieszaku na płaszcze w przedpokoju. I gdzie była Inge? Może jak wielu innych porzuciła miasto na rzecz bezpieczniejszej wsi. Nie chcieli tego zrobić moi rodzice, których błagałam, by dołączyli do nas w willi Fegenberg, gdzie byliby bezpieczni w towarzystwie Fritza znającego kulisy politycznych knowań i operacji militarnych. Mama odmówiła jednak opuszczenia Wiednia, uznając nasz niepokój za „bezpodstawną histerię", a tata nie chciał się z nią rozstawać.

– Leży w sypialni.

– Jest ranny?

– Oczywiście, że nie, Hedy. Powiadomiłabym cię. Ma po prostu migrenę.

Minęłam matkę i weszłam po schodach na górę. Dopiero kiedy otworzyłam drzwi sypialni i zobaczyłam na łóżku śpiącego ojca, odetchnęłam z ulgą. Nie zdawałam sobie sprawy, jak spięte były moje mięśnie i nerwy, póki sama nie zobaczyłam, że moi rodzice nie ucierpieli w potyczkach między Heimwehr a Schutzbund, które toczyły się na ulicach Wiednia.

Położyłam się na łóżku obok papy i rozpłakałam się. Co ja najlepszego zrobiłam? Tak bardzo się cieszyłam z reakcji Fritza na moje szpiegowanie. Chcąc sprawić mu przyjemność, tak by uwolnił mnie z mojej klatki za dnia, błagałam, by wpuścił mnie do swojego świata. Mile połechtany, choć wciąż niespokojny, zaczął od oprowadzenia mnie po fabrykach broni Hirtenberger Patronenfabrik w Austrii i Polsce. Choć wydawałam z siebie oczekiwane piski zachwytu, byłam oszołomiona tym, jak wielki chaos może wywołać na świecie jego broń. Dopuścił mnie również do swojej prywatnej biblioteki, pełnej ksiąg naukowych, wojskowych i politycznych, i zabrał na kilka obiadów służbowych. Zaczęłam uczyć się polityki i mechanizmów wojny.

Cieszył mnie mój sukces i możliwość powrotu do świata. Siedząc u boku Fritza podczas obiadu z wicekanclerzem Emilem Feyem i księciem von Starhembergiem, czułam się niezwykle ważna. Byłam jedyną kobietą na sali, jedyną barwną plamą w morzu czarnych garniturów. Myśląc o tym, ile dobrego mogę zrobić, trzymając Austrię z dala od jej faszystowskich sąsiadów – a był to jeden z celów mojego męża i jego sojuszników – czułam, że żyję.

– Czy mamy dowody? – spytał Fey Starhemberga, kiedy skończyliśmy jeść lunch złożony ze sznycla i dodatków.

Słuchałam, popijając kawę. Mężczyźni zamówili brandy, ale ja chciałam zachować jasny umysł. Zazwyczaj brałam udział jedynie w pogawędkach towarzyskich, ale Fritz zaczął prosić mnie po tych spotkaniach o radę. Czasem nawet specjalnie odchodził od stołu i rozmawiał z kimś innym, żeby sprawdzić, czy mężczyźni nie powiedzą czegoś intrygującego pod jego nieobecność – czegoś, czego nie chcą zdradzić jemu, a czego, ich zdaniem, ja nie zrozumiem. Musiałam wsłuchiwać się w każde słowo, tak by służyć mu radą i dzielić się wiedzą. Stwierdziłam, że choć wciąż stąpam po kruchym lodzie, nie pęka on już tak łatwo, kiedy Fritz zwracał się do mnie z pytaniem o opinie na temat relacji biznesowych i interesów, nie zamierzałam go więc rozczarować.

– Czy dowody są naprawdę konieczne? Przecież nie pozwolimy, by akcja stała się przedmiotem rozpraw sądowych – odparł Starhemberg.

– Masz rację, Ernst – rzekł Fey i zwrócił się do mojego męża: – A co ty sądzisz, Fritz?

– Moje fabryki działają niemal bez przerwy, by zapewnić konieczne zaopatrzenie. Wszystko będzie gotowe na czas.

O czym oni mówili? Dowody? Akcja? Fabryki pracujące bez przerwy? Fritz nic mi nie mówił o „koniecznym zaopatrzeniu". Poczułam się głupia, ale nie pozwoliłam, by na mojej twarzy pojawiły się wątpliwości.

– Doskonale. Wreszcie będziemy mogli pokazać Żydom, gdzie ich miejsce.

Fey uniósł kieliszek brandy, a pozostali mężczyźni poszli za jego przykładem. Nawet Fritz wzniósł ten straszliwy toast.

– Za hotel Schiff.

Tata otworzył oczy.

– Och, *Liebling*, czemu płaczesz? Walki się skończyły, a my z mamą jesteśmy bezpieczni.

Położyłam głowę na jego piersi, wdychając dobrze znany zapach tytoniu i wody kolońskiej.

– Tak się cieszę.

– Przecież musiałaś wiedzieć, że Döbling nie znalazło się na linii ognia? Niemal wszystkie walki toczyły się w Gemeindebauten, na osiedlach czynszówek.

– Tak, Fritz o wszystkim mnie informował.

Nie wspomniałam o tym, że mój mąż przyznał się do swojego udziału w „akcji" dopiero, kiedy zapytałam go o to w samochodzie po obiedzie. W kolejnych tygodniach wciąż twierdził, że konflikt będzie polegał jedynie na sprawdzeniu, czy Schutzbund nie przechowuje w hotelu Schiff w Linzu jakiejś kontrabandy. Nawet kiedy sytuacja eskalowała i rozpoczęły się gwałtowne walki między dwiema grupami paramilitarnymi, które rozprzestrzeniły się na wiele austriackich miast, winił Schutzbund za nierespektowanie zakazu Dollfussa. Powiedział, że to wszystko ich wina, że należy im się lekcja.

– Dlaczego więc płaczesz, księżniczko?

– Och, papo… Tysiące ludzi zostało rannych, setki zginęły. A mnie się wydaje, że to wszystko moja wina.

– Nie mów głupstw, *Liebling*. Co ty mogłabyś mieć z tym wspólnego? Socjaldemokraci i Partia Chrześcijańsko-Społeczna od lat skaczą sobie do gardeł. Rozlew krwi był tylko kwestią czasu.

– Wydaje mi się, że to ja rozpaliłam ogień – wyszeptałam, wpatrując się w podłogę. Nie chciałam spojrzeć mu w oczy.

Zmarszczył brwi.

– O czym ty mówisz, Hedy? – spytał.

Opowiedziałam mu o tym, co usłyszałam na temat Schutzbundu, i o reakcji Fritza.

– Wydaje mi się, że kiedy kanclerz Dollfuss zdelegalizował Schutzbund, Partia Chrześcijańsko-Społeczna czekała na jakiś opór ze strony socjaldemokratów, żeby móc ich zniszczyć. Rozmowa, którą podsłuchałam – o tym, jak Schutzbund zbiera w Linzu broń i oddziały, sprzeciwiając się edyktowi Dollfussa – dała Partii Chrześcijańsko-Społecznej wyczekiwany pretekst. Z błogosławieństwem Dollfussa, w towarzystwie Fritza i Ernsta, członkowie Heimwehr pojechali do Linzu, żeby w hotelu Schiff rozpocząć wojnę domową. A teraz, kiedy już wygrali, podobno austriacka demokratyczna konstytucja zostanie zastąpiona konstytucją korporacjonistyczną. Papo, Austria stanie się reżimem autorytarnym, już nie tylko w praktyce, ale i oficjalnie.

Papa usiadł, krzywiąc się z bólu.

– Hedy, nie możesz się o to wszystko obwiniać. Gdybyś ty nie dostarczyła podpałki, ktoś inny by to zrobił. Wygląda na to, że Dollfuss i jego ludzie tylko na to czekali. Nie sądzę też, by w Austrii wiele się zmieniło. Ten kraj już od pewnego czasu działa jak dyktatura.

– Nie chodzi tylko o to, papo. Chciałeś, żebym poślubiła Fritza, bo sądziłeś, że dzięki swojej władzy i kontaktom ochroni mnie przed antysemityzmem nazistów, gdyby Hitler przejął jednak władzę w Austrii. Tylko że nienawiść do Żydów nie pochodzi jedynie z zewnątrz.

– Co masz na myśli? – Ojciec krzywił się teraz już nie tylko z bólu, ale i ze zdziwienia.

Wyglądał tak smutno, że zawahałam się. Ile jeszcze zniesie? Jak zareaguje na wiadomość, że człowiek, który miał chronić jego córkę, idzie ramię w ramię z rasistami? Wycofałam się.

– Nic takiego, papo. Jestem po prostu wstrząśnięta walkami i rozlewem krwi. Nic więcej.

Ojciec spojrzał na mnie z determinacją, którą kojarzyłam zazwyczaj z jego pracą w banku.

– Nie kłam, Hedy. Zawsze byliśmy ze sobą szczerzy i nie chcę, by to się zmieniło. Zwłaszcza gdy mowa o czymś tak ważnym.

Westchnęłam. Nie chciałam dzielić się z nim tym ciężarem.

– Słyszałam, jak koledzy Fritza mówią straszne rzeczy, które doprowadziły mnie do przerażającego wniosku. Partia Chrześcijańsko-Społeczna, ludzie Fritza, także są antysemitami.

Rozdział szesnasty

25–26 lipca 1934 roku
Wiedeń, Austria

Sukces Fritza i jego towarzyszy w austriackiej wojnie domowej przyniósł rezultaty, których się obawiałam. Kanclerz Dollfuss wykorzystał opór Schutzbundu jako pretekst, by zdelegalizować całą Partię Socjaldemokratyczną, a w maju konserwatywna Partia Chrześcijańsko-Społeczna zawiesiła demokratyczną konstytucję. Ignorując ostry sprzeciw ze strony partii nazistowskiej, Austriacka Partia Chrześcijańsko-Społeczna połączyła się z Heimwehr w jedyną legalną partię polityczną – Front Ojczyźniany – która przejęła kontrolę nad rządem. Austria oficjalnie stała się krajem faszystowskim. Chwytałam się słów papy, który twierdził, że to tylko zmiana techniczna i że najważniejsza jest ciągła determinacja rządu, by trzymać z daleka nazistowskie Niemcy. Ciągle się jednak zastanawiałam, czy Fritz i jego nowy rząd dotrzymają swojego zobowiązania, by nie tylko trzymać z daleka nazistów, ale też oprzeć się pokusie, by się nimi stać.

Wiosną i na początku lata nasze domy stały się głównymi siedzibami Frontu Patriotycznego. Urządzaliśmy z Fritzem kolacje w wiedeńskim mieszkaniu, polowania w willi Fegenberg i bale w zamku Schwarzenau. Podpisano tyle nowych umów, że Hirtenberger Patronenfabrik nie nadążała z produkcją, a Fritz planował już powiększenie fabryk i zatrudnienie kolejnych ludzi. Był w euforii, a ja dostawałam same pochwały.

Utwierdzałam Fritza w jego radości, odgrywając rolę doskonałej gospodyni według jego wskazówek. Ubierałam się bardziej konserwatywnie – w ciemniejsze kolory i skromniejsze fasony – i pozwalałam, by bardziej rzucała się w oczy moja biżuteria niż ciało. Jeśli Fritza nie było u mojego boku i nie wymagały tego obowiązki gospodyni, rozmawiałam jedynie z kobietami, prowadząc banalne pogawędki, a tym samym nie tylko gasiłam w zarodku zazdrość męża, ale i podejrzenia innych żon. Moim priorytetem było zawsze słuchanie. Byłam jak antena nastawiona na dźwięki, których nikt inny nie słyszał. Na pierwsze zwiastuny nieszczęścia.

Salę balową Ernsta von Starhemberga wypełniali luminarze świętujący letnie przesilenie, ale bez trudu wirowaliśmy z Fritzem po parkiecie. Nie musieliśmy rozpychać się łokciami, gdy zespół grał powolny, klasyczny utwór, a ruchy tancerzy były równie ospałe jak nocne lipcowe powietrze. Tańczyliśmy walca na biało-czarnym, marmurowym parkiecie, kiedy służący poklepał go w ramię. Fritz otworzył usta, żeby go skarcić, ale powstrzymał się, widząc, że chłopak podaje mu bilecik od Starhemberga.

Przebiegł wzrokiem po zapisanych na nim słowach i zerknął w stronę tarasu. Starhemberg czekał tam na niego.

– Przepraszam, *Hase*. Muszę iść.

Co takiego się wydarzyło, co odwróciło uwagę Starhemberga od jego własnego balu? Zwłaszcza podczas pierwszego tańca tego wieczoru? Musiałam to wiedzieć. Splotłam palce z Fritzem i spytałam:

– Czy to naprawdę tak pilne? Tak dobrze mi się tańczyło.

– Tak, *Hase* – odrzekł stanowczo, jednak moja niechęć do rozstania sprawiła mu taką przyjemność, że zechciał zdradzić coś więcej. – Na tyle pilne, że Starhemberg zbiera radę podczas swojego corocznego balu.

Ta nieoficjalna rada, składająca się z Fritza, Starhemberga, który był obecnie wicekanclerzem i przywódcą Frontu Patriotycznego, ministra sprawiedliwości i edukacji Kurta von Schuschnigga oraz generała Heimwehr – potajemnie doradzała kanclerzowi Dollfussowi we wszelkich ważnych i niepokojących sprawach. Jeśli wymykali się z balu, to tylko z powodu sytuacji kryzysowej.

Wskazałam granatową, jedwabną sofę z widokiem na taras i powiedziałam:

– Poczekam na ciebie tam. Mam nadzieję, że książę niedługo cię wypuści, tak żebyś mógł wrócić do mnie.

Ścisnął moją dłoń i po krętych, marmurowych schodach wszedł na taras. Przyglądałam się zmartwionym minom zebranych tam mężczyzn. Słuchali ze zmarszczonymi brwiami, jak Starhemberg wyjaśnia tajemniczą sytuację. Dopiero po chwili na ich twarzach pojawiło się zaskoczenie, a zaraz potem gniew. Zaczęli żywo gestykulować, wyraźnie wściekli, chociaż nie na siebie nawzajem.

W sali balowej zrobiło się zamieszanie. Z początku nie potrafiłam zidentyfikować jego źródła, ponieważ goście wciąż tańczyli, a zespół grał wesoło jak wcześniej. Potem jednak zauważyłam, że w ciemnych kątach sali balowej, w niszach pod tarasem zaczęli zbierać się żołnierze. Starczyło kilka chwil, by salę otoczył cały oddział Heimwehr.

Co takiego się stało, że wiedeński pałac Starhemberga potrzebował nagle wojskowej ochrony? Serce zaczęło walić mi w piersi, brakło mi oddechu. Nie przestawałam się jednak lekko uśmiechać i siedziałam prosto, czekając, aż Fritz zejdzie ze schodów. Nie mogłam okazać słabości.

Kiedy się do mnie zbliżył, zerwałam się na nogi.

– Wszystko w porządku, kochanie?

Przyciągając mnie do siebie, jakby zamierzał powąchać moją szyję, wyszeptał mi do ucha:

– Naziści usiłowali dokonać zamachu stanu. Mała grupka niemieckich oficerów SS przebrała się za żołnierzy Austriackich Sił Zbrojnych i przejęła budynek publicznego radia, w którym wyemitowano kłamstwa o tym, jakoby nazista Anton Rintelen przejął władzę od Dollfussa. Jednocześnie jakaś setka przebranych esesmanów wkroczyła do Kancelarii Federalnej. Większość członków rządu uciekła, ale wcześniej dwukrotnie strzelili do Dollfussa.

Szeroko otworzyłam oczy z przerażenia. O nie, nie, nie. Hitler był o krok bliżej, spełniał się jeden z moich największych koszmarów. Wiedziałam, że wojna domowa, do której doszło w lutym, i jej skutki zdenerwowały Austriacką Partię Nazistowską, która zaczęła domagać się połączenia Austrii z Niemcami, nie sądziłam jednak, że skutkiem tego niepokoju będzie wkroczenie żołnierzy Hitlera.

– Czy Hitler najechał Austrię?

Chwyciłam kieliszek szampana z tacy niesionej przez kelnera i wypiłam go pospiesznie, słuchając wyjaśnień Fritza.

– Oprócz około stu żołnierzy w Kancelarii Federalnej i budynku publicznego radia, którzy zostali bądź zabici, bądź pojmani, w Wiedniu ani w całej Austrii nie ma niemieckich wojsk. Ich oddziały zebrały się jednak na granicy. Poinformowaliśmy o tym Mussoliniego, który publicznie poparł niezależność Austrii i zgodził się, by jak najszybciej wysłać oddziały żołnierzy na przełęcz Brenner na granicy austriacko-włoskiej. Obecność włoskiej armii powinna powstrzymać Hitlera przed przekroczeniem granicy.

Jego słowa i szampan przyniosły mi pewną ulgę, ale wizja Hitlera i jego armii zbliżających się do Austrii przerażała mnie.

– Czy Dollfuss przeżył? – wyszeptałam. Bal trwał. Wydawało się, że rada ma dobre powody, by nie informować gości o puczu.

– Nie – przyznał z nutą smutku w głosie. Chociaż Fritz bez trudu zmieniał polityczne sojusze, kiedy było to w jego interesie, z Dollfussem miał głębsze porozumienie.

– Kto zatem rządzi Austrią?

– W tej chwili Starhemberg.

Wybór ten nie był dla mnie zaskoczeniem. Starhemberg był przecież wicekanclerzem, więc decyzja o jego sukcesji wydawała się naturalna. Nie wspominając o tym, że Starhemberg podzielał poglądy Dollfussa.

Spojrzałam w górę na taras, gdzie nowy kanclerz Austrii pogrążony był w rozmowie z Schuschniggiem.

– A więc Heimwehr jest tutaj, żeby chronić go przed nazistami?

– Tak: jego, radę i wszystkich gości. – Nadął się. – Jesteśmy ważni dla bezpieczeństwa Austrii.

– Oczywiście – odparłam pospiesznie. – Czy mam ostrzec rodziców? Czy powinni wyjechać z Wiednia do zamku Schwarzenau albo willi Fegenberg?

– Nie ma takiej potrzeby, *Hase*. Nic im nie grozi. Nazistowscy oficerowie SS zostali tak czy inaczej rozbrojeni, a w Wiedniu wprowadzono stan wojenny. Ulice są chronione przez policję, wojsko i Heimwehr, które w przeciągu paru godzin stłumią zamach stanu. Musimy tylko poczekać na oficjalną informację o zakończeniu puczu, by wszystko wróciło do normalności.

– A co będziemy robić do tego czasu?

Spojrzał z ukosa na salę balową i z drwiącym uśmiechem odrzekł:

– Tańczyć.

Położyłam dłonie na ramionach Fritza i ruszyliśmy przed siebie po sali, jakbyśmy nie mieli żadnych trosk prócz tej piosenki i tej chwili. Orkiestra grała uspokajającą muzykę Gustava Mahlera, a gdy sunęliśmy po parkiecie, spoglądałam na radosne twarze pozostałych tancerzy, którzy nie mieli pojęcia o rozgrywającej się na ulicach katastrofie. Nie zamierzałam ich jednak alarmować. Rozciągnęłam swoje pomalowane na czerwono wargi w uśmiechu i zwróciłam go ku rozradowanej twarzy mojego męża.

Wiedziałam już, że mój los na zawsze związany jest z nim i jego celami, bo to broń mojego męża i poglądy polityczne jego kolegów trzymają nazistowskie Niemcy z daleka. Przynajmniej na razie.

Rozdział siedemnasty

4–5 października 1934 roku
Wiedeń, Austria

Zamach stanu odsłonił pęknięcie w fasadzie państwa austriackiego. Chociaż rząd trwał, jak gdyby nigdy nic, system finansowy zareagował na niepewność, z jaką mierzyła się Austria, zarówno w sprawach zagranicznych, jak i krajowych. Banki ponosiły straty z powodu niestabilnej sytuacji –szczególnie Creditanstalt-Bankverein, w którym pracował papa. Sytuacja finansowa rodziców pogorszyła się, a chociaż nie byli gotowi, by to przyznać czy przyjąć pomoc ode mnie, nie mogli tego ukryć. Podczas naszej niedawnej wizyty w ich domu w Döbling nie pojawili się żadni służący, rzucała się też w oczy nieobecność ich ulubionego kominkowego zegara, który stał w tym samym miejscu, odkąd byłam dzieckiem. W samym środku popołudniowej herbatki papa przeprosił i wyszedł, wymawiając się migreną, z pewnością wywołaną przez stres.

Nawet Fritz, którego fabryki zdawały się niemal drukować pieniądze dzięki produkcji broni, denerwował się politycznym zamieszaniem i czuł na ramionach ciężar utrzymywania zaplecza władzy. Niedługo po nieudanym puczu Schuschnigg został mianowany kanclerzem Austrii, a Starhemberg wrócił do roli wicekanclerza. Podczas gdy Starhemberg podzielał większość poglądów Dollfussa, zwłaszcza przekonanie, że Austria musi pozostać niepodległa, nowy kanclerz przyjął inną taktykę. Prowadził wobec Niemiec i Hitlera politykę ustępstw, którą Fritz uważał za zdecydowanie zbyt miękką. Sam skupiał się więc na wzmacnianiu więzów z Włochami, sądząc, że Schuschniggowi trzeba dodać otuchy.

W oczach opinii publicznej zarówno wizerunek Fritza, jak i jego sojusz z Schuschniggiem nie ucierpiały, w domu jednak był pełen nerwów i frustracji związanych z nowym przywódcą. Nijak nie byłam w stanie go zadowolić. Irytowało go wszystko, co robiłam, chociaż tak usilnie dążyłam do perfekcji. Znajdował skazy w moich strojach, nie podobało mu się, jak rozmawiam z innymi damami, i dostrzegał niestosowność w zachowaniu wobec panów. Kiedy zaczął w punktach krytykować mój wygląd, wiedziałam, że problem nie leży po mojej, lecz po jego stronie. Zaczęłam ignorować go niczym szum radia, bo nie mogłam znieść ciągłych kazań.

– Po posiłku czeka was niezwykła niespodzianka – powiedział Fritz podczas naszej stosunkowo niewielkiej kolacji. Przy wielkim wiedeńskim stole mieściły się dwadzieścia cztery osoby, a my często wypełnialiśmy go, zapraszając bardzo różnych ludzi – nie tylko polityków, wojskowych i arystokratów. Zdarzało mi się siedzieć obok słynnych pisarzy, takich jak Ödön von Horváth i Franz Werfel, projektantów jak madame Schiaparelli, gościliśmy nawet słynnego psychologa Zygmunta Freuda. Wieczory zawsze kończyły się niespodzianką.

Dzisiejszy wieczór był jednak poświęcony interesom, gościliśmy więc tylko dwanaście osób: czterech spośród starszych współpracowników Fritza i ośmiu włoskich urzędników i finansistów, z którymi Fritz chciał zacieśnić więzi. Tuż przed kolacją mężczyźni zakończyli poważne spotkanie w klubie Fritza, podczas którego omawiali szczegóły uzbrojenia kampanii abisyńskiej Mussoliniego. Afrykańskie państwo pozostawało jednym z ostatnich niepodległych na kontynencie zdominowanym przez Europejczyków, a Mussolini czekał tylko na okazję, by je najechać i zwiększyć zasłużoną – jego zdaniem – dominację Włoch nad innymi krajami. Włochy potrzebowały broni i sprzętu, a mężczyźni byli podekscytowani swoimi ustaleniami.

Zastanawiałam się, jaką niespodziankę zaplanował Fritz. W ciągu kilku pierwszych miesięcy po naszym ślubie zorganizował kilka niespodziewanych występów śpiewaków operowych i jazzowych, których lubiłam. Ostatnio jednak niespodziankami były raczej rzadkie wino czy dekadencki deser, które miały zrobić wrażenie na jego gościach i wspólnikach. Nie na mnie.

– Może nie wiecie, ale moja żona jest znakomitą aktorką. Nim mnie poznała i wybrała rolę pani Mandl, była gwiazdą Theater an der Wien.

Przerwał, goście pokiwali z szacunkiem głowami, a ja wstrzymałam oddech. Do czego Fritz zmierzał? Zazwyczaj, kiedy rozmowa zbaczała na teatr, zmieniał temat, nie chcąc przypominać mi o moim dawnym życiu. Byłam pewna, że niezależnie od moich zapewnień wciąż się boi, że zechcę wrócić na scenę, co naruszyłoby kruchą równowagę między nami. Pomijając już fakt, że wielu aktorów, reżyserów i pisarzy żydowskiego pochodzenia usuwano z zawodu w Niemczech i w innych krajach. Musieli zrezygnować z pracy lub uciekać do miejsc takich jak Hollywood, nad którymi Hitler nie miał władzy. Czemu Fritz wspominał teraz o mojej karierze?

– Zanim się poznaliśmy, Hedy zagrała w filmie pod tytułem *Ekstaza*. Niestety film miał ograniczoną dystrybucję: pokazywany był tylko przez tydzień w jednym wiedeńskim kinie. A jednak dostanie kolejną szansę. Niedawno pokazywano go na Drugim Festiwalu Filmowym w Wenecji, gdzie otrzymał nie tylko owację na stojąco, ale też nagrodę za reżyserię dla Gustava Machatý – Fritz odczekał chwilę, by goście wydali z siebie odpowiednie odgłosy uznania. – Sądzę, że moja żona zasługuje, by jej nagradzany film został obejrzany, zwłaszcza przez jej męża. Zorganizowałem więc dzisiaj pokaz.

Rozumiałam, co chce osiągnąć Fritz. Mimo tych komplementów, nie robił tego na moją cześć. Był to po prostu kolejny sposób wywierania wpływu na Włochów i cementowania jego relacji z nimi. To chyba oczywiste, że zrobi na nich wrażenie żona, która zagrała w filmie docenionym w ich własnym kraju. Tyle tylko, że Fritz nigdy nie widział *Ekstazy*. Oczywiście czytał artykuły o jej skandalizującej treści i wiedział o kontrowersjach towarzyszących premierze. A jednak czytanie o scenach, w których twoja naga żona pląsa z innym mężczyzną, i oglądanie ich to dwie różne rzeczy. Poczułam, że ściska mi się żołądek, a na czoło wpływa pot.

Wstaliśmy od stołu i ruszyliśmy do salonu, z każdym krokiem mój niepokój wzrastał. Podczas obiadu służba zmieniła pokój w prywatną salę projekcyjną. Kiedy usiedliśmy na naszych miejscach – ja z Fritzem w pierwszym rzędzie – zrobiło mi się niedobrze na samą myśl o tym, co zobaczę na ekranie.

Czy w jakikolwiek sposób można było powstrzymać nieszczęście, nim jeszcze film się zacznie? Co zawstydzi Fritza mniej: rezygnacja z zaplanowanej „niespodzianki" czy patrzenie, jak baraszkuję z innym mężczyzną na ekranie w obecności jego ważnych gości? Wiedziałam, co powinnam zrobić.

– Fritz – powiedziałam, pochylając się ku niemu – to chyba nie jest najbardziej stosowny film na takie spotkanie. Wymyślmy może inną niespodziankę.

– Nonsens – warknął, obracając głowę, żeby sprawdzić, czy goście usiedli. – Film zdobył nagrodę we Włoszech. To doskonały pomysł.

– Ale pamiętasz, że są w nim dość odważne sceny? Nie chciałabym…

– Ćśśś – syknął, po czym gestem dłoni nakazał operatorowi rozpocząć seans.

Światła zgasły, projektor zafurkotał. Słowo *Ekstaza* rozbłysło na ekranie, a ja znieruchomiałam, wspominając czas filmowania. Kiedy kręciliśmy scenę, w której jechałam na końskim grzbiecie przez malownicze czechosłowackie lasy, a ze wszystkich stron otaczały mnie kamery, nie zastanawiałam się nawet, co będzie dalej. Po prostu przyjęłam stan umysłu młodej żony, pospiesznie poślubionej starszemu mężczyźnie, impotentowi, która marzy o bardziej satysfakcjonującym życiu, i cieszyłam się wolnością, którą musiała czuć w tamtej chwili. Kiedy Machatý kazał mi zeskoczyć z konia, zerwać z siebie ubranie i wskoczyć do jeziora, jego instrukcje wydawały się całkiem naturalne w świecie mojej bohaterki. Potem, kiedy nawiązuje ona romans z młodym inżynierem, także polecenia dotyczące odgrywania scen seksu, nawet symulowanego orgazmu, zdawały się w kontekście filmu i postaci całkowicie stosowne. Dopiero później, kiedy podczas wiedeńskiego pokazu zobaczyłam przerażenie na twarzach mamy i papy, zrozumiałam, jak wielki popełniłam błąd. Że film, który wydawał mi się „artystyczny", był w rzeczywistości głupi, a udział w nim – nieroztropny. Nagrody zdobyte na festiwalu w Wenecji nie zmieniły mojego zdania na ten temat.

Fritz z przyjemnością oglądał pierwsze sceny, a nawet szturchnął łokciem włoskiego generała siedzącego po prawej, kiedy okazało się, że mój filmowy mąż jest impotentem. Strach pojawił się dopiero, kiedy zobaczyłam siebie na koniu. Wiedziałam, jakie sceny nadchodzą, i miałam ochotę uciec. Wiedziałam też jednak, że muszę zostać u boku Fritza i jakoś to wytrzymać.

Im dłużej trwał film, tym mocniej mąż wbijał palce w moje ramię. Wiedziałam, że pod jego paznokciami pojawia się krew, ale nie ważyłam się odsunąć ręki. W sali zapadła niezręczna cisza: wyczuwałam dyskomfort gości. Kiedy ktoś wydał z siebie zduszony okrzyk podczas sceny orgazmu, cierpliwość Fritza sięgnęła kresu.

– Wyłącz to – warknął na operatora.

Wstał. Nie patrząc na mnie ani na Włochów, stanął naprzeciw służby i rozkazał:

– Wykupcie wszystkie kopie tego filmu od każdego z filmowców, studiów filmowych i innych właścicieli. Nie baczcie na koszty. I spalcie je.

To rzekłszy, wybiegł z pokoju.

Spędziłam bezsenną noc w oczekiwaniu na furię Fritza. Podejrzewałam, że weźmie mnie brutalnie, jak tamtej nocy w hotelu Excelsior. Albo że mnie zgromi, może nawet pobije – chociaż dotąd jeszcze tego nie zrobił. Przygotowywałam się na każdą z tych możliwości. Wyobrażanie sobie nieuchronnej kary było jeszcze bardziej bolesne od dopełniania obowiązków gospodyni – z policzkami płonącymi ze wstydu – i odprowadzania włoskich polityków i współpracowników Fritza do wyjścia po tym, jak on sam zatrzasnął za sobą drzwi i zamknął się w sypialni. Wiedziałam, że mężczyźni wyobrażają mnie sobie nago – jak w filmie.

Nie wydał jednak wyroku aż do świtu, kiedy to moja sypialnia pogrążyła się w bladoszarym świetle. Zaczęłam już przygotowywać się mentalnie na nadchodzący dzień, kiedy drzwi się otworzyły. Owinęłam się szlafrokiem i usiadłam. Fritz.

Bez słowa stanął po mojej stronie łóżka i podniósł mnie. Przeciągnął mnie pomiędzy uwijającymi się pokojówkami i polerującym srebra lokajem do holu. Tam moim oczom ukazały się ciężkie, dębowe drzwi wejściowe, które zamiast jednego zamka miały teraz siedem.

– Potrzebujesz ochrony – powiedział Fritz dziwnie spokojnym, wolnym od złości głosem. – Naganne sceny, które widziałem wczoraj w *Ekstazie*, są dowodem na to, że nie potrafisz podejmować właściwych decyzji. Są ci bezwzględnie potrzebne mądrość i przewodnictwo moje lub twoich rodziców.

Otwierałam i zamykałam usta, chcąc zaprotestować, zaraz jednak zrezygnowałam. Być może kara ta nie będzie aż tak straszna, a odzywając się, tylko go zdenerwuję. Musiałam jeszcze chwilę poczekać i wysłuchać go do końca.

– Od tej pory będziesz zamknięta na siedem zamków w każdym z naszych domów. Nie będziesz mogła wyjść, póki nie wrócę, by towarzyszyć ci w odpowiednie miejsce. Jeśli będziesz musiała wyjść w ciągu dnia na spotkanie, na przymiarki albo w odwiedziny do swoich rodziców, wcześniej będziesz musiała poprosić mnie o pozwolenie. Jeśli ci go udzielę, będziesz mogła wyjść, ale zawsze w towarzystwie szofera i ochroniarza.

Czy mówił poważnie? Patrząc na niego, wiedziałam, że tak. Jak to możliwe? Miałam bujną wyobraźnię, ale czegoś takiego nigdy bym się nie spodziewała. Fritz uczynił mnie swoją niewolnicą.

Wzbierał we mnie krzyk, ale pomyślałam o rodzicach i wiedziałam już, że nie wolno mi go z siebie wydać. Moje szczęście było w tym małżeństwie najmniej istotne. Chcąc pokonać go w tej walce o władzę, musiałam okazywać uległość, nawet skruchę. Kiedy odzyskam jego zaufanie, zmienię zasady, a przy odrobinie szczęścia – zapewnię sobie więcej wolności. A jednak to wtedy pierwszy raz zaczęłam myśleć o ucieczce.

Rozdział osiemnasty

12 lutego 1935 roku
Wiedeń, Austria

Od wielu miesięcy dawałam Fritzowi, czego chciał. Nie byłam może typową austriacką żoną, te bowiem były tak porządne, że wręcz niewidzialne. A niewidzialność oznaczała też, że nikt ich nie słuchał. Fritz życzył sobie natomiast, by mnie nie słuchano, ale podziwiano – byle na jego zasadach.

Pozwoliłam mu wierzyć, że mnie złamał i umieścił w nowej formie wdzięcznego automatu uśmiechniętej gospodyni, która rozmawia o niczym w sali balowej, a jednocześnie jest uległą, niestrudzoną kochanką w sypialni. Kobiety, która przez chwilę nawet nie rozważała powrotu na scenę ani nie miała chęci rozmawiać z innymi mężczyznami. W ciągu kilku tygodni Fritz znów zaczął zwierzać mi się i prosić o rady, sądziłam więc, że sprawy wrócą szybko do normy – o ile nieregularny tryb życia, jaki prowadziliśmy przed seansem *Ekstazy*, można nazwać normą – chociaż wciąż nie uwolnił mnie jeszcze od narzuconych ograniczeń.

Mimo pozornego spokoju, w głębi cała się trzęsłam, czekając na właściwy moment i zadowalając się małymi zwycięstwami. Podczas zakupów, na które wybierałam się z eskortą, specjalnie wydawałam tysiące szylingów, kupując całą garderobę futer, póki Fritz – zirytowany moją ekstrawagancją, ale nie chcąc wyjść na skąpca – uznał, że lepiej będzie dać mi kieszonkowe zamiast nieograniczonego kredytu w najlepszych sklepach w Wiedniu. Zbierałam wszystkie te wydzielone szylingi – znacznie mniej, niż wydawałam w sklepach, ale wciąż sporo – w pudełku po butach w głębi szafy. Były to moje oszczędności na czarną godzinę, na ucieczkę, którą zaczynałam planować.

Kiedy odłożyłam już pewną sumę, zapragnęłam więcej. Nie szylingów, ale wpływów. W przeszłości bardzo uważnie słuchałam rozmów Fritza, chcąc ocenić, na ile Austrii zależy na powstrzymaniu niemieckich nazistów: w końcu poślubiłam go głównie po to, by chronił moją rodzinę. Teraz jednak słuchałam ich z innego powodu. Szukałam skaz w systemach zbrojeniowych, które Fritz sprzedawał, kłopotów, o których jego koledzy wspominali w czasie kolacji. Może gdybym poznała jakąś kluczową informację o problemach z jego amunicją czy elementami broni, mogłabym go szantażować, tak by pozwolił mi odejść. Nie chciałby przecież, żebym zdradziła jego klientom czy politycznym konkurentom, że sprzedaje broń z usterkami, prawda? Może to byłby sposób na ucieczkę z więzienia, jakim było moje małżeństwo.

Cztery miesiące po fatalnym seansie *Ekstazy* gościliśmy na stosunkowo niewielkiej kolacji księcia von Starhemberga i jego młodszego brata hrabiego Ferdynanda.

Kiedy po posiłku popijaliśmy drinki, pojawiła się szansa na zdobycie nowych informacji.

– Naprawdę sądzisz, że rozwiązanie zaproponowane przez Hellmutha Waltera okaże się skuteczne? – spytał Starhemberg Fritza, do którego goście zawsze zwracali się we wszystkich kwestiach związanych z uzbrojeniem. Chociaż książę zadał to pytanie w samym środku rozmowy o sztuce, którą oglądaliśmy parę dni wcześniej, od razu zrozumiałam kontekst.

Kilka obiadów i kolacji poświęconych było dwóm głównym problemom okrętów podwodnych i nawodnych oraz odpalanych przez nie torped, których ważne elementy produkował Fritz: kwestii dostarczania pod wodą wystarczającej ilości tlenu, by utrzymać działanie spalinowego napędu przy zachowaniu prędkości, i trudnościom w rozwijaniu systemu zdalnego sterowania torpedami, który miałby zastąpić wystrzeliwanie ich za pomocą cienkiego, izolowanego przewodu. Stopniowo wypełniałam wszelkie luki w mojej wiedzy, czytając książki z kolekcji Fritza.

– Wydaje mi się, że rozwiązał już problem tlenu, używając nasyconego nim paliwa, które rozpada się, uwalniając potrzebny do spalania tlen i dzięki tej reakcji napędza turbinę. Wciąż wymaga testów, ale moi niemieccy szpiedzy twierdzą, że ma ogromny potencjał i że naziści zamierzają go użyć, kiedy rozpoczną ataki. Mam nadzieję, że uda mi się zdobyć ich plany, by zacząć pracować nad czymś podobnym w moich fabrykach.

Co Fritz miał na myśli, mówiąc o „niemieckich szpiegach"? Odkąd to mój mąż miał sieć swoich służb w Trzeciej Rzeszy? Czy naziści nie byli jego wrogami?

– Nie, Fritz. – Starszy Starhemberg wydawał się zirytowany. – Nie to mnie martwi. Niepokoję się raczej o zdalne sterowanie.

– Słyszałem, że Walter wymyślił coś, co skłoni upartych niemieckich szefów, by zrezygnowali ze sterowania przewodowego. Jeśli ufać moim szpiegom, podobno wymyślił już system, który pozwala odpalać pociski symultanicznie przy wykorzystaniu ustalonych częstotliwości z parami komunikującymi się na jednym sygnale radiowym. Oczywiście nie jest wolny od błędów.

– Niech zgadnę. Sygnały radiowe da się zakłócić.

Nawet ja wiedziałam, że większość krajów – w tym Niemcy – niechętnie zmienia systemy pocisków ze sterowanych przewodowo na sterowane zdalnie, ponieważ te drugie opierały się na technologii radiowej o jednej częstotliwości, która mogła być zakłócana przez nieprzyjaciół. Wojskowi wielokrotnie dyskutowali o tym problemie z Fritzem, a ja sama zdziwiłam się, że nie tylko rozumiem te rozmowy, ale też jestem nimi żywo zainteresowana.

Fritz kiwnął głową i przeszedł do technicznych zagadnień częstotliwości radiowych. Słuchałam uważnie, kiedy Ferdynand zerknął na mnie z krzywym uśmieszkiem, który miał pewnie wyrażać znudzenie naukową rozmową i założenie, że mnie również ona nudzi. Młodszy z braci Starhembergów, znany z tego, że grzeje się w blasku starszego, odbiegał od niego i ambicjami, i intelektem. Kiwając głową z udawanym zrozumieniem, odwróciłam się do Fritza, bo nie chciałam go denerwować, nawiązując kontakt wzrokowy z innym mężczyzną, nawet tak dobrze nam obojgu znanym jak Ferdynand.

Następnego ranka w bibliotece lokaj przerwał mi lekturę książki o częstotliwościach radiowych.

– Telefon do pani, madame.

Do mnie? W ciągu dnia nie dzwonił do mnie nikt prócz papy, który był teraz zajęty w banku. Serce zaczęło mocniej bić mi w piersi. Pobiegłam do telefonu.

– Halo?

– Hedy, musisz natychmiast przyjechać – usłyszałam głos mamy. – Coś bardzo złego dzieje się z twoim ojcem. Posłałam po lekarza.

– Zaraz tam będę.

Zwróciłam się do Müllera, który został w bibliotece, udając, że odkurza książki, a w rzeczywistości podsłuchiwał moją rozmowę, bez wątpienia z nakazu Fritza. Jeszcze przed pokazem *Ekstazy* wydał służbie takie polecenie. Niedawno przywiózł też z willi Fegenberg do naszego wiedeńskiego mieszkania złośliwą pokojówkę Adę – podejrzewałam, że chce, by obserwowała mnie kolejna osoba, i to taka, która od początku mnie nie polubiła.

– Niech Schmidt podstawi samochód.

– Madame, pan nie wspominał, by miała pani dzisiaj jakieś spotkania.

Zatroskana zdrowiem papy, nie pomyślałam nawet o opresyjnych zasadach narzuconych przez Fritza. Czy Müller naprawdę waży się zamknąć mnie w moim własnym domu? Zgadzałam się na ograniczenia narzucone przez Fritza, ponieważ byłam pewna, że je zniesie, jeśli odegram swoją rolę przez odpowiednio długi czas. Nie zamierzałam jednak dopuścić, by jego nakazy uniemożliwiły mi wyjście do ojca, który mógł być śmiertelnie chory.

Innego dnia położyłabym temu nonsensowi kres, dzwoniąc do biura Fritza, wiedziałam bowiem, że nie zabroniłby mi spotkać się z papą. Dziś był jednak w Polsce, gdzie odwiedzał jedną ze swoich fabryk.

– To nie prośba, Müller. To rozkaz pani domu. – Popędziłam ku głównemu wyjściu, wołając: – Niech Schmidt natychmiast podstawi samochód.

W korytarzu rozległy się szybkie kroki Müllera, udało mu się dotrzeć do drzwi przede mną. Zastawił je i odwrócił się do mnie.

– Przykro mi, madame – powiedział drżącym głosem – ale nie mogę pozwolić pani wyjść. Pan Mandl nie wspominał, by miała pani dzisiaj jakieś spotkanie.

Zrobiłam jeszcze cztery kroki naprzód i podeszłam do niego tak blisko, że poczułam zapach tytoniu z jego ust. Na obcasach byłam od niego jakieś pięć centymetrów wyższa i patrzyłam na niego z góry.

– Daj mi klucz – syknęłam. – Wiem, że go masz.

– Pan byłby bardzo rozczarowany moim zachowaniem, gdybym to zrobił, madame.

– Pan byłby bardzo rozczarowany twoim zachowaniem, gdybyś nie pozwolił mi odwiedzić chorego ojca. Jeśli zaraz nie dasz mi klucza, sięgnę do twojej kieszeni i sama ci go zabiorę.

Drżącą dłonią sięgnął do wewnętrznej kieszeni swojej czarnej marynarki i wyciągnął z niej kopię klucza Fritza. Po kolei otwierał zamki, które oddzielały mnie od reszty świata. Zanim jeszcze wybiegłam na zewnątrz, w światło dnia, zawołałam:

– Podstawcie samochód.

Olśniewający lutowy poranek kontrastował z ciemnością, która narastała we mnie, gdy zbliżaliśmy się do Döbling. Co się stało tacie? W ostatnich miesiącach jego migreny stały się cięższe i częstsze, ale przypisywałam to stresowi wywołanemu trudnościami finansowymi banku. Był zawsze tak silny i niezawodny. Teraz, pierwszy raz od długiego czasu, modliłam się do jakiegoś niekonkretnego boga, by nie odbierał mu sił, a przede wszystkim – życia.

Schmidt zatrzymał samochód pod domem moich rodziców. Wyskoczyłam, nim zdążył zgasić silnik. Pobiegłam do domu, otworzyłam drzwi i zaczęłam wołać rodziców.

Mama wyłoniła się z salonu.

– Cicho, Hedy. Doktor jest na górze z twoim ojcem, nie przeszkadzaj w badaniu.

– Co się stało?

– Dzisiaj rano przy śniadaniu wyglądał blado. Zanim jeszcze zjadł jajka, wstał i wyszedł. Pomyślałam, że zapomniał o jakimś porannym spotkaniu służbowym i pędzi do biura, on jednak wszedł na górę po schodach. Zapytałam, co się dzieje, a on spojrzał na mnie dziwnie szklistymi oczyma i powiedział, że coś boli go w klatce piersiowej. Pomogłam mu się położyć i natychmiast zadzwoniłam najpierw po lekarza, a potem po ciebie.

Na schodach rozległy się głośne kroki. Obie z mamą popędziłyśmy wysłuchać diagnozy lekarza. Doktor Levitt, który również mieszkał w Döbling, nieopodal Peter-Jordan-Strasse, postawił swoją torbę na najniższym stopniu i ścisnął nasze dłonie w swoich.

– Sądzę, że ból w klatce piersiowej, który czuł dzisiaj – i nie tylko dzisiaj, choć dotąd wam o tym nie mówił – ma swoje źródło w ataku dusznicy.

Popatrzyłyśmy na siebie z mamą. Żadna z nas nie znała tego terminu. Zmarszczyłyśmy brwi, a mama spytała:

– Czy Emil miał atak serca?

– Dusznica to nie atak serca, pani Kiesler, lecz ból wynikający z niewystarczającego dopływu krwi do mięśnia sercowego. Może oznaczać, że serce doznaje stresu, i być wstępem do ataku serca.

– O nie – mama cofnęła dłonie i usiadła na ławie w przedpokoju.

– Czy on wyzdrowieje, doktorze? – W moim głosie czaiła się panika.

– Tak, ale potrzebuje odpoczynku. – Przerwał, jakby trudno mu było udzielić kolejnej rady. – I musi przestać się tak niepokoić, chociaż rozumiem, że w dzisiejszych czasach trudno to zrobić.

– Mogę go zobaczyć?

– Tak, jeśli będziesz mówić cicho i go nie zdenerwujesz. Ja zostanę tu z twoją matką: muszę przekazać jej instrukcje dotyczące opieki nad pacjentem.

Weszłam cichutko po schodach do sypialni moich rodziców. Mój wysoki na ponad metr dziewięćdziesiąt ojciec wydawał się ogromny, gdy patrzyłam na niego od progu. Kiedy jednak do niego podeszłam, zobaczyłam, że jego ciało to tylko skóra i kości, jakby się skurczył.

Materac zaskrzypiał, kiedy usiadłam obok niego. Otworzył oczy na ten dźwięk i uśmiechnął się do mnie. Palcem wskazującym starł łzę spływającą po moim policzku i powiedział:

– Cokolwiek się ze mną stanie, Hedy, obiecaj mi, że zatroszczysz się o siebie i o swoją matkę. Niech Fritz będzie waszą tarczą. Porzuć go jedynie, jeśli nie będziesz miała wyboru.

Milczałam, więc poprosił znowu.

– Obiecaj mi to, Hedy. Co miałam robić?

– Obiecuję, tato.

Rozdział dziewiętnasty

28 kwietnia 1935 roku
Schwarzau, Austria

Stałam nad jeziorem niczym przed ołtarzem. Patrzyły na mnie wiecznie zielone zbocza otaczające willę Fegenberg, obojętne w swej stałości. Na tle tych pofałdowanych zielonych stoków jezioro było całkowicie nieruchome. Tak nieruchome, że góry i niebo odbijały się w jego powierzchni z fotograficzną dokładnością.

Rozejrzałam się po pustym brzegu. Czy się odważę? Marzyłam o czystości jego wód. Było to wielkie ryzyko, ale też może i moja ostatnia szansa. Fritz wciąż nie złagodził zasad, mimo że trzymałam się ich ściśle, a do tego poniosłam tak wielką stratę. Wciąż byłam jego więźniem.

Po raz ostatni rozejrzałam się i wreszcie odważyłam. Zdjęłam czarny strój jeździecki i zanurkowałam w orzeźwiającą, chłodną wodę. Doskonałe odbicie roztrzaskało się. Podobnie jak moje życie.

Płynęłam żabką, póki się nie zmęczyłam. Zatrzymałam się wtedy i po prostu położyłam na wodzie. W nieruchomej ciszy odbicie gór i nieba powróciło, a ja pomiędzy dwiema górami czułam się jak w gnieździe, jak w objęciach samej natury. Szczyty maleńkich fal rozbłyskiwały w słońcu. Było pięknie. Albo nie – pomyślałam. Nie pięknie, lecz nieskazitelnie.

Przez chwilę czułam się wolna i dopełniona. Bez żadnej maski, żadnych oszustw, bez żadnej żałoby: tylko ja i woda. Unosząc się na niej, zastanawiałam się: czy kiedyś jeszcze będę całością?

Ponad dwa miesiące temu, ledwie kilka dni po pierwszym ataku dusznicy papy, nasz szofer zawiózł mnie do Döbling, żebym mogła odwiedzić go za pozwoleniem Fritza, który wybaczył mi wcześniejsze niezapowiedziane wyjście. Kiedy samochód zatrzymał się przed domem rodziców, zobaczyłam, że w środku panuje ciemność, a zasłony w sypialni rodziców są zaciągnięte. I to w tak zaskakująco jasny, zimowy poranek, dlaczego? Mama zazwyczaj odczuwała fanatyczną wręcz potrzebę odsłaniania okien z samego rana, a chociaż teraz rodzice mieli jedną tylko służącą, codziennie robiła to ona o świcie. Może papa źle się czuł w nocy, a zmęczona opieką nad nim mama jeszcze spała? Weszłam do domu na palcach, uważając, by drzwi nie zatrzasnęły się za mną głośno. Na parterze nikogo nie było, po cichutku wdrapałam się więc po schodach do sypialni rodziców.

Chociaż w pokoju było ciemno, zobaczyłam, że mama, wciąż w koszuli nocnej, leży z głową na piersi papy. Oboje mieli zamknięte oczy. Miałam więc rację: zasnęła, zmęczona opieką nad nim. Otworzyłam drzwi nieco szerzej, a wtedy zawiasy skrzypnęły i mama uniosła głowę. Nasze spojrzenia się spotkały i zanim zdążyłam przeprosić, że ją obudziłam, zobaczyłam łzy na jej twarzy. Nie spała. Papa też nie. Opadłam na ziemię, zdając sobie sprawę, że atak serca, o którym lekarz mówił jedynie jako o ewentualności, stał się rzeczywistością.

Jak to możliwe, by mój silny, niezawodny papa odszedł? Kto będzie moim oparciem pod jego nieobecność, kto będzie mnie bezwarunkowo kochał? Tylko przy tacie mogłam zdjąć wszystkie maski. Rozpacz była niczym młot, który roztrzaskał wszystkie moje role i mnie samą na tysiąc kawałków. Ponad dwa miesiące później wciąż byłam załamana. Może tak pozostanie już na zawsze.

Ciszę przerwał chrzęst kół na żwirowej drodze. Zamarłam. Proszę, proszę, niech to nie będzie Fritz. Nasłuchiwałam, nie wydając najlżejszego dźwięku. Trzasnęły drzwi samochodu. Modliłam się, żeby był to wóz dostawczy. Dźwięki szybko przenoszą się jednak po wodzie i zaraz znajomy, choć stłumiony głos zawołał mnie, a gdy żwir zatrzeszczał pod charakterystycznymi, szybkimi krokami, wiedziałam już, że moje modlitwy nie zostały wysłuchane.

Nie wynurzając rąk i nóg, by nie wydać żadnego dźwięku, jak najszybciej i jak najciszej popłynęłam do brzegu. Wydostałam się na skalistą plażę i skrzywiłam się, biegnąc po ostrych kamykach po moje ubrania. Kiedy już miałam schylić się po halkę, kroki na żwirze się zbliżyły i zrozumiałam, że odnalazł mnie szybciej, niż sądziłam.

Jego ramię wynurzyło się spomiędzy grubych gałęzi i pochwyciło mnie mocno. Stanął przede mną i uderzył mnie w twarz. Siła ciosu powaliła mnie na ziemię. Jedną dłonią chwyciłam się za policzek, drugą zaś podtrzymywałam halkę, której nie zdążyłam włożyć do końca.

– Co to ma być? Znowu odgrywasz *Ekstazę*? – wrzasnął, a jego wściekły głos odbił się echem po spokojnym jeziorze.

Wzdrygnęłam się.

– Nie, nie, Fritz. Nic podobnego. To tylko krótka kąpiel w ciepły dzień.

Ukucnął obok mnie, zbliżając ku mojej swoją wściekłą twarz.

– Nago? Chcesz zabawić służbę?

– Nie – nalegałam, próbując wyrwać się z jego uścisku. – Nic podobnego. Nigdy bym czegoś takiego nie zrobiła. Nie chciałam zmoczyć swojego stroju jeździeckiego, bo wiedziałam, że będę w nim wracać do domu.

– Może zatem chciałaś pokazać się jednemu z moich gości, których mogłem przywieźć ze sobą? – wysyczał, opluwając mój policzek. – Nigdy nie pozwolę, by ktokolwiek inny zobaczył cię nago. Należysz tylko do mnie.

– Przysięgam, Fritz: byłam pewna, że nikt mnie nie widzi. – Nie puszczając policzka, uklękłam. Ostre kamienie wbijały mi się w skórę na kolanach. Łkałam i błagałam: – Proszę, nie rób mi krzywdy.

Jego ręka zamarła w powietrzu. Zmienił wyraz twarzy, jakby przebudził się z głębokiej drzemki. Zagrożenie minęło.

– Och, *Hase*, tak bardzo cię przepraszam. Wciąż nęka mnie ta przeklęta *Ekstaza*, a kiedy zobaczyłem cię nagą w jeziorze, przypomniały mi się najokropniejsze sceny. Straciłem nad sobą panowanie. Wyciągnął do mnie ręce, ale odsunęłam się instynktownie. Chwiejąc się na kamieniach, chwyciłam stertę swoich czarnych ubrań. Drżąc na całym ciele, wstałam i szybko włożyłam na siebie spodnie i żakiet. Czułam, że się do mnie zbliża i przez chwilę zastanawiałam się, czy mnie teraz uderzy czy przytuli. Jego umięśnione ramiona objęły mnie od tyłu. Cała zesztywniałam, czując jego dotyk. Przeszedł mnie dreszcz, którego nie spowodowało wcale chłodne górskie powietrze. Potwór, który czaił się w cieniu, wyglądał zza kwiatów, zza prezentów, biżuterii i licznych domów, wyłonił się w całej okazałości. I nie było już sposobu, żeby znów go ukryć.

Rozdział dwudziesty

20 czerwca 1935 roku
Wiedeń i Schwarzenau, Austria

On cię potrzebuje – nalegał Starhemberg. – W jaki sposób Schuschnigg miałby utrzymać silne więzi z Włochami bez twojej pomocy? Mussolini zawsze był przede wszystkim twoim wspólnikiem.

– To dlaczego jest tak cholernie uparty? – spytał mój mąż, którego siła głosu wzrastała razem z irytacją.

– Jest neofitą, Fritz, i nie ma pojęcia, jak zapewnić Austrii bezpieczeństwo. Uważa, że to politycy wykonują najcięższą pracę – odpowiedział Starhemberg na w dużej mierze retoryczny wybuch Fritza, który właściwie prychnął:

– Wyobraźcie sobie, co by było, gdyby o stosunkach między państwami naprawdę decydowali politycy. Schuschnigg uważa, że może chronić Austrię przed niemiecką inwazją, nie prowokując Hitlera. Nie da się udobruchać szaleńca.

Tym razem to Starhemberg prychnął.

– Cała ta planowana współpraca z Hitlerem się na nim zemści. Po prostu da Hitlerowi więcej czasu na przygotowania do inwazji na Austrię, podczas gdy my będziemy siedzieć w kącie i zgodnie z postanowieniami traktatu z Saint-Germain ograniczać liczbę naszego wojska do nędznych trzydziestu tysięcy.

– Czemu Schuschnigg nie widzi, że podczas puczu powstrzymały Hitlera wyłącznie włoskie wojska? Co będzie, jeśli okaże się, że Hitler i Mussolini naprawdę dążą do sojuszu w Abisynii, i to przy poparciu społecznym? Tylko czekać, aż dojdą do porozumienia, które obejmie również Austrię.

Słuchałam jakiejś wersji tej rozmowy, odkąd zaczęło się rozpadać austriackie przywództwo Starhemberga i Schuschnigga. Starhemberg uważał, że Schuschnigg jest zbyt łagodny dla Niemiec i naraża Austrię na niebezpieczeństwo. Fritz się z tym zgadzał. Mój mąż i jego towarzysz, którzy od lat rządzili Austrią z tylnego siedzenia, obawiali się, że nasze państwo straci niezależność, do historii przejdą też ich wpływy. Nie wyznawali żadnej szczególnej ideologii: tak naprawdę wierzyli jedynie w niezawodność własnej potęgi. W razie potrzeby byli gotowi zmienić stanowisko.

– Chyba że zainterweniujesz – powiedział Starhemberg.

Fritz mocno zaciągnął się papierosem, nim powtórzył jego słowa.

– Chyba że zainterweniuję.

Cztery tygodnie później przypomniała mi się ta zasłyszana rozmowa, kiedy siedziałam przy stole naprzeciwko samego Mussoliniego. Poznałam go już podczas podróży do Włoch, ale wówczas wymieniliśmy tylko ukłony i szybkie uprzejmości. Dzisiaj byłam jego gospodynią.

Powitaliśmy Duce w holu zamku Schwarzenau, Fritz we fraku, ja w sukni ze złotej lamy, zaprojektowanej specjalnie dla mnie przez madame Schiaparelli, która gościła u nas wcześniej. Rozważaliśmy zaproszenie go do naszego wiedeńskiego mieszkania lub do willi Fegenberg, koniec końców jednak względy bezpieczeństwa i konieczność zapewnienia spotkaniu intymności zdecydowały o wyborze zamku.

W tygodniach przed kolacją Fritz poprosił mnie nawet o pomoc w przygotowywaniu domostwa na tę okazję, do czego nigdy mnie do tej pory nie dopuszczał. Kupiłam nowe obrusy i serwetki, spotkałam się z florystami, próbowałam ciast, by ocenić, które najbardziej zasmakuje Mussoliniemu, i przesłuchiwałam różnych muzyków, by ustalić, kto najlepiej nadaje się do poobiedniego występu. Odrzuciłam trzy grupy, gdyż ich wykonania klasycznych utworów były zbyt jazzowe dla konserwatywnego Duce, i zdecydowałam się na doskonały i powszechnie chwalony zespół orkiestrowy z Wiednia. Osiągnięcie perfekcji – zazwyczaj tak ważne dla Fritza – po raz pierwszy było aż tak istotne i dla mnie. Nasz gość był człowiekiem kluczowym dla utrzymania niezależności Austrii od Niemiec.

Trzy dni przed przyjazdem Duce zrobiliśmy z Fritzem w wieczorowych strojach próbę generalną przyjęcia, w tym wszystkich pięciu dań, i czuliśmy się przygotowani jak nigdy. Rosnące napięcie połączyło mnie z nim w sposób, który pamiętałam z pierwszych dni naszego małżeństwa, choć oczywiście pozostawałam ostrożna. W każdej chwili znów mógł wpaść w gniew.

Podekscytowani staliśmy na schodach zamku Schwarzenau w oczekiwaniu na Mussoliniego. Przybył w pełnym rynsztunku, jakby prowadził paradę, z zastępem żołnierzy i oficerów. Fritz przywitał dyktatora ukłonem i uściskiem dłoni, potem objęli się ramionami, ja zaś dygnęłam, jak poinstruował mnie Fritz, to powitanie jednak też skończyło się inaczej – pocałunkiem w dłoń.

Weszliśmy do zamku, a po krótkiej powitalnej rozmowie do jadalni, gdzie na Jego Ekscelencję i co ważniejszych członków jego świty czekała dekadencka, pięciodaniowa kolacja. Zaplanowaliśmy ją pieczołowicie, tak by pierwsze skrzypce grały preferowane przezeń warzywa, ale na danie główne podaliśmy spektakularną potrawę z cielęciny. Widać było, jak dokładnie się przygotowaliśmy. Świeżo wyczyszczone gobeliny na ścianach tworzyły tło dla przepięknie udekorowanego stołu: został on przykryty fiołkowoniebieskim, jedwabnym obrusem, a ułożone na nim ciemnoniebieskie orchidee podkreślały urodę złotej zastawy, którą Fritz sprowadził z naszego wiedeńskiego mieszkania.

Zajęliśmy miejsca, a służba podała wino: spośród wiedeńskich służących, którzy również zostali sprowadzeni na tę okazję, jedynie Ada – która z niejasnych przyczyn została przeniesiona do Wiednia z willi Fegenberg – została w mieszkaniu, nie mogłam bowiem ryzykować, że mnie skompromituje. Nasz najstarszy lokaj Schneider, który miał obsługiwać wyłącznie Mussoliniego, uniósł karafkę nad jego kryształowym kielichem, dyktator jednak pokręcił głową. Zerknęliśmy na siebie z Fritzem:

zapomnieliśmy poinstruować służbę, że Mussolini nie pije alkoholu. Jak mogliśmy popełnić podobną gafę? Z bijącym mocno sercem spojrzałam na dyktatora zajętego pałaszowaniem mocno czosnkowej sałatki, która była ponoć jego ulubioną. Nie wydawał się obrażony.

Chociaż patrzyłam skromnie w dół, jak życzył sobie Fritz, spod rzęs zerkałam na Duce. Kwadratową szczęką przypominał mojego męża, chociaż u Fritza nie sterczała aż tak bardzo. Obaj mężczyźni emanowali siłą i pewnością siebie, z tym że dyktator większą.

Jak przystało na gospodarza, Fritz podejmował różne tematy, choć oczywiście pozwalał Mussoliniemu kierować rozmową. Dyskusje o polityce były ściśle zakazane przy stole w jadalni – mógł je rozpocząć jedynie Mussolini – więc spisaliśmy z Fritzem listę dopuszczalnych tematów, skupiając się na licznych projektach kulturalnych wspieranych przez Duce.

Fritz zadał pytanie o wielkie rzymskie przedsięwzięcie: przebudowę wąskich, krętych średniowiecznych ulic miasta, tak by powstały szerokie, proste i „nowoczesne". Projekt ten zakładał również postawienie nowych budynków o ostrych konturach i gładkich cementowych ścianach. Słyszeliśmy, że w pośpiechu, by wznieść jak najwięcej budowli i zapewnić jak najwięcej miejsc pracy, powstawały projekty niespójne i byle jakie, nigdy nie wspomnielibyśmy jednak o tym w rozmowie z Duce.

– Ach, tak – odparł Mussolini donośnym głosem. – Budowa dróg i wznoszenie budynków przebiega prędko. Jednocześnie zajmujemy się wykopaliskami i konserwacją wielu starożytnych budowli. Musimy czcić wszystko, co rzymskie, i starożytne, i współczesne.

– Oczywiście – zgodził się Starhemberg, wtrącając się w rozmowę. – To konieczne dla zachowania jedności w waszym narodzie.

Duce energicznie pokiwał głową.

– Właśnie. Kiedy przywódca nie ma równie szlachetnego dziedzictwa i przyszłości, na których może opierać swoje rządy, musi polegać na mniej efektywnych i często podejrzanych środkach, by wzmocnić swoje państwo. Weźmy kanclerza Hitlera. Niemcy nie mają równie znakomitej historii jak Włosi, Hitler był więc zmuszony zbudować swoją potęgę wokół tej bajki o aryjskiej rasie i nienawiści do Żydów. To niezbyt szczęśliwa podstawa dla nowego reżimu, nawet jeśli ta nienawiść jest zrozumiała.

Skrzywiłam się, słysząc, jakim tonem wypowiada słowo „Żydzi" i jak mówi, że nienawiść Hitlera do nich jest zrozumiała. W odróżnieniu od Niemiec Włochy nie wprowadziły ograniczeń dla Żydów, sądziłam więc, że Duce nie jest antysemitą. Teraz zmieniłam zdanie. Nie mogłam uwierzyć, że to w tym człowieku pokładałam nadzieje na niezależną Austrię wolną od narzuconego przez rząd antysemityzmu.

Dyktator jeszcze nie skończył:

– Kultura to, oczywiście, najlepszy sposób na to, by wpoić ludziom ideologię faszystowską, która stanowi właściwy system dla wszystkich krajów.

Oboje z Fritzem zamarliśmy, podobnie jak pozostali goście – wszyscy zaproszeni przez Mussoliniego prócz Starhemberga i jego żony, która towarzyszyła mu jedynie przy wyjątkowych okazjach. Zaplanowaliśmy wieczór tak, by uniknąć tematów politycznych, a tu Duce mówi coś takiego przy pierwszym daniu. Dyktator dalej żuł swoją sałatkę, reszta gości jednak znieruchomiała. Przestali rozmawiać, jeść, pić.

Musiałam ratować sytuację.

– Wasza Ekscelencjo, skoro już rozmawiamy o kulturze: słyszałam, że pańskim ulubionym utworem muzycznym jest *Pini di Roma* Ottorina Respighiego. Czy to prawda?

Mussolini przestał przeżuwać i wziął łyka wody. Kiedy czekałam na jego odpowiedź, serce waliło mi w piersi niczym młot. Czy obrazi się za taką zmianę tematu? Wiedziałam od Fritza, że najbardziej lubił, kiedy kobiety były okrągłe, matczyne, a przede wszystkim siedziały w domu. Nie dotyczyło to oczywiście jego kochanek.

Wreszcie jego twarz ożywiła się i powiedział:

– Widzę, że się pani przygotowała, pani Mandl. Rzeczywiście uważam *Pini di Roma* za szczególnie poruszający utwór.

– Poprosiliśmy z panem Mandlem najwspanialszych wiedeńskich muzyków, by zagrali dla pana po kolacji. Czy Wasza Ekscelencja zgodziłby się, by odegrali właśnie *Pini di Roma*? – spytałam całkiem swobodnie, chociaż spędziliśmy z zatrudnionymi na ten wieczór muzykami kilka godzin, by się upewnić, że potrafią doskonale zagrać ten utwór.

– Byłoby cudownie – odpowiedział z szerokim uśmiechem, po czym rozpoczął dyskusję o włoskich kompozytorach.

Odetchnęłam z ulgą, że udało się zmienić temat. Podobnie zareagowała reszta gości. Fritz rzucił mi porozumiewawcze spojrzenie. Rzadko się zdarzało, by był ze mnie tak zadowolony.

– Może przejdziemy do sali balowej? – spytał Fritz, kiedy goście skończyli jeść ogromny tort Sachera i kolorowe ciasteczka *Punschkrapfen*.

Sala balowa podzielona została na dwie części: w jednej, wokół zespołu muzycznego, w półokręgu ustawiono złocone krzesła, w drugiej została wolna przestrzeń wyłożona czarno-białym marmurem. Usiedliśmy z Fritzem obok Mussoliniego, żeby wysłuchać jego ulubionego utworu Respighiego. Dyktator zamknął oczy i kołysał się do rytmu symfonii. Kiedy rozbrzmiała ostatnia nuta skrzypiec, Mussolini zerwał się na nogi i zaczął bić brawo. Pozostali goście zrobili to samo.

Muzycy zagrali teraz klasyczny utwór odpowiedni do tańca, a goście zebrali się wokół parkietu. Wedle oczekiwań to ja miałam zatańczyć pierwszy taniec z gościem honorowym. Jako że Mussolini nie zabrał ze sobą żony, Fritz zaprosił do tańca żonę Starhemberga, zaś Duce wyciągnął rękę do mnie.

Położył mi dłonie na biodrach. Ja z kolei ostrożnie ułożyłam swoje w rękawiczkach na jego ramionach. Staliśmy niemal oko w oko: na szczęście nie byłam wyższa. Fritz poinstruował mnie, bym włożyła buty na płaskim obcasie, jako że Duce był mojego wzrostu – miał metr siedemdziesiąt – i nienawidził, kiedy kobiety nad nim górowały.

Jego spojrzenie było chłodne jak stal, a skóra z bliska okazała się szorstka. Nie mogłam przestać myśleć, że moje dłonie dotykają człowieka, który doszedł do władzy dzięki gangom byłych żołnierzy, którzy zabijali, bili lub wtrącali do więzienia każdego, kto stanął im na drodze. Nie tylko rozkazywał stosować przemoc, ale sam też miał ręce splamione krwią ludzi, których pobił.

Zanim zdążyłam wypowiedzieć którąś ze zwyczajowych uprzejmości powtarzanych w każdej rozmowie z kolegami Fritza, Mussolini zadał pytanie mnie:

– Była pani kiedyś aktorką, prawda, pani Mandl?

Skąd o tym wiedział? Pewnie z plotek. Miałam tylko nadzieję, że nie od włoskich gości, którym urządziliśmy pokaz *Ekstazy*.

– Tak, Duce, ale wiele lat temu. Teraz gram już tylko rolę żony.

– Oczywiście, pani Mandl. Czyż to nie najwspanialsza rola dla kobiety?

– Oczywiście.

– Uważam jednak, że przed ślubem była pani znakomitą aktorką – nie ustępował.

Byłam zdezorientowana. Czyżby dyktator widział mnie na scenie? Ktoś z pewnością wspomniałby, że widział Duce na jednym z moich spektakli. Nigdy nie słyszałam żadnych plotek o jego obecności. Wreszcie się domyśliłam.

– Widziałem panią w *Ekstazie* – wyszeptał, przyciągając mnie bliżej do siebie.

Byłam przerażona. Zrobiło mi się niedobrze. Nie mogłam znieść myśli, że mężczyzna, który mnie teraz dotyka, widział mnie nago. Wciąż jednak tańczyłam: bez słowa, bo nie wiedziałam, co powiedzieć. Modliłam się, by piosenka jak najszybciej się skończyła. Cóż mogłam zrobić innego? Stawka była zbyt wysoka.

– Tak bardzo mi się pani podobała, że kupiłem własną kopię filmu. Nawet nie zliczę, ile razy go widziałem.

Teraz czułam już nie tylko obrzydzenie: byłam przerażona. Czy to z mojego powodu przyjął wreszcie zaproszenie, które Fritz wystosowywał wielokrotnie przez lata? Uśmiech wciąż miałam przyklejony do twarzy, ale robiło mi się coraz słabiej.

– Jest pani cudowną kobietą, pani Mandl. Chciałbym bliżej panią poznać.

To nie było zaproszenie na herbatę. To było zaproszenie do łóżka. Czy Fritz o tym wiedział? Czy stręczenie żony było elementem jego wstrętnych negocjacji z Mussolinim? Nie: był tak niesamowicie zazdrosny, że ta myśl wydała mi się nieprawdopodobna. Nie wierzyłam, by Fritz zapomniał o swojej zaborczości nawet dla Mussoliniego. Na szczęście piosenka skończyła się i jeden z pomocników Mussoliniego podbiegł do niego. Ten pochylił na bok głowę, by lepiej go słyszeć, i powiedział:

– Bardzo panią przepraszam, pani Mandl, ale muszę zająć się pewną pilną sprawą.

Kiwnęłam głową, a kiedy tylko zniknął mi z oczu, przebiegłam przez zatłoczoną salę balową i na górę, do mojej sypialni. Zamknęłam drzwi i spojrzałam na siebie w lustrze. Patrzyłam na odbicie pięknej kobiety – na łuki ciemnych brwi, błyszczące, kruczoczarne włosy, zielone oczy i pełne, pomalowane na czerwono usta – i nie rozpoznałam w nim siebie. Czyja to była twarz? Pokryta warstwami makijażu wydawała mi się obca. Drapałam się po twarzy, póki ślady nie zrobiły się czerwone, niemal krwawe. Papa nie rozpoznałby tej osoby.

Kim teraz jestem?

Rozdział dwudziesty pierwszy

21 maja 1936 roku
Schwarzenau, Austria

Rok, który nastąpił po wizycie Mussoliniego w zamku Schwarzenau, sprowadził na Austrię zagrożenia wewnętrzne i zewnętrzne. Jak mogłabym choćby rozważać poinformowanie Fritza o propozycji dyktatora? Austria musiała trzymać się resztek jego ochrony, a ja nie zamierzałam zrobić nic, co skłoniłoby Fritza, by stawiał opór – czy odrzucił – Duce, gdyby okazało się, że jego nagabywanie nie zyskało akceptacji mojego męża. A gdyby jednak propozycja była usankcjonowana przez Fritza, choć wydawało się to niewiarygodne, tym bardziej nie chciałabym z nim o tym rozmawiać, bo trudno by mi było zaakceptować tę prawdę. Nie umiałabym dalej odgrywać roli pani Mandl.

Barykada, którą Fritz i jego sojusznicy zbudowali wokół Austrii, opierając się na sile militarnej Włoch, zaczęła pękać. Uzbrojony przez Fritza Mussolini wkroczył do Abisynii, demonstrując faszystowską władzę, którą Fritz z początku podziwiał, zwłaszcza ze względu na korzyści finansowe. Kiedy jednak Hitler zaoferował swoje bezwarunkowe poparcie dla inwazji Mussoliniego w obliczu potępienia i sankcji ekonomicznych nałożonych przez Ligę Narodów, rezerwa, z jaką Mussolini traktował dotąd Führera, stopniała, nasza zaś troska o los Austrii zdecydowanie się pogłębiła. Czy Mussolini zacznie wspierać nazistów w ich dążeniu do „ponownego zjednoczenia" Austrii i Niemiec w jeden kraj aryjski? Chociaż nigdy nie podzieliłabym się z Fritzem lękiem o to, jaki wpływ miałoby to zjednoczenie dla mnie osobiście – moje żydowskie pochodzenie pozostawało tajemnicą, a Fritz lubił zapominać, że w ogóle jestem Żydówką – mój niepokój wzmógł się jeszcze po przyjęciu przez Hitlera ustaw norymberskich, które odbierały Żydom obywatelstwo i prawa. Ten akt urzeczywistnił wszystkie lęki papy.

Fritz i ja tańczyliśmy jednak dalej, jakby świat wcale się wokół nas nie rozpadał. Przynajmniej na pokaz. W zaciszu domowym, kiedy wszyscy goście już wyszli, a służący wycofali się do swoich pokojów na wieczór, tańce się kończyły. Pozostawały tylko zasady, zamki i wściekłość. Wydawało się, że więżąc mnie, chce uwięzić szalejącego wirusa Hitlera. Stałam się symbolem zła, na którym wyładowywał swój gniew.

Mama czasem widziała ślady jego wybuchów podczas naszych regularnych herbatek – należały one do nielicznych wizyt, na które Fritz wciąż mi pozwalał. Siniak na ramieniu, gdzie chwycił mnie, by wysyczeć jakąś złośliwość podczas kolacji. Otarcie na szyi pozostawione przez jego brutalne pożądanie, jeśli jego nocne wizyty w mojej sypialni w ogóle tym były kierowane. Nigdy ich nie komentowała, a kiedy próbowałam zwrócić jej uwagę na efekty jego złości, zmieniała temat lub wspominała coś o „obowiązku" i „odpowiedzialności". Wiedziałam, że nie mogę szukać u niej wsparcia, a moje wizyty stały się coraz rzadsze. Dzisiaj w domu w Döbling, który kiedyś był moją bezpieczną przystanią, czułam jedynie rozpacz.

W marcu ustały nawet tańce. Ośmielony brakiem reakcji Ligi Narodów na inwazję Mussoliniego w Abisynii Hitler wprowadził wojska do Nadrenii, zdemilitaryzowanej na mocy traktatu wersalskiego. Schuschnigg poinformował Starhemberga, że Austria musi osiągnąć jakieś porozumienie z Hitlerem: Mussolini kazał im to zrobić, grożąc, że wycofa swoje wsparcie. Starhemberg głośno się sprzeciwiał, co w maju doprowadziło do usunięcia go ze stanowiska wicekanclerza. Mussolini był tak zajęty swoją misją w Abisynii i rozkwitającą relacją z Hitlerem, że miał coraz mniej czasu dla Austrii – i dla Fritza. Potęga mojego męża i Starhemberga topniała, a ja zaczęłam się zastanawiać, czy nie dotarłam do punktu, w którym obietnica złożona papie już nie obowiązuje. Gdyby mój mąż stał się przeciwnikiem austriackich przywódców, a jego władza legła w gruzach, czyż nie stałby się raczej kulą u nogi niż gwarantem bezpieczeństwa? Gdybym nie przysięgała papie, że zadbam też o bezpieczeństwo mamy, zostawiłabym go w tej samej chwili, w której ta myśl przyszła mi do głowy.

Minęła północ. Zebrano naczynia po kolacji, a służący udali się na spoczynek, po tym jak już uzupełnili alkohol w kredensie i umieścili pośrodku stołu tacę z kandyzowanymi fiołkami i *Trüffeltorte*. Fritz i Starhemberg chcieli odpocząć od Wiednia i politycznych knowań, wybraliśmy się więc do willi Fegenberg w towarzystwie jedynie młodszego Starhemberga – Ferdynanda. Obaj mężczyźni zamierzali oddać się planowaniu, nie ryzykując podsłuchania, a my z Ferdynandem się nie liczyliśmy.

Chciałabym, by Fritz życzył sobie mojej obecności przy tak kluczowej rozmowie, bo ufał moim opiniom, ale to nie dlatego nie odesłał mnie do sypialni. Fritz pozwolił mi zostać przy stole, bo byłam dla niego jak jeden z Rembrandtów na ścianach albo porcelana miśnieńska na kredensie. Stałam się kolejną bezcenną, nieruchomą dekoracją, którą mógł się popisywać, symbolem jego bogactwa i jurności.

– Jedyny władca Austrii. Co za żart! – powiedział Starhemberg, przerywając moje ckliwe rozmyślania haustem brandy i bełkotem. Był pijany. Nie sądziłam, że kiedykolwiek zobaczę statecznego arystokratę w takim stanie. Z drugiej strony nikt też nie spodziewał się, że Schuschnigg ogłosi się jedynym władcą Austrii, a to właśnie zrobił dwa dni temu.

– I co za zuchwałość! – szalał Fritz. Nie byłam pewna, czy odnosi się do samozwańczej dyktatury Schuschnigga, czy może jego niedawnych sugestii, że rząd austriacki mógłby przejąć zasoby amunicji i sprzętu bojowego, w tym fabryki i firmę Fritza. Obie te wypowiedzi wstrząsnęły nim w ciągu kilku ostatnich dni.

– To my załatwiliśmy mu to stanowisko. Jak on śmie odsuwać nas od władzy? – Starhemberg chwiał się lekko. Brat wyciągnął rękę, żeby go podtrzymać, ale ten odgonił go jak muchę.

– Oczywiście stara się nas zmarginalizować. Jako jedyni sprzeciwiamy się temu przeklętemu porozumieniu między Niemcami a Austrią, nad którym się zastanawia.

Dzięki wciąż wiernym informatorom Fritz i Starhemberg dowiedzieli się, że Schuschnigg zaczął negocjować porozumienie z Niemcami, zgodnie z którym w zamian za zachowanie niepodległości Austria dostosowałaby swoją politykę zagraniczną do Niemiec i pozwoliła nazistom zajmować oficjalne stanowiska. Fritz i Starhemberg narzekali, że porozumienie to doprowadzi do dyplomatycznej izolacji i skłoni pozostałe państwa europejskie do postrzegania relacji austriacko-niemieckich jako wewnętrznej sprawy Niemców. A przede wszystkim sądzili, że jest to trik mający osłabić Austrię przed najazdem Hitlera, który wcześniej obsadziłby rząd swoimi sojusznikami.

– Jaki wciąż mamy kapitał polityczny i ekonomiczny, który pozwoliłby nam wywierać nacisk na Schuschnigga teraz, kiedy Hitler i Mussolini doszli do jakiegoś porozumienia? Słyszałem, że chcą sformalizować swoją przyjaźń i stworzyć coś, co nazywają „osią Berlin–Rzym". Osią czego? To kolejne z powiedzonek Hitlera mające podkreślić jego potęgę.

Fritz prychnął drwiąco, słysząc o „osi".

– Naszą największą siłą była zawsze potencjalna pomoc Włoch. To już nie wchodzi w grę, skoro Hitler i Mussolini poszli ze sobą do łóżka. – Nigdy dotąd nie słyszałam, by Fritz był aż tak przygnębiony. Zawsze był przecież agresywny i skrajnie pewny siebie.

Sięgając w stronę kredensu, Starhemberg chwycił pełną butelkę schnappsa i postawił ją pomiędzy sobą a Fritzem.

Nalał obu po kieliszku bursztynowego płynu, omal go nie wylewając. Nikt nie zaproponował alkoholu ani mnie, ani Ferdynandowi. Równie dobrze mogło nas tam nie być.

– Myślę, że nie mamy wyboru – powiedział Fritz z rezygnacją w głosie. O czym on mówił? Jakiego wyboru nie mieli on i Starhemberg?

– To przeczy wszystkiemu, na co pracowaliśmy.

– Wiem, ale jaka jest alternatywa? Jeśli dalej będziemy optować za niezależnością, stracimy resztki naszych wpływów. Nie wspominając nawet o aktywach. Jeśli jednak wyprowadzimy płynne aktywa z Austrii przed Anschlussem, jednocześnie promując nowe spojrzenie na relacje austriacko-niemieckie na długo przed inwazją, unikniemy posądzenia o to, że naszą jedyną motywacją jest własny interes i... – Fritz urwał, pozwalając Starhembergowi dokończyć myśl. Nie mam pojęcia, czy zdawał sobie sprawę, że ja też to robię. Pewnie go to nie obchodziło. Ferdynand w każdym razie z pewnością nie dostrzegał wagi tego, co mówią Fritz i jego brat – a mówili, że zastanawiają się nad przejściem na drugą stronę, by optować za zjednoczeniem Austrii i Niemiec, byle tylko zachować wpływy.

– To się może udać, ale tylko pod warunkiem, że będzie ci wolno sprzedawać broń... – powiedział Starhemberg i zaraz urwał. Oboje z Fritzem wiedzieliśmy, że pośrednio odnosi się do żydowskiego pochodzenia mojego męża.

Starhemberg znał tajemnicę Fritza – że jest on w połowie Żydem – pewnie dłużej nawet ode mnie. Jeśli nie liczyć jednej wzmianki o konwersji jego ojca podczas naszej narzeczeńskiej podróży do Paryża, przez pierwszy rok małżeństwa nie wspomniał o tym słowem. Dopiero później wyjawił, że jego żydowski ojciec miał romans pozamałżeński z jego matką katoliczką, kiedy ta służyła w jednym z domów rodziny Mandlów. Po narodzinach Fritza ojciec ustąpił i zmienił wyznanie na chrześcijańskie, żeby poślubić matkę i uznać syna.

– Ustawy norymberskie zapewniłyby mi status „honorowego Aryjczyka" – ogłosił Fritz, odpowiadając Starhembergowi bez artykułowania słowa „Żyd".

– Co to niby znaczy?

– To specjalne określenie ukute przez generała Goebbelsa na ludzi żydowskiego pochodzenia, którzy służą nazizmowi.

– A więc nawet jeśli dowiedzą się, że jesteś Żydem – Fritz skrzywił się na dźwięk tego słowa, ale Starhemberg mówił dalej – wolno ci będzie sprzedawać broń.

– Tak.

Starhemberg usiadł z powrotem na swoim krześle, kiwając głową.

– To wiele zmienia, prawda?

Mężczyźni stuknęli się kieliszkami i wypili błyszczący trunek do ostatniej kropli. Ja opadłam na oparcie, zszokowana tym, co usłyszałam. Pewnie nie powinno mnie to aż tak szokować – a jednak...

Liczyliśmy z papą, że potęga Fritza zapewni nam bezpieczeństwo, i wydawało się niepojęte, że cała jego siła, bogactwo i ambicja nie zdołają powstrzymać Hitlera. A jednak Fritz doszedł do wniosku, że w tej bitwie nie zwycięży. A kiedy nie był w stanie zwyciężyć, nie wstydził się przejść na stronę zwycięzcy. Dzieliłam teraz łóżko z człowiekiem, który dzielił łóżko z Hitlerem.

Rozdział dwudziesty drugi

28 listopada 1936 roku
Wiedeń, Austria

Z początku plan wydawał się prosty. Włożyć maskę – tę, której nie miałam na sobie od dawna, ale która wciąż była mi dobrze znana – i wypowiedzieć kwestie swojej roli. Nie napisał ich żaden znany dramaturg, tylko ja sama. Poza tym plan przypominał przygotowania do premiery sztuki. A przynajmniej to sobie wmawiałam.

Czekałam z uniesieniem kurtyny, aż Fritz uda się w podróż służbową. Jego wyjazdy na odległe rubieże Europy Wschodniej – w „chłopskie rejony", jak je nazywał, w Polsce i na Ukrainie, gdzie mieściły się niektóre jego fabryki – stały się znacznie częstsze od wycieczek w różne efektowne miejsca, które odbywaliśmy kiedyś dla przyjemności. Z podsłuchanych rozmów dowiedziałam się, że celem tych podróży jest konsolidacja mniej produktywnych oddziałów i ich ewentualna likwidacja, a jednocześnie gromadzenie majątku w Ameryce Południowej, miejscu jakże odległym od nadchodzącej wojny.

Fabryki produkujące amunicję i elementy broni konieczne, by zrealizować umowy z Austrią, Hiszpanią, Włochami, krajami Ameryki Południowej, a także te, które jego zdaniem mogłyby zostać wykorzystane przez Trzecią Rzeszę, gdyby udało mu się przekonać ją do negocjacji po wieloletniej walce o niezależność Austrii, wciąż działały pełną parą.

Na swojego scenicznego partnera wybrałam mężczyznę znanego ze swojej bezbarwności i braku zdolności przewidywania. Cecha ta była konieczna, jeśli miał on sprawdzić się w przydzielonej roli. Szczęśliwie los zapewnił mi idealnego pionka, którego nawet Fritz o nic złego – ani w ogóle o nic ważnego – by nie podejrzewał. A co istotniejsze, takiego, do którego miałam łatwy dostęp: Ferdynanda Starhemberga, brata Ernsta.

Pierwsza scena rozgrywała się w salonie naszego spokojnego wiedeńskiego mieszkania, w jasny listopadowy poranek. Siedziałam przy swoim secesyjnym biurku i przez okno patrzyłam na unoszące się na wietrze złote liście drzew rosnących przy Ringstrasse. Jesienne światło i wyzwalająca natura mojego przedsięwzięcia sprawiły, że czułam się swobodnie, wręcz lekko.

Wzięłam wieczne pióro i na grubym papierze listowym, wykonanym na zamówienie i wytłaczanym moimi inicjałami, napisałam:

Najdroższy Ferdynandzie,

Mam dziś po południu kilka godzin wolnego czasu i jestem bardzo spragniona towarzystwa. Może i Ty jesteś wolny? Jeśli tak, proszę, wypijmy razem herbatę.

Łączę pozdrowienia, Hedwig Mandl

Biorąc pod uwagę moje intencje, podpis wydawał się przesadnie oficjalny, miałam jednak wrażenie, że Ferdynand nigdy nie zwrócił się do mnie po imieniu, chociaż ja tak właśnie do niego mówiłam. Fritz był zdecydowanie zbyt zaborczy, by na to pozwolić nawet Ferdynandowi, choć uważał go za nieszkodliwego głupca, którego jedynymi zaletami były tytuł i reputacja brata. Nie mogłam jednak ryzykować kary, na wypadek gdyby mój list został przechwycony czy mój plan się nie powiódł.

Posłałam najmłodszego, najbardziej uległego służącego Auguste'a do rezydencji Ferdynanda – domu, który Fritz opisał jako luksusowe bezguście. Nie mogłam ryzykować wysłania tam Ady, która zwykle zajmowała się podobnymi rzeczami. Nigdy nie znalazłam dowodu na romans Fritza z ładną pokojówką, ale z jakiejś przyczyny Ada mnie nienawidziła i cieszyła się z mojego uwięzienia – jej wrogie, ukradkowe spojrzenia były na to najlepszym dowodem. Nie mogłam dać jej do rąk listu: byłam pewna, że go przeczyta, szukając jakiejkolwiek informacji, która mogłaby mnie pogrążyć. Podejrzewałam, że niczego nie pragnęła bardziej, niż powiedzieć Fritzowi o jakimś moim uchybieniu. A może zaczęłam wszędzie węszyć spiski?

Odpowiedź Ferdynanda nadeszła znacznie szybciej, niż się spodziewałam, jako że od razu otworzył kopertę i przeczytał mój list. Miałam rację, sądząc, że będzie o tej godzinie w domu, a Fritz często powtarzał, że jego głównym zajęciem jest prowadzenie życia towarzyskiego. Auguste poczekał, aż Ferdynand napisze swoją odpowiedź, i przyniósł mi potwierdzenie przyjęcia zaproszenia. Jedyne, co mi pozostało, to zamówić herbatę, dać służącym coś do roboty na cały dzień i się przygotować.

Ciągnąc za sobą długi, jedwabny tren najbardziej obcisłej sukni, opuściłam bezpieczną sypialnię, by udać się do salonu, w którym miała się rozegrać scena druga. Zegar na kominku ogłosił kwadrans przed czwartą, a moje serce zabiło razem z nim. Czy scenariusz potoczy się zgodnie z oczekiwaniami? Chcąc przygotować się do występu, położyłam palce na klawiszach i uspokoiłam się, grając Serenadę nr 13 Mozarta, znaną jako *Eine kleine Nachtmusik*. Chociaż na chwilę wydostałam się z mojego złoconego więzienia.

Z zadumy wyrwał mnie dyskretny kaszel mężczyzny. Moje palce znieruchomiały, uniosłam wzrok. Był to Ferdynand, który wydawał się jednocześnie zafascynowany i zakłopotany.

Wstałam, podeszłam do niego i nieco zbyt długo ściskałam jego dłoń.

– Och, Ferdynandzie, uratowałeś damę w opałach. Fritz wyjechał na dwa dni, a ja mam mnóstwo czasu i niewiele do roboty.

– Słyszę, że wypełniłaś ten czas piękną muzyką. Nie miałem pojęcia, że tak świetnie grasz.

Uśmiechnęłam się z fałszywą skromnością.

– Wielu rzeczy jeszcze o mnie nie wiesz, Ferdynandzie.

Kiedy jego twarz pokryła się szkarłatem – a właśnie tej reakcji oczekiwałam – gestem nakazałam mu dołączyć do mnie na kanapie, gdzie służący ustawili herbatę, ptifurki i kryształową karafkę słodkiego schnappsa. Pozwoliłam swojej dłoni chwilę spoczywać na uchwycie dzbanka, po czym przeniosłam ją na karafkę.

– Może zaczniemy od kropli alkoholu, a nie od herbaty, Ferdynandzie?

– Oczywiście, pani Mandl. Jak zwykle z przyjemnością podążę za pani wskazaniem.

Wiedziałam, że nie dotyczy to jedynie wyboru napoju. Ferdynand był nie tylko absolutnie pusty, ale i całkowicie prostolinijny i nie potrafił ukryć swojego pożądania. W każdym razie nie przede mną, bo Fritz nie potrafił wejrzeć poza jego bezmyślność. Wypiliśmy schnappsa, rozmawiając o pięknej jesiennej pogodzie. Nalewałam mu kolejne kieliszki, sama pijąc bardzo powoli i czekając, aż na jego twarzy pojawią się oznaki upojenia.

– Pewnie zastanawiasz się, dlaczego cię tu zaprosiłam. Pod nieobecność Fritza.

Jego konsternacja wywołana spotkaniem była oczywista od samego początku, pewnie od chwili, gdy otrzymał zaproszenie, wiedziałam jednak, że nad niepewnością przeważą ciekawość i pożądanie.

– Tak.

Jakby ogarnęły mnie wzruszenie i nieśmiałość, opuściłam wzrok i powiedziałam:

– Czule o tobie myślę, Ferdynandzie. Już od pewnego czasu.

– Ja... ja... ja... – wydukał. – Nie miałem pojęcia, pani Mandl.

– Proszę, zwracaj się do mnie po imieniu – wymruczałam. – Chciałabym usłyszeć imię „Hedy" w twoich ustach.

– Hedy – powiedział, nie odrywając wzroku od mojej twarzy.

Pochyliłam się, żeby go pocałować. Zaskoczony, z początku nie zareagował. Jego wargi były równie niewzruszone jak postanowienia Fritza. Szybko jednak rozluźniły się i zaczęły reagować.

– Marzyłam o tym – wyszeptałam, ogrzewając oddechem jego kark.

– Ja też – wyszeptał w odpowiedzi. – Nawet nie wiesz, od jak dawna. – Pochylił się ku mnie.

Chociaż było to niezbyt przyjemne, całowałam go jeszcze przez chwilę, po czym odsunęłam się, udając, że zabrakło mi tchu.

– Nie tu, Ferdynandzie. Służący szpiegują dla Fritza.

Na wzmiankę o moim mężu zesztywniał, jednak jego pożądanie nie ostygło.

– Gdzie zatem? – zapytał, znów przyciągając mnie do piersi.

– Mam w Budapeszcie przyjaciółkę, której dom stoi pusty. Jeśli pomożesz mi się stąd wydostać, możemy wsiąść do pociągu, który odjeżdża za godzinę, i znaleźć się tam jeszcze przed północą.

Nie odpowiedział. Widziałam po jego minie, że jest przerażony na myśl o tym, że miałby ukraść żonę Fritzowi Mandlowi. Prawdopodobnie liczył na szybką schadzkę w pobliskim hotelu.

Przysunęłam się do niego, pogłaskałam po ramionach i klatce piersiowej, a wreszcie potarłam kłykciami przód jego spodni.

– Mielibyśmy dwa dni i dwie noce nieprzerwanej przyjemności. – Przekonałam go.

– Jedźmy.

– Naprawdę?

– Tak. Ale w jaki sposób mam cię stąd zabrać, nie zwracając uwagi służby lub – z trudem wydusił to imię – Fritza?

Wyrecytowałam wymyślony plan, odsuwając od siebie lekkie poczucie winy, że instrumentalnie traktuję moją matkę.

– Teraz wyjdź, ale zadzwoń na linię domową z najbliższego telefonu. Służącemu, który odbierze, powiedz, że dzwonisz z Wiedeńskiego Szpitala Głównego w imieniu Gertrude Kiesler, która została tam właśnie przyjęta i życzy sobie towarzystwa córki. Potem pojedź do szpitala, a ja spotkam się z tobą przy recepcji. Stamtąd pojedziemy do Budapesztu.

– Mądrze – powiedział, uśmiechając się z uznaniem.

Kazałam mu powtórzyć słowa, które miał wypowiedzieć do służącego przez telefon. Potem wstałam z sofy, udając, że nie chcę wypuścić go z ramion.

– Idź. Zobaczymy się niedługo.

Trzecia scena rozegrała się dokładnie zgodnie z moim wyobrażeniem. Telefon, moja histeria, wyścig do szpitala i sekretne spotkanie z Ferdynandem. Aż zachichotałam, tak dobrze mi szło. Wystarczyło zebrać się na odwagę, by uciec. Gdybym tylko o tym przedtem wiedziała, zostawiłabym Fritza wcześniej – w tej samej chwili, w której zrozumiałam, że nie jest już w stanie mnie chronić.

Zanim w mojej głowie zdążyły pojawić się wątpliwości, siedzieliśmy już z Ferdynandem w wagonie pierwszej klasy, w pociągu jadącym do Budapesztu, z torbą pełną zgromadzonych szylingów i drobnych naszyjników na półce ponad głową. Nagrodziłam się kilkoma kieliszkami szampana, dzięki którym prawie ukoiłam irytację w stosunku do partnera, póki ten nie zaczął naciskać na zbliżenie fizyczne. Obawiałam się, że mój fortel zakończy się skonsumowaniem na miejscu, kiedy konduktor otworzył drzwi i wpuścił do środka starszą panią z małym pudlem. Byłam uratowana – przynajmniej na razie.

Planowałam inną kulminację ostatniej sceny niż ta, której spodziewał się Ferdynand. Mieliśmy zamówić taksówkę, żeby zabrała nas do domu mojej przyjaciółki z dzieciństwa – to się zgadzało ze stanem faktycznym – tylko że dom wcale nie miał być pusty. Miała tam być ze swoim mężem i małą córeczką – nie spodziewając się mnie, ale zadowolona ze spotkania. Kiedy widziałam się z nią poprzedniej wiosny podczas podróży z Fritzem, powiedziała mi, że zaproszenie jest zawsze aktualne. Obecność mojej przyjaciółki i jej rodziny miała jednak uniemożliwić miłosne figle i tak Ferdynand miał wrócić do Wiednia niespełniony. A ja mogłabym wtedy pojechać wszędzie, gdzie bym tylko chciała. Nic więcej nie zaplanowałam.

Ferdynand wysiadł z pociągu na dworcu w Budapeszcie i wyciągnął dłoń, by pomóc mi zejść po schodkach na peron. Uśmiechnęłam się do niego szeroko, a on odpowiedział mocnym uściskiem dłoni, kiedy ruszyliśmy do wyjścia z dworca. Zdążyliśmy pokonać ledwie kilka kroków, gdy ujrzeliśmy Fritza.

Kiedy płomienie są najgorętsze, nie są wcale czerwone ani pomarańczowe: są białe. Ta przerażająca biel, biel pięciuset stopni, malowała się teraz na twarzy Fritza. Nigdy dotąd nie widziałam tego koloru na jego obliczu – ani na żadnym innym. Nie była to czerwień wściekłości, ale biel niewyobrażalnej furii.

Puściliśmy z Ferdynandem swoje dłonie, ale żadne z nas się nie odezwało. Bo też co mogliśmy powiedzieć? Że nie jest tak, jak on myśli? Że wcale nie zamierzałam pójść do łóżka z bratem Ernsta, tylko po prostu opuścić Fritza?

– Wrócisz ze mną do domu, Hedy – oznajmił Fritz z upiornym spokojem.

– Oczywiście – odparł Ferdynand drżącym głosem, chociaż Fritz zdawał się w ogóle nie zauważać jego obecności. Mój mąż mówił tylko do mnie.

Fritz ruszył ku wejściu na dworzec, gdzie czekał czarny rolls-royce. Poszłam za nim, nie oglądając się na Ferdynanda. Kiedy szofer zamknął za mną drzwi samochodu i ruszył w kierunku Wiednia, siedzieliśmy w milczeniu. Wreszcie Fritz zwrócił ku mnie swoją wściekle białą twarz.

– Naprawdę myślałaś, że uda ci się ode mnie uciec, Hedy? Przyleciałem tu, żeby zdążyć przed twoim pociągiem – wysyczał, opluwając moje policzki.

Zastanawiałam się, skąd się dowiedział. Czy to Ada wreszcie trafiła na informację, która mogła mi zaszkodzić? Czy też inny służący powiedział Fritzowi o dotyczącym mojej matki doniesieniu ze szpitala? Nie miałam wątpliwości, że mama by mnie wydała, gdyby Fritz złożył jej wizytę.

Uderzył mnie w twarz i popchnął. Zerwał ze mnie suknię i posiadł mnie. Wiedziałam, że jest potworem, zawsze to wiedziałam. Ale kiedy brał mnie raz za razem, zobaczyłam to na własne oczy. A to było jeszcze gorsze.

Rozdział dwudziesty trzeci

12 lipca 1937 roku
Wiedeń, Austria

Następnym razem nie będę taka głupia. Nie będę działać w pośpiechu ani polegać na innych. Sama zrealizuję swój plan.

Z tą myślą wróciłam do roli pani Mandl. Tyle że maska ta już mi nie pasowała. Jej krawędzie były teraz szorstkie, miejscami się obsuwała. W środku rozmowy na przyjęciu nagle spadała. Brakowało mi wtedy kotwicy, nie wiedziałam, kim jestem ani jak powinnam się zachowywać. A jednak dzięki gorączkowej atmosferze – niepokojowi i frenetycznemu lękowi wywołanym niestabilną sytuacją polityczną – nikt tego nie zauważał. Póki moja twarz była umalowana, a ciało wciśnięte w suknię, byłam panią Mandl, niezależnie od tego, jakie role kryły się pod powierzchnią.

Ponieważ ludzie postrzegali mnie jedynie jako bezbarwną żonę Fritza – o ile w ogóle mnie zauważali – w pewnym sensie stałam się niewidzialna. Dzięki temu niedostrzeżona, a nawet ignorowana, mogłam wsłuchiwać się w słowa budowniczych, wytwórców broni, zagranicznych polityków i kupców, którzy zastąpili w moim domu arystokratów i dygnitarzy. Fritz produkował między innymi pociski, granaty i części wojskowych samolotów, często więc słyszałam dyskusje o planach wojskowych i odpowiedniej broni, w tym o siłach i słabościach systemów niemieckich. Dzięki tym skrytym manewrom widziałam – czy nawet akceptowałam – nieuchronny Anschluss, któremu wielu wciąż przeczyło, a w którym pomóc miał mój mąż.

Widział mnie tylko Fritz. Okazało się, że moja próba ucieczki nie osłabiła jego pożądania. Najwyraźniej uważał, że póki może posiąść moje ciało, wciąż do niego należę. Nocą więc stawałam się krajem, nad którym wciąż sprawował władzę.

Pewnego zaskakująco chłodnego letniego poranka robiłam to samo co każdego dnia, niezależnie od tego, w którym akurat byliśmy domu. Po samotnym przebudzeniu w mojej sypialni patrzyłam na siebie w dużym lustrze w poszukiwaniu śladów walki pozostawionych na moim ciele przez Fritza. Następnie na długi czas zanurzyłam się w głębokiej marmurowej wannie, w której szorowałam skórę pumeksem, by pozbyć się dowodów na dotyk mojego męża. Siedząc przed toaletką, nałożyłam na siebie twarz pani Mandl i ubrałam się w kostium zamożnej damy. Potem skubnęłam śniadanie i obiad, przejrzałam książki naukowe, pograłam na fortepianie i czekałam na instrukcje od Fritza.

Tego konkretnego dnia nie doczekałam się jednak żadnych poleceń, ani od samego Fritza, ani od posłańca. Sądząc po ciągłym trzaskaniu ciężkich drzwi, przybywali do domu ludzie, i to licznie. Skrzypienie starych schodów w korytarzu i dudnienie wnoszonych na górę walizek sugerowało, że goście zostaną na noc. Kto to był? Fritz nic mi nie mówił o żadnym przyjęciu ani balu, a chociaż sam zajmował się szczegółami organizacji podobnych wydarzeń, zawsze mnie o nich informował, żebym mogła przygotować suknię i makijaż i nakazała wyjęcie biżuterii z sejfu.

Wyczułam pośród służących niepokój i podniecenie, opierali się jednak, gdy próbowałam wyciągnąć od nich jakieś informacje. Fritz najwyraźniej rozkazał im zachować dyskrecję, jeśli chodzi o naszych gości, a przy tej okazji nie zdziwiłabym się, gdyby nakazał nie informować mnie o niczym. Co się działo w willi?

Nie mogłam spytać Fritza wprost. Wzbudziłabym tylko podejrzenia, które i tak towarzyszyły mu bez przerwy od czasu nieudanej ucieczki z Ferdynandem. W lokalnej gazecie opublikowano ostatnio niepoparte niczym plotki, że zamierzam wrócić na scenę. Były one tym bardziej absurdalne, że mnóstwo żydowskich aktorów – w tym mój przyjaciel Max Reinhardt – przyjeżdżało do Wiednia z Berlina, gdzie ustawy norymberskie nie pozwalały im wykonywać zawodu, a jednak tylko podsycały podejrzenia Fritza co do kolejnej ucieczki. Kiedy wreszcie spotkałam go w korytarzu, spróbowałam zadać pytanie nie wprost.

– Fritz, zauważyłam niepokój wśród służących, jakby przygotowywali się do kolacji lub przyjęcia. Chciałabym upewnić się, że jestem odpowiednio ubrana dla twoich gości, których przybycie tylko słyszałam. Którą suknię mam włożyć dziś wieczorem?

Przyjrzał mi się, szukając śladów buntu. Żadnych nie znalazł – trzymałam się przyjemnego wspomnienia niedzielnego spaceru po lesie z papą, by na mojej twarzy malowały się niewinność i spokój – więc mógł się odprężyć.

– Nie musisz przygotowywać żadnej sukni, Hedy. Goście przyjechali tu jedynie w interesach. Nie musisz schodzić na kolację.

– Dziękuję za informację. W takim razie poproszę, żeby przygotowano dla mnie kolację, którą zabiorę do pokoju, żeby wam nie przeszkadzać.

Pokiwał z uznaniem głową i ruszył przed siebie korytarzem. Zanim jeszcze zniknął mi z oczu, odwrócił się i dodał:

– Czekaj na mnie około północy.

Coś było nie tak. Fritz nigdy dotąd nie urządzał „biznesowej kolacji", na której nie życzyłby sobie obecności trofeum, którym była dla niego żona. Nawet po nieprzyjemnej sytuacji z Ferdynandem trzymał mnie przy sobie podczas licznych kolacji, przyjęć i balów. Nigdy nie martwił się też moją obecnością podczas rozmów biznesowych i politycznych, wliczając w to niedawne machinacje, podczas których w tajemnicy uzbroił obie strony konfliktu hiszpańskiej wojny domowej. Często wręcz pytał mnie o opinię, więc to niemożliwe, by krył przede mną jakieś wrażliwe dane. Co takiego działo się w willi Fegenberg, o czym miałam się nie dowiedzieć? Jedyne, co przychodziło mi do głowy, to działania obejmujące nazistów – uważane za zdradę nawet teraz, kiedy współpraca kanclerza Austrii z Hitlerem stała się faktem.

Później tego wieczora podjęłam wielkie ryzyko. Rzeczywiście, jak mówiłam Fritzowi, poprosiłam o przygotowanie dla mnie kolacji i podanie mi jej do pokoju. Kiedy pokojówka zapukała do drzwi, otworzyłam jej w szlafroku, udając zmęczoną i gotową do snu, chociaż nie było jeszcze dwudziestej pierwszej. Ziewając, poprosiłam, by nie przeszkadzano mi przez resztę wieczoru.

Czekałam, aż zegar wybije dwudziestą drugą trzydzieści, po czym narzuciłam na szlafrok lekkie palto. Uchyliłam drzwi i wyjrzałam na korytarz w poszukiwaniu służby. Nikogo nie zobaczyłam, wyszłam więc na szeroki balkon, który otaczał północny róg willi. Z papierosem w ustach – jakbym wyszła tylko zapalić – szłam sobie swobodnie, póki nie dotarłam do drugich drzwi, prowadzących do sali balowej, mniejszej jadalni i gabinetu, w którym Fritz zazwyczaj odbywał spotkania.

Czy odważę się iść dalej? Nie było dla mojej obecności w tej części willi żadnej wymówki prócz chęci szpiegowania męża i jego gości. Gdybym została przyłapana, Fritz ukarałby mnie jeszcze dotkliwiej niż kiedykolwiek dotąd. A jednak musiałam potwierdzić swoje najgorsze przypuszczenie – że Fritz spotyka się w interesach z największymi dygnitarzami niemieckiej partii narodowosocjalistycznej. Otworzyłam więc drzwi.

Korytarz był pusty, a głosy dobiegały jedynie z mniejszej jadalni. Wiedziałam, że do pomieszczenia przylega nieduży, rzadko używany pokój kredensowy. Przy odrobinie szczęścia będzie pusty, bo służący pewnie będą obsługiwać Fritza i jego gości raczej z kuchni po drugiej stronie jadalni. Woleli tamto miejsce, ponieważ znajdowała się tam winda do transportu dań, dzięki której unikali biegania po schodach.

Zaryzykowałam i zaczęłam skradać się korytarzem. Odetchnęłam z ulgą, gdy okazało się, że miałam rację i służący wybrali drugą kuchnię. Uniosłam rąbek szlafroka i wśliznęłam się do pustego, ciemnego pomieszczenia. Skuliłam się i nasłuchiwałam.

– Skąd mamy mieć pewność, że dostarczy nam pan konieczny sprzęt jeszcze przed inwazją? Z pańskiej przeszłości trudno wnioskować, by był pan oddany celowi zjednoczenia naszego państwa – powiedział szorstki głos o twardym, ostrym akcencie, jakże odmiennym od naszego miękkiego austriackiego. Ten człowiek musiał pochodzić z Niemiec.

– Macie nie tylko dokumenty określające obiecaną dostawę broni i amunicji, ale też moje zaangażowanie ideologiczne. Teraz już rozumiem, że walka z nieuchronną unią naszych dwóch germańskich krajów była głupia i błędna. Proszę mi wierzyć, Reichsminister – powiedział Fritz błagalnym tonem, którego nigdy dotąd nie słyszałam. Mój mąż rządził innymi, nie dawał rządzić sobą. Aż do tej pory.

– Nie mogę sam podjąć tej decyzji, panie Mandl. Jedynie nasz Führer może wybaczyć panu wcześniejsze działania przeciwko Rzeszy i domniemane żydowskie pochodzenie. Oceni, czy zasługuje pan na nasze zaufanie. Muszę pozostawić decyzję jemu – odparł Reichsminister.

W pokoju zapadła cisza, jakby kogoś oczekiwano. Mogło chodzić jedynie o Hitlera. Wstrzymałam oddech, obawiając się, że nawet on będzie zbyt głośny i mnie zdradzi. Minęła pełna minuta, nim ktokolwiek się odezwał czy wydał z siebie jakikolwiek dźwięk.

Wreszcie przemówił władczy, lecz spokojny, łagodny głos. Wiedziałam, że to musi być Hitler – Reichsminister zapowiadał bowiem właśnie swojego przywódcę, Führera – mówił jednak tak cichutko, że ledwie go słyszałam. Gdzie się podział głośny, niemal histeryczny krzyk, jakim operował Hitler podczas swoich mocnych, porywających tłumy przemówień?

Kiedy przyzwyczaiłam się do poziomu głosu i akcentu, wreszcie zaczęłam rozpoznawać niektóre ze słów Hitlera.

– Sądzę, że pan rozumie, iż jesteśmy jednym narodem podzielonym arbitralną granicą i że nasze przeznaczenie nie dopełni się, póki nie staniemy się jednością. Podejrzewam, że to pańskie żydowskie pochodzenie stało na drodze do zrozumienia tej prawdy…

Słyszałam, jak Fritz próbuje zaprotestować, odrzucić żydowską etykietkę. Ktoś musiał go powstrzymać, bo nagle umilkł, a nie zdarzało mu się to często. Najwyraźniej jednak nikt nie śmiał przerywać Hitlerowi.

Ten mówił dalej, jakby niczego nie usłyszał.

– To ja decyduję, czy ktoś jest Żydem. I zdecydowałem, że pan zostanie „honorowym Aryjczykiem", co oznacza, że zmyte zostają wszelkie plamy semickiej krwi. Tym samym nie jest pan już Żydem. Jestem przekonany, że skalana krew nie przeszkodzi już panu w pełni uwierzyć w nasz germański kraj.

– Dziękuję, Führerze – powiedział cicho Fritz. Przeraził mnie dźwięk tego słowa: czyżby mój mąż właśnie nazwał Hitlera swoim wodzem? Czy przysiągł wierność wrogowi?

– Jako honorowy Aryjczyk będzie pan, oczywiście, nie tylko wyłączony spod ustaw norymberskich, które zaczną obowiązywać po połączeniu Niemiec i Austrii, lecz także spod wszelkich moich przyszłych planów mających na celu usunięcie Żydów z niemieckiego społeczeństwa. Podobnie jak pańska żona, która – z tego, co wiem – również jest Żydówką.

Słysząc, jak Hitler nazywa mnie Żydówką, zaczęłam drżeć na całym ciele. We własnym domu poczułam się nagle naga i krucha. Skąd Trzecia Rzesza wiedziała o moim pochodzeniu?

– Usunięcie Żydów z niemieckiego społeczeństwa? – Fritz zadał pytanie, nad którym ja też się zastanawiałam. Co Hitler miał na myśli?

– Ach, tak – Hitler wyjaśniał spokojnie. – Musimy rozwiązać problem Żydów. Nie wolno im istnieć pomiędzy Niemcami. Ustawy norymberskie to dopiero pierwszy krok na drodze do realizacji mojego planu, który obejmie kiedyś cały kontynent, mam nadzieję.

Wydałam z siebie zduszony oddech i natychmiast zamarłam. Czy się zdradziłam? Nasłuchiwałam przerwy w rozmowie czy, co gorsza, zbliżających się kroków. Dyskusja jednak trwała, a ja wyślizgnęłam się z pomieszczenia, minęłam korytarz i wyszłam na balkon.

Nie mogłam uwierzyć w to, co usłyszałam. Mój mąż – Sprzedawca Śmierci – miał dorosnąć do miana, które nadano mu wiele lat wcześniej.

I własnymi rękoma dostarczy śmierć Austrii i jej mieszkańcom.

Rozdział dwudziesty czwarty

24 sierpnia 1937 roku
Wiedeń, Austria

Nie mogłam już dłużej czekać, a mówiąc szczerze, nie było takiej potrzeby. Elementy planu, który opracowywałam już od dwóch miesięcy, były w dużej mierze gotowe. Nakreśliłam drogę ucieczki, trasę zaskakującą, ale nieprzesadnie skomplikowaną. Przedmioty konieczne w moim nowym życiu umieściłam w bezpiecznym, ale łatwo dostępnym miejscu. Wcześniej długo zastanawiałam się nad całą resztą – przepięknymi sukniami wysadzanymi klejnotami, ręcznie robionymi butami i torebkami z najlepszej skóry i jedwabiu, a zwłaszcza nad biżuterią ze szmaragdów, diamentów, pereł i niezliczonych innych kamieni – i zdecydowałam się jedynie na te najpotrzebniejsze. A co najważniejsze, zapewniłam sobie podporę, nic niepodejrzewającą służącą konieczną dla powodzenia całego planu – moją nową pokojówkę, Laurę. Musiałam tylko wybrać właściwy moment, by nadać bieg wydarzeniom.

Zanim jednak mogłam przejść do działania, musiałam wypełnić obietnicę złożoną ojcu.

– Wyjedziesz ze mną, jeśli opuszczę Wiedeń? – spytałam mamę przy herbacie podczas wizyty w Döbling. Wspaniały kiedyś dom wydawał mi się teraz mały, a moja matka jeszcze mniejsza. Chociaż wciąż pełno w nim było przedmiotów należących do rodziców i naszych wspólnych wspomnień, choć czuć było nawet zapach fajki papy, bez niego był dla mnie pusty.

Patrzyła na mnie oceniająco. Widziałam, jak rozważa powody, dla których mogłam zadać to pytanie, i zaczęłam się zastanawiać. Czy Fritz powiedział jej o mojej ucieczce do Budapesztu? Czy zdradził, że wymyśliłam alibi, wykorzystujące jej rzekomy pobyt w szpitalu? Mama nigdy o tym nie wspomniała, a mnie do głowy by nie przyszło, żeby ją o tym informować. Prawdopodobnie miała jednak wiele powodów, by nie mówić mi nic o tym, co wiedziała, a czego nie. W dłoniach trzymała parującą filiżankę herbaty, a ja słuchałam, jak letni deszcz uderza w okno salonu podczas tej długiej minuty oczekiwania. Dopiero kiedy się napiła, odpowiedziała:

– Czemu miałabyś wyjechać z Wiednia, Hedy? Twój mąż jest tutaj. – Jej głos był niespodziewanie nieodgadniony.

Z mamą musiałam postępować ostrożnie. Chociaż próbowałam jej wyjaśniać, z jakimi ograniczeniami się mierzyłam, żyjąc z Fritzem, ona zawsze albo udawała, że mnie nie słyszy, albo stawała po jego stronie. Nawet kiedy na moim policzku rozkwitł wielki siniec, mówiła coś o „zaangażowaniu". Przy każdej okazji powtarzała, że kobieta ma obowiązki jedynie wobec swojego męża. Nie po raz pierwszy zastanawiałam się, czy to przekonanie zrodziło się z zazdrości i krztyny gniewu. Skoro sama poświęciła obiecującą karierę pianistki, by zostać matką i *Hausfrau*, uważała, że ja muszę zrobić to samo. Niezależnie od kosztów.

– Opuścilibyśmy Wiedeń oboje z mężem z powodu sytuacji politycznej. – Omal nie dodałam „z powodu zagrożenia ze strony Hitlera". Wiedząc, że mój mąż właśnie doszedł z nim do porozumienia, nie byłam w stanie zmusić się do tak oczywistego kłamstwa, nawet uzasadnionego sytuacją. – Czy w takiej sytuacji wyjechałabyś z nami?

Musiałam wiedzieć, czy mam ją uwzględnić w swoim finalnym planie. Czy w ryzyko, które zamierzałam podjąć samodzielnie, muszę wliczyć dwie osoby. Nie odważyłabym się zdradzić jej swoich planów, ale domyślałam się, że niechętnie opuściłaby Wiedeń, zwłaszcza gdybyśmy miały wyruszyć same wbrew woli Fritza.

– Oczywiście, że nie, moja droga. To jest mój dom. Zresztą twój ojciec zawsze przesadzał, jeśli chodzi o szkody, które mógłby nam wyrządzić Hitler. Wiedeń jest i pozostanie miejscem bezpiecznym, niezależnie od tego, czy spełni on swoje groźby. – Po chwili wahania dodała: – Zawsze dzielił się z tobą politycznymi rozważaniami i niepokojami. Nie powinien był zawracać ci głowy. Nie jesteś przecież jego synem.

Czułam, że ogarnia mnie wściekłość. Jak mama śmiała źle mówić o papie? I jak mogła sugerować, że byłam dla niego mniej ważna, bo urodziłam się kobietą? Jej słowa ubodły mnie na tyle, że powiedziałam:

– Nigdy nie podobała ci się moja relacja z papą. I nigdy mnie nie lubiłaś, prawda? Nie takiej córki chciałaś.

Uniosła brwi: na tyle tylko gotowa była sobie pozwolić w chwili zdziwienia. Jej głos pozostał jednak spokojny.

– Jak możesz tak mówić, Hedy?

– Mamo, kiedy dorastałam, nie pochwaliłaś mnie ani razu. Krytykowałaś mnie tylko i radziłaś, co powinnam zrobić, żeby być bardziej podobna do innych dziewcząt z Döbling.

Jej wyraz twarzy się nie zmienił.

– Nie chodzi o to, że cię nie lubiłam czy nie lubię. Miałam swoje powody, by nie szafować pochwałami.

W coraz większej złości mówiłam coraz głośniej. Nie mogłam znieść spokojnej pewności w jej głosie, nieustannego ukrywania wszelkich uczuć, ciągłej surowej oceny.

– Jakie powody, mamo? Jakie powody może mieć rodzic, by szczędzić swojemu dziecku pochwał i czułości?

– Widzę, że nie uwierzyłabyś mi, Hedy, choćbym ci wszystko wyjaśniła. Masz swoje ustalone zdanie o mnie. Nieważne, co powiem: myślisz o mnie już tylko jak najgorzej.

– To nieprawda. Jeśli jest jakieś wyjaśnienie, chciałabym je poznać.

Mama wstała, wygładziła suknię i włosy i powiedziała:

– Myślę, że to już koniec naszego wspólnego czasu. Wspólnego czasu na herbatę. – To rzekłszy, wyszła z pokoju.

Zostałam oddalona w chwili, w której byłyśmy blisko najbardziej intymnej rozmowy w naszym życiu. Otrzymałam jednak odpowiedź, po którą przyszłam. Mama nie miała najmniejszego zamiaru wyjeżdżać ze mną z Wiednia.

Kiedy zapinałam swój lekki płaszcz i przygotowywałam się do wyjścia, czułam się rozdarta. Jakaś część mnie czuła się w obowiązku pobiec do gabinetu, w którym skryła się mama, i zrelacjonować jej plany Hitlera dotyczące Żydów. Czy wtedy by ze mną pojechała? Nie sądziłam, by ta informacja wpłynęła na nią, i nie sądziłam, by mi w ogóle uwierzyła. Uznałam, że tylko pogorszyłabym sytuację. Podejrzewałam, że mogłaby zdradzić moje plany Fritzowi, uniemożliwiając ucieczkę. Najbezpieczniejszym wyjściem było milczenie.

Mama podjęła decyzję, a ja nie byłabym w stanie jej zmienić. Tym samym spełniłam złożoną papie obietnicę.

Rozdział dwudziesty piąty

25 sierpnia 1937 roku
Wiedeń, Austria

Popołudniowe słońce zalewało pokryte karmelowym jedwabiem ściany mojej wiedeńskiej sypialni ciepłym blaskiem. Z punktu obserwacyjnego przed toaletką zerkałam na mojego męża. Przysypiał w łóżku, nasycony cielesnością, którą pobudziłam po kolacji – ta taktyka miała uśpić jego zazdrość. Przez chwilę znów byłam nowo poślubioną żoną; młodą dziewczyną, zakochaną w swoim potężnym, starszym mężu i wdzięczną za ochronę, którą otaczał jej rodzinę.

Fritz otworzył oczy i jego spojrzenie napotkało moje. Nie byłam już niewinnym dziewczątkiem. Uśmiechając się wstydliwie, podeszłam do łóżka całkiem naga i stanęłam naprzeciw niego. Przeciągnął palcem między moimi piersiami, wzdłuż pępka i zatrzymał go na prawej kości biodrowej. Starałam się nie zadrżeć z obrzydzenia, czując dotyk jego zdradzieckiego palca na moim ciele.

– Szkoda, że nie mamy czasu na więcej – powiedział zaspanym głosem.

– Ja też żałuję – wyszeptałam, chociaż w głębi ducha miałam nadzieję, że to już nasz ostatni raz.

– Mamy jednak obowiązki. Musimy się przygotować do kolacji. Goście już niedługo przybędą, spragnieni koktajli.

– Czy granatowa suknia będzie stosowna na tę okazję? – wypowiedziałam przygotowane wcześniej słowa.

– Tak, pięknie w niej wyglądasz.

Z wyćwiczoną nonszalancją odrzekłam:

– Pomyślałam też, że dobrze będzie do niej pasował zestaw od Cartiera.

– Ten, który kupiliśmy podczas zaręczynowej podróży do Paryża?

– Właśnie ten. – Czy mój ton brzmiał swobodnie? Jakby mój plan nie opierał się wcale na tym, że założę najdroższą biżuterię?

– Suknia podkreśli urodę szafirów i rubinów, prawda?

– Tak właśnie pomyślałam. – Nie powiedziałam mu, o czym myślałam naprawdę. Że wszystkie pozostałe klejnoty Fritz zakupił dla pani Mandl, gospodyni, nie dla mnie. Biżuteria od Cartiera jako jedyna była naprawdę dla mnie, dla Hedy, którą byłam, nim jeszcze zostałam jego żoną. Należały do mnie.

– Wyjmę je z sejfu.

Kiedy Fritz przekazał mi naszyjnik, kolczyki i bransoletkę od Cartiera, byłam już ubrana w granatową suknię i cierpliwie czekałam, aż nowa pokojówka Laura zajmie się moją fryzurą i makijażem. Obserwowałam w lustrze, jak zawiesza wisior na mojej szyi, zapina bransoletkę na nadgarstku i ostrożnie wkłada kolczyki, tak by nie zniszczyć fryzury.

Jakże długo jej szukałam – wysoko wykwalifikowanej pokojówki, która by mnie przypominała z wyglądu – po tym, jak udałam, że wreszcie podążam za sugestią Fritza, by zatrudnić służącą tylko dla siebie. Podobny wzrost, waga, karnacja – z odpowiedniej odległości Laura wyglądała jak ja. Przy bliższej kontroli okazywało się, że jej oczy są brązowe, a moje zielone, zaś rysy jej twarzy nie są tak harmonijne jak moje i nie mają tyle wdzięku. A jednak, gdybyśmy ubrały i uczesały się podobnie, można by nas pomylić. Był to kluczowy powód, dla którego wybrałam ją z oceanu innych kandydatek.

– Lauro, podczas kolacji zajmij się, proszę, cerowaniem. Później tu do ciebie przyjdę.

– Dobrze, proszę pani.

Po zwyczajowych koktajlach i pogaduszkach Fritz zaprosił gości do jadalni. Usiadłam u szczytu stołu i uśmiechnęłam się do wznoszącego toast męża. Nie znałam naszych gości. Nie byli to arystokraci, artyści czy austriaccy ludzie interesu z początków naszego małżeństwa ani politycy czy wojskowi, którzy odwiedzali nasze domy w późniejszych czasach. Podejrzewałam, że siedzę przy stole z nową falą austriackich przemysłowców, którzy niebawem będą rządzić Austrią na życzenie Hitlera.

W połowie drugiego dania zaczęłam nerwowo mrugać, jakbym czuła dyskomfort. Nic szczególnie poważnego, ale już podczas deseru trzymałam dłoń na dole brzucha.

Kiedy Fritz zaprosił gości do sali balowej, by posłuchać muzyki, podeszłam do niego i powiedziałam:

– Nie czuję się najlepiej.

– Zauważyłem – powiedział, a po chwili rozpromienił się. – Czy to może być... – Niecały rok wcześniej Fritz nakazał przerobić jedną z wielu sypialni w willi Fegenberg w pokój dziecięcy. Nie miał pojęcia, że kiedy tylko mogłam, używałam diafragmy.

– Kto wie? – powiedziałam z bladym uśmiechem, w którym starałam się zawrzeć ekscytację i oczekiwanie.

– Czy mam wezwać Laurę, żeby odprowadziła cię do pokoju? – Jego nagła troskliwość mnie zdenerwowała. Nie byłam do niej przyzwyczajona.

– Nie, nie, sama pójdę do pokoju. I poproszę Laurę, żeby na wszelki wypadek ze mną została. – Wskazałam kręcących się wokół ludzi, którzy czekali, aż Fritz poprowadzi ich do sali balowej. – Nie chciałabym niepokoić gości.

– Oczywiście. – Jakby nagle przypomniał sobie o ich obecności, odwrócił się i zaczął kierować ich na parkiet. Ja powoli wróciłam do sypialni, starając się sprawiać wrażenie osłabionej.

Kiedy otworzyłam drzwi sypialni, Laura aż podskoczyła.

– Wcześnie pani wróciła.

– Poczułam się słabo. Może napijemy się herbaty, Lauro?

Kiedy tylko zatrudniłam dziewczynę sześć tygodni wcześniej, wprowadziłam zwyczaj wspólnej wieczornej herbatki – był on nietypowy dla damy i jej służącej, ale konieczny dla realizacji mojego planu. Jak zawsze dziewczyna zaparzyła herbatę dla nas obu, a ja czekałam na obitej karmelowym jedwabiem sofie, aż do mnie dołączy. Kiedy tylko postawiła tacę z filiżankami na stoliku, powiedziałam:

– Wczoraj kupiłam na targu miód. Mogłabyś przynieść go z mojej szafki? Jest w torbie leżącej koło butów.

– Oczywiście, proszę pani – odparła, spiesząc do szafy. Kiedy szukała miodu, dobrze schowanego w jej czeluściach, wyciągnęłam spod poduszek zakupiony na tę okazję środek nasenny i wsypałam potrójną dawkę do herbaty Laury: wystarczająco dużo, by ją uśpić, ale na tyle mało, by nie zrobić jej krzywdy.

Kiedy wróciła z torebką, wskazałam jej miejsce obok siebie na sofie i powiedziałam:

– Pozwól, że dodam trochę miodu do twojej herbaty. Jest idealnie czysty i ponoć znacznie słodszy niż większość miodów. – Miałam nadzieję, że jego smak zamaskuje, a przynajmniej wyjaśni lepką słodycz herbaty.

– Dziękuję pani. To bardzo miłe z pani strony.

Kiedy popijałyśmy herbatę i rozmawiałyśmy o ubraniach potrzebnych na następny dzień, Laura zaczęła ziewać. Jej powieki opadły i już po paru minutach zasnęła na sofie.

Zamarłam. Chociaż sama to zaplanowałam, nagle poczułam się zszokowana. Czyżby mój plan naprawdę miał wejść w życie? Czy tym razem uda mi się uciec? Co się stanie, jeśli znów poniosę klęskę? „Myśl, Hedy, myśl" – powtarzałam sobie. Co teraz? Zamknęłam oczy, odtwarzając listę zadań, którą sporządziłam kilka tygodni wcześniej, a następnie wrzuciłam do kominka w sypialni.

Laura spała, a ja zerwałam z siebie suknię i zarzuciłam ją na oparcie fotela. Z najciemniejszego kąta szafy wyciągnęłam pudełko z elegancko zdobionymi górskimi butami, które nosiłam tylko w zimowe mrozy. Wcisnęłam dłoń do środka i wyciągnęłam odłożone szylingi. Następnie wepchnęłam do czarnej, skórzanej torby dokumenty, pieniądze i biżuterię od Cartiera. Podniosłam wieko pudełka na kapelusze od Chanel, sięgnęłam pod mały, zdobiony piórami kapelusik i wyciągnęłam mundurek służącej identyczny jak ten, który nosiła Laura. Rozpuściłam włosy i spięłam je na nowo w prosty koczek pokojówki, włożyłam koronkowy czepek i proste, sznurowane półbuty.

Spojrzałam na siebie w lustrze. Podobieństwo do Laury było niezwykłe. Czułam się gotowa założyć, przynajmniej na jakiś czas, nową maskę.

Wyszłam na korytarz. Nie odrywając wzroku od marmurowej posadzki, przyjęłam sposób chodzenia Laury. Szybkimi, krótkimi kroczkami dotarłam do kuchni w rekordowym tempie. Wiedziałam, że to pomieszczenie stanowić będzie największe wyzwanie. Nie udało mi się zaplanować trasy od wejścia do drzwi dla służby, ponieważ nie mogłam przewidzieć, gdzie znajdować się będzie który służący, kiedy się tam pojawię. Gdy jednak otworzyłam drzwi, okazało się, że nie ma tam nikogo prócz kucharza, który zajęty był nalewaniem ciepłego kruszona do misek dla gości.

Lekkim krokiem pędziłam po kuchennych kafelkach. Chwyciłam torbę z ubraniami – parę dziennych sukienek i płaszczy, jedną suknię wieczorową, dwie pary butów – i kosmetykami, którą schowałam wcześniej za rzędem słoików, i sięgnęłam ku drzwiom. Gałka obróciła się bez trudu. Wstąpiłam w ciemną, parną noc.

Zniszczony opel Laury, który kupiliśmy jej, żeby mogła jeździć na zakupy i wozić je pomiędzy naszymi domami – bo jako jedyna ze służby miała przenosić się razem z nami – stał w najdalszym kącie parkingu dla służby.

Kamyczki trzeszczały mi pod stopami, a ja cieszyłam się, że noc jest bezksiężycowa. Gdyby ktokolwiek zauważył mnie o tej porze na parkingu – nawet w przebraniu Laury – Fritz z pewnością by się o tym dowiedział.

Otworzyłam drzwi samochodu kluczykiem, który wyciągnęłam z kieszeni Laury. Wsunęłam kluczyk do stacyjki, silnik ożył, a chociaż wiedziałam, że jeszcze za wcześnie na odtrąbienie sukcesu, oddalając się od mojego wiedeńskiego domu, nie mogłam powstrzymać radości. Czułam się, jakbym uciekła z więzienia – i w zasadzie tak właśnie było.

Pojechałam prosto na dworzec, Hauptbahnhof przy placu Mariahilfer. Stamtąd mogłam pojechać Orient Expressem do Paryża – jednego z niewielu europejskich miast, gdzie Fritz nie miał szpiegów i jego władza była ograniczona. Kiedy kupowałam bilet, na peronie było zupełnie pusto. Bileter poinformował mnie, że muszę poczekać na pociąg dwanaście minut. Kolejne sekundy mijały nieskończenie wolno, jak miód, który spływał z łyżeczki do filiżanki ledwie godzinę wcześniej. Odwracałam się co chwilę, spodziewając się, że zobaczę Fritza. Kiedy wreszcie usłyszałam łoskot nadjeżdżającego pociągu, odetchnęłam z ulgą. Być może jednak uda mi się dotrzeć do Paryża, stamtąd do Calais i statkiem do Anglii.

Miałam nadzieję, że w Londynie czeka mnie nowe życie, nowa historia.

Część II

Rozdział dwudziesty szósty

24–30 września 1937 roku
Londyn, Anglia i S/s Normandie

Szansę na nową historię dał mi kierownik MGM Studios. Wyobrażałam sobie tę transformację i czekałam na ten moment od wielu tygodni – a nawet miesięcy, biorąc pod uwagę, od jak dawna planowałam ucieczkę – jednak wciąż nie mogłam w to uwierzyć. Czy naprawdę zasługiwałam na nowy początek?

– A może Lamarr? – Piskliwy głos wzbił się ponad dźwięk fal uderzających o kadłub gigantycznego liniowca. Pani Margaret Mayer zawsze dbała o to, by jej charakterystyczny głos był dobrze słyszany.

Jej mąż Louis B. Mayer uniósł paletkę ponad stół do ping ponga i odwrócił się do niej.

– Powtórz – rozkazał raczej, niż poprosił. Założyciel najbardziej prestiżowego hollywoodzkiego studia filmowego MGM był przyzwyczajony do wydawania poleceń, nawet swojej żonie, która jednak rzadko przyjmowała je bez protestu.

– Lamarr – odpowiedziała władczo, zwracając się do małżonka i jego kumpli z Hollywood, którzy przestali grać czy oglądać grę w ping ponga i również zwrócili się w stronę pani Mayer. Jako jedyna kobieta przyciągała ich uwagę i czasami wzbudzała szacunek.

– Brzmi dobrze – przyznał pan Mayer, paląc nieodłączne cygaro. Jego ponura zazwyczaj twarz pojaśniała.

– Pewnie, szefie – rzucił któryś z jego kompanii. Ciekawe, czy tym ludziom wolno było mieć własne zdanie. A przede wszystkim czy wolno im było je wypowiedzieć?

– Czemu wydaje mi się znajome? – spytał pan Mayer, głównie samego siebie.

– Z powodu gwiazdy kina niemego Barbary La Marr, która zmarła po przedawkowaniu heroiny. Pamiętasz ją, prawda? – Uniosła prawą brew i spojrzała na niego znacząco.

Widziałam podobny wyraz na jej twarzy, kiedy jej mąż rozmawiał z piękną kobietą przy basenie na pokładzie Normandie. Łatwo było się domyślić, że pana Mayera coś łączyło z Barbarą La Marr. Plotki o jego uganianiu się za spódniczkami – niektórzy nazywali je wręcz polowaniem – dotarły nawet do wiedeńskiego światka aktorskiego.

– Ach, tak, tak – odparł z najłagodniejszym wyrazem twarzy, jaki widziałam, odkąd wyruszyliśmy na morze cztery dni wcześniej.

Podczas tej rozmowy – jak i podczas całego meczu mężczyzn w ping ponga – nie ruszyłam się ze swojego stanowiska obok pani Mayer. Opierałam się o barierkę na pokładzie, chociaż wiatr targał mi włosy. Wiedziałam, że najbezpieczniejszym miejscem na statku jest to obok żony najpotężniejszego z mężczyzn, i nie zamierzałam go opuszczać. Wsłuchując się uważnie w rozmowę, zdałam sobie sprawę, że mężczyźni mówią o mnie, jakby mnie tam nie było albo jakbym była przedmiotem na sprzedaż – i w świetle zawartej umowy w zasadzie tak było.

Chociaż niewykluczone, że pan Mayer nie zdawał sobie z tego sprawy, pierwszy etap umowy został wynegocjowany w Londynie. Chcąc jak najdalej uciec od Fritza, zgodnie z planem wyruszyłam z Paryża do Londynu. Tu, mimo swoich wpływów i kontaktów, mąż nie mógł mnie dosięgnąć. Dopiero kiedy dotarłam do brytyjskiej stolicy, przestałam oglądać się za siebie w obawie, że Fritz mnie śledzi. Wcześniej widziałam jego kwadratową szczękę i wściekłe spojrzenie w twarzy każdego mężczyzny napotkanego w każdym pociągu i na każdej ulicy. Tylko czekałam, aż zemści się na mnie za moją ucieczkę.

Kiedy znalazłam się w Londynie, wiedziałam, że muszę znaleźć jakiś sposób, żeby się utrzymać. Zdawałam sobie sprawę, że szylingi, które zabrałam ze sobą, i pieniądze ze sprzedaży klejnotów od Cartiera nie wystarczą na długo. Potrafiłam tylko grać, musiałam jednak trzymać się z daleka od Fritza i jego wpływów, a biorąc pod uwagę działania Hitlera i obowiązywanie ustaw norymberskich, jedynym bezpiecznym miejscem dla żydowskiej emigrantki wykonującej zawód aktorki było Hollywood, nawet jeśli nikt nie wiedział, że emigrantka jest Żydówką. Już od roku pocztą pantoflową docierały do mnie plotki o masowych cichych wyjazdach żydowskich aktorów do Ameryki.

Udało mi się załatwić spotkanie z panem Mayerem przez Roberta Ritchiego – łowcę talentów z MGM, którego poznałam przez mojego dawnego mentora Maxa Reinhardta, w tej chwili pracującego już w Ameryce. Według Ritchiego pan Mayer umawiał się na spotkania w swoim pokoju hotelowym w Savoyu. Bałam się pójść tam sama – wyobrażałam sobie, co może oznaczać „spotkanie w hotelu" – poprosiłam więc Ritchiego, żeby poszedł ze mną. Powiedziałam, że będzie tam obecny jako tłumacz, co było po części prawdą. Po angielsku mówiłam tylko trochę, a Ritchie mógł tłumaczyć w razie potrzeby, ponieważ znał podstawy innych języków, którymi władałam. Potrzebowałam go jednak również jako ochroniarza.

Ku mojej wielkiej uldze, gdy drzwi pokoju się otworzyły, okazało się, że w spotkaniu weźmie udział więcej osób. Powitała mnie cała falanga mężczyzn w ciemnych garniturach, którzy ustawieni byli pod ścianami. Był wśród nich Benny Thau – człowiek, którego pan Mayer nazywał swoim zastępcą – i rzecznik prasowy Howard Strickling. Pan Mayer przyjrzał mi się dokładnie, kazał mi nawet kilka razy obrócić się i przechadzać po pokoju. Potem zapytał o *Ekstazę*.

– Robimy w Ameryce wartościowe filmy. Filmy dla całej rodziny. Nie pokazujemy tych części ciała kobiety, które przeznaczone są tylko dla oczu jej męża. Rozumie to pani?

Kiwnęłam głową. Byłam na to pytanie przygotowana: wiedziałam, że *Ekstaza* będzie się za mną ciągnąć.

– Nie chcę już kręcić nieprzyzwoitych filmów, panie Mayer.

– To dobrze. – Długo na mnie patrzył, nim rzekł: – I żadnych Żydów. Amerykanie nie zniosą na ekranie Żydów.

Myślałam, że Ameryka jest miejscem bardziej wyrozumiałym. Od znajomych dowiedziałam się, że sam pan Mayer jest rosyjskim Żydem, który znalazł się w Londynie między innymi po to, żeby wybrać żydowskich artystów, których mógłby zabrać ze sobą do Hollywood. Nie jako ich wybawca, ale raczej dlatego, że żydowskie gwiazdy, którym zakazano występować na mocy ustaw norymberskich, można było kupić za bezcen. Czy wiedział, że jestem Żydówką, czy może tylko podejrzewał? Jak dotąd nie zapytał mnie wprost, uznałam więc, że lepiej będzie nie odpowiadać.

– Nie jest pani Żydówką, prawda? – spytał jednak po chwili.

– Oczywiście, że nie, panie Mayer – odparłam szybko. Co innego mogłam zrobić? Skoro moje przetrwanie w tym nowym życiu opierało się na kłamstwach, musiałam kłamać. Nie było to dla mnie nic nowego.

– To dobrze, pani Mandl. Czy powinienem powiedzieć: panno Kiesler? – odwrócił się do mężczyzn stojących przy ścianie pokoju. – Jak ją nazwiemy? Zarówno Mandl, jak i Kiesler brzmią cholernie niemiecko – zawołał.

– Możemy nadać jej amerykańskie nazwisko, takie jak Smith – podsunął jeden z mężczyzn.

– Czy ona wygląda na pannę Smith? – krzyknął pan Mayer, a mężczyzna cały się zaczerwienił. – Jeśli wymyślimy pani nazwisko – zwrócił się znowu do mnie – podpiszemy kontrakt. Standardowy, na siedem lat. Sto dwadzieścia pięć dolarów tygodniowo.

Starałam się, by moja twarz pozostała nieodgadniona, uniosłam więc tylko brew.

– Sto dwadzieścia pięć dolarów tygodniowo? Przez siedem lat?

– To aktualna stawka – powiedział, popalając cygaro.

Zerknęłam na Ritchiego pytająco. Przetłumaczył, co to oznacza.

Wyprostowałam ramiona i spojrzałam w ciemne, chłodne oczy pana Mayera widoczne za okularami. Był bezwzględny i gniewny, jak sugerowała jego reputacja, ale miałam przecież do czynienia ze znacznie gorszymi ludźmi. Musiałam być po prostu równie twarda jak on, żeby osiągnąć swój cel.

Ryzyko było ogromne, ale tylko w ten sposób mogłam stać się kimś więcej niż tylko słabo opłacaną aktoreczką, o której można łatwo zapomnieć. A o tym, co drogie, ludzie nigdy nie zapominali.

– Być może jest to „aktualna stawka" dla kogoś nieznanego. Ale nie dla mnie. Zgodzę się tylko na tyle, ile jestem warta. – Popatrzyłam przenikliwym wzrokiem na każdego z mężczyzn po kolei, po czym odwróciłam się i wyszłam z pokoju.

Ritchie pobiegł za mną hotelowym korytarzem.

– Co pani wyczynia, Hedy? Marnuje pani swoją szansę – krzyczał za mną.

Gniew Ritchiego miał oczywistą przyczynę: uważał, że rezygnuję z możliwości zrobienia kariery w Hollywood. A jednak mylił się: to nie był wcale koniec rozmów z panem Mayerem, lecz ledwie pierwsza faza naszych negocjacji. Choć sam Mayer nie zdawał sobie jeszcze z tego sprawy.

Odwróciłam się do Ritchiego z najbardziej zdeterminowanym wyrazem twarzy, na jaki mogłam się zdobyć, i powiedziałam:

– Miałam nadzieję, że dojdziemy dziś z panem Mayerem do porozumienia, ale wiedziałam, że nie jest to oczywiste. Wynegocjuję znacznie więcej niż nędzne sto dwadzieścia pięć dolarów tygodniowo. Przekona się pan.

– Chyba pani nie wie, co robi – pokręcił głową. – Odmówiła pani najważniejszemu producentowi filmowemu na świecie. Nie dostanie pani drugiej szansy.

– Mam plan, panie Ritchie – uśmiechnęłam się tajemniczo.

Sprzedałam bransoletkę z zestawu od Cartiera i kupiłam bilet na pokład liniowca Normandie, którym pan Mayer miał tydzień później płynąć z powrotem do Ameryki. Uznałam, że kilka dni na morzu w towarzystwie potentata filmowego da mi możliwość przekonania go, że zasługuję na lepszą umowę.

Nie potrzebowałam kilku dni. Wystarczył jeden wieczór.

Pierwszego dnia na morzu włożyłam obcisłą, ciemnozieloną suknię, podkreślającą kolor moich oczu – jedyną suknię, którą zabrałam z bogatej kolekcji pani Mandl, gdyż wiedziałam, jakie robi wrażenie – i ruszyłam ku sali balowej. Nim weszłam do środka, na chwilę zamknęłam oczy i sięgnęłam w głąb siebie. Zebrałam całą swoją zdolność koncentrowania uwagi, jak kiedyś przed wejściem na scenę, i otworzyłam drzwi.

Stojąc u szczytu imponujących, krętych schodów, które prowadziły na parkiet, czekałam, aż spoczną na mnie spojrzenia wszystkich mężczyzn, wliczając w to pana Mayera. Schodziłam powoli, upewniając się, że król Hollywoodu widzi, jakie wrażenie robię na pozostałych pasażerach. Wreszcie stanęłam u jego boku.

Przywitałam panią Mayer z szacunkiem, ale w kierunku pana Mayera kiwnęłam tylko głową. Doświadczywszy na własnej skórze, z jakim lekceważeniem traktowane są żony potężnych mężów – zwłaszcza przez atrakcyjne kobiety – przysięgłam, że sama nigdy się tak nie zachowam. Poza wszystkim przyjaźń z panią Mayer mogła być korzystna dla mojej kariery.

Pan Mayer gwizdnął cicho.

– Dobra robota.

– Dziękuję, panie Mayer.

– Jeśli potrafi pani tak panować nad salą, bez wątpienia potrafi pani też pracować z kamerą. Nie doceniłem pani, jest pani warta więcej niż aktualna stawka. – Paląc cygaro, obejrzał mnie od stóp do głów. – Co pani powie na siedmioletnią umowę, pięćset pięćdziesiąt dolarów tygodniowo? Żadna gwiazdeczka nie dostała ode mnie więcej.

– Pochlebia mi pan, panie Mayer. – Mówiłam spokojnym, rzeczowym głosem, starając się stłumić podekscytowanie. – Te warunki są możliwe do zaakceptowania.

– Czy to oznacza zgodę?

– Tak.

– Ostro pani negocjuje jak na tak uroczą, młodą kobietę.

– Jak już mówiłam, znam swoją wartość. I wiem, że trzeba się dopominać o swoje.

Popatrzył na mnie z uznaniem, a pani Mayer pokiwała głową.

– Podoba mi się to – powiedział. – Chcę, żeby moja rodzina – a każdy, kto podpisuje umowę ze mną i ze studiem, staje się rodziną – miała o sobie wysokie mniemanie.

Czyżby pan Mayer naprawdę cenił silne kobiety? Podejrzewałam, że wygłasza to zdanie, kiedy pasuje do okazji, ale wcale tak nie myśli. Sam był zbyt dominujący, żeby ustąpić komukolwiek, zwłaszcza kobiecie. Ponieważ jednak w tym momencie mi to pasowało, zamierzałam po prostu wziąć jego komentarz za dobrą monetę.

– To dobrze.

– Jest jedno zastrzeżenie – dorzucił przebiegły biznesmen, który ledwie zawarł umowę, dodawał kolejne warunki.

– Jakie? – Nie byłam w stanie ukryć irytacji.

– Musimy pani znaleźć nowe nazwisko. I inną przeszłość.

Wróciłam do teraźniejszości. Mężczyźni wciąż dyskutowali o moim nowym nazwisku. Odsunęłam się od barierki i zbliżyłam do pani Mayer, która była moją jedyną sojuszniczką w tym towarzystwie.

– Hedy Lamarr – powiedział pan Mayer, spoglądając na mnie i trzymając się pod boki. – Pasuje.

Chór jego kolegów zaczął powtarzać „tak" i „jak najbardziej pasuje".

– Bardzo dobrze. Żadnego niemieckiego brzmienia. Tajemnicze nazwisko, nieco egzotyczne, jak sama nasza Hedy. – Pan Mayer ścisnął moje ramię.

Pani Mayer ścisnęła drugie.

– Właśnie, nasza Hedy Lamarr.

Najwyraźniej nie chciała, żebym należała jedynie do niego, żeby położył na mnie łapy. Jej uścisk miał zasygnalizować, że jestem jego własnością tylko na planie filmowym.

– W porządku, zatem ochrzcimy ją Hedy Lamarr – ogłosił pan Mayer.

Ochrzcimy? Omal nie wybuchłam śmiechem, że ktoś chce mnie ochrzcić. Konwersja na chrześcijaństwo przed ślubem była pospieszna i niedbała. Fritz zmusił do niej księdza potężną ofiarą i wymagała ode mnie jedynie deklaracji wiary, żadnego polewania wodą święconą.

Wypróbowałam swoje nowe nazwisko.

– Lamarr – wyszeptałam pod nosem. Brzmiało jak francuskie słowo *la mer* oznaczające „morze".

Stojąc na pokładzie wielkiego statku, płynąc przez bezkresny ocean, pomyślałam, że to dobry znak. Moja nowa historia wyłoni się z morza.

Rozdział dwudziesty siódmy

22 lutego 1938 roku
Los Angeles, Kalifornia

Zatraciłam się na jakiś czas. Palące słońce Kalifornii, błękitne wody Pacyfiku, nowe budynki, wolni mężczyźni i mnóstwo uśmiechów spaliły starą Hedy i jej zużyte maski. Zapomniałam – albo może zepchnęłam gdzieś do podświadomości – życie pani Mandl i zagrożenia wiszące nad Wiedniem i Döbling, w tym nad mamą, z winy niemieckiego szaleńca. Kalifornia zapewniła mi czystą kartę, na której mogłam namalować nową historię swojego życia. Tak łatwo było udawać. Ale pewnego dnia obudziłam się, łaknąc sepii austriackich budynków, historii wyłaniającej się spod każdego kamienia, zapachu jabłek piekących się na strudel i brzmienia języka niemieckiego. Czułam się winna. Że wyjechałam. Sama. Bez mamy.

Dopiero wtedy zrozumiałam, że przyjmując drugą historię, nie zostawię za sobą tej pierwszej. Moja przeszłość będzie wdzierać się w nowe życie niczym woda przez szczeliny w tamie, póki nie zmierzę się z nią twarzą w twarz.

– Chodź, Hedy. Przygotuj się, bo się spóźnimy. A wiesz, jak pan Mayer ceni punktualność. Nie chcę ryzykować roli z tak błahego powodu – ofuknęła mnie współlokatorka.

Kiedy przyjechałam do Hollywood, pan Mayer przydzielił mi mieszkanie i współlokatorkę, węgierską aktorkę Ilonę Massey. Ona również stanowiła część kolekcji artystek emigrantek, którą zgromadził. Doskonale dogadywałyśmy się z Iloną: śmiałyśmy się, ucząc się angielskiego i przyjmując jak najbardziej amerykański wygląd – jak nakazał pan Mayer.

– A może poszłybyśmy dzisiaj wieczorem obejrzeć jeszcze raz *Drapieżne maleństwo*? – błagałam. Często chadzałyśmy z Iloną do lokalnego kina, gdzie wielokrotnie oglądałyśmy te same filmy, żeby nauczyć się właściwej dykcji i modulacji, a szczególnie spodobało nam się *Drapieżne maleństwo* z Katharine Hepburn i Carym Grantem.

Ilona roześmiała się, ale nie ustąpiła.

– Hedy, za daleko zaszłyśmy, by teraz ryzykować przy okazji tego przyjęcia.

Przyjęcie urządzane w hollywoodzkim domu reżysera, przyjaciela pana Mayera, było obowiązkowe. Nie był to pierwszy występ, do którego byłyśmy z Iloną zmuszone, odkąd przyjechałyśmy do Kalifornii, chociaż chciałabym, by był ostatni. Spotkania te służyły głównie temu, by każdy filmowiec, reżyser, scenarzysta czy producent z Hollywood mógł podziwiać paradę młodych kobiet rywalizujących o role i dokonać wyboru. Byłyśmy jak koniki na karuzeli: każda miała skoczyć wyżej niż inna albo zwrócić na siebie uwagę jaśniejszym blaskiem, a ja tego nienawidziłam. Czy miałam jednak jakikolwiek wybór?

Wcisnęłyśmy się z Iloną w pochodzące z masowej produkcji sukienki, które właśnie na takie okazje kupiłyśmy w lokalnym domu towarowym Broadway. Następnie wskoczyłyśmy do taksówki, a ta zawiozła nas do rezydencji, gdzie czekali już pan Mayer i inni hollywoodzcy potentaci. Chociaż dom zbudowany w stylu Tudorów z pewnością robił wrażenie na większości gości, mnie wydawał się tylko smutną, nędzną podróbką prawdziwych bawarskich zamków i willi, które kiedyś nie tylko odwiedzałam, ale też do mnie należały. Na krótką chwilę zatęskniłam za luksusowym życiem, które prowadziłam z Fritzem jako pani Mandl.

Fritz. Gdzie teraz był? Czy urządzał bal w Schloss Schwarzenau dla nazistowskich oficjeli, którzy tymczasem pozajmowali czołowe stanowiska w austriackim rządzie? Czy miał u boku jasnowłosą, niemiecką kochankę, kiedy negocjował warunki umów handlowych z jednym z emisariuszy Hitlera? Z pomocą poznanego w Londynie prawnika rozpoczęłam procedurę rozwodową i wiedziałam, że Fritz się o tym dowie. Spodziewałam się przesłania jakichś wieści na adres mojego prawnika – nie mój, oczywiście, gdyż ten miał za wszelką cenę pozostać dla niego tajemnicą – ale niczego się dotąd nie dowiedziałam. Nie dotarła do mnie nawet wściekłość porzuconego męża, potwora, który chował się za banalną uprzejmością, gdy wokół byli inni ludzie. Mama też nigdy nie wspominała o nim w krótkich listach, które przesyłała w odpowiedzi na moje.

Wkroczyłyśmy z Iloną na przyjęcie, przyciągając lubieżne zainteresowanie, którego wcale sobie nie życzyłyśmy. Wzięłyśmy koktajle od przechodzącego kelnera i rozejrzałyśmy się po sali. Starałyśmy się działać strategicznie, rozmawiając z najpotężniejszymi filmowcami, którzy podejmowali decyzje obsadowe, i upewniając się, że pan Mayer zauważa i docenia naszą obecność. Działałyśmy jednak w parze, żeby uniknąć ryzykownych sytuacji z którymś z mężczyzn. Słyszałyśmy zbyt wiele historii o aspirujących gwiazdkach – zazwyczaj dziewczętach bez umowy, bez kontraktu czy środków finansowych – na które polowano w pustych sypialniach i ciemnych korytarzach.

Kiedy minęłyśmy grupę mężczyzn, w których rozpoznałam pracowników studia RKO Pictures, usłyszałam, jak jeden z nich śmieje się drwiąco:

– Możesz sobie na te dwie popatrzeć, ale nawet nie myśl o dotykaniu. To własność Mayera.

Powtórzyłam słowa mężczyzny Ilonie i spytałam:

– Co to znaczy? – Zakładałam, że chodzi o to, że podpisałyśmy umowę z MGM Studios.

– Że należymy do Mayera. Na planie i poza nim – wyjaśniła Ilona z obrzydzeniem w oczach.

Zrobiło mi się niedobrze. Kiedy opuściłam Fritza, przysięgłam sobie, że nigdy już nie będę należeć do żadnego mężczyzny.

Widząc moją minę, Ilona wzięła mnie pod ramię. Pociągnęła mnie w stronę leżaków stojących przy basenie, w którym unosiły się setki obciętych równo świeczek. Gdyby nie komentarz panów z RKO, widok by mnie zachwycił. Czyżbym z własności Fritza stała się po prostu własnością kogoś innego?

– Posłuchaj, Hedy – powiedziała Ilona, kiedy usiadłyśmy. – Nie dopuśćmy, by te idiotyczne słowa nas zdenerwowały. Nie pozwolimy, by ci mężczyźni traktowali nas tak, jak by chcieli, nie musimy ich też słuchać.

Uniosłam brwi, zastanawiając się, czy powinnam podzielić się swoją prawdziwą troską. Uznałam, że powinnam, i spytałam:

– Ale czy pan Mayer też tak o nas myśli?

Zanim zdążyła odpowiedzieć, podszedł do nas reżyser Reinhold Schünzel. Ilona miała nadzieję z nim porozmawiać, słyszała bowiem plotkę, że szuka on obsady do musicalu *Bałałajka*, w którym dobrze by się odnalazła ze swoimi predyspozycjami. Kiedy spytał, czy chciałaby podejść do baru na drinka, żeby „przedyskutować projekt", spojrzała na mnie, podekscytowana, a ja kiwnęłam głową. Brałyśmy udział w podobnych przyjęciach właśnie w nadziei, że uda nam się nawiązać takie kontakty, choć obie wiedziałyśmy, że musimy uważać. „Drink przy barze" mógł oznaczać wiele różnych rzeczy.

Przez chwilę nie wiedziałam, co ze sobą począć, i zaczęłam już się zastanawiać, czy nie zamówić taksówki do domu, kiedy podszedł do mnie pan Mayer. Rozsiadł się obok mnie na wąskim leżaku.

– Panno Kiesler... Och, to znaczy: panno Lamarr. – Celowo przypomniał, że to on jest moim twórcą.

– Dobry wieczór, panie Mayer. Dobrze się pan bawi? – zapytałam z najlepszym amerykańskim akcentem, na jaki mnie było stać.

Łaknęłam angielskiego, z radością porzucając język, którym mówili naziści przy stole mojego męża. W dzisiejszych czasach ani niemiecki język, ani nawet akcent nie były w Hollywood dobrze widziane. Podobnie zresztą jak w całej Ameryce.

– Bardzo dobrze, panno Lamarr. Jak się pani podoba w Hollywood? – zapytał.

– Mam odpowiedzieć szczerze? – Podejrzewałam, że pan Mayer przyzwyczajony jest do rozmów z piejącymi z zachwytu panienkami pochlebiającymi mu na każdym kroku. Ja chciałam, żeby wiedział, że różnię się od tych dziewcząt, że nie zrobię dla roli wszystkiego, jak sugerowali ci wstrętni mężczyźni. Co zresztą powinien wiedzieć już od czasu naszego pierwszego spotkania w hotelu Savoy.

– Oczywiście.

– No więc jestem nieco rozczarowana.

– Słucham? – Wydawał się szczerze zaskoczony. – Jak to – wskazał basen i rezydencję – może kogokolwiek rozczarować?

– Proszę nie zapominać, skąd się tu wzięłam, panie Mayer. Prawdziwe zamki i wille były moją codziennością. Możliwość gry w filmach jest jednak warta poświęceń. – Zamilkłam na chwilę. – Oczywiście zakładając, że faktycznie mam taką możliwość.

Zmrużył oczy ukryte za okrągłymi okularami, a ja rozpoznałam to twarde, zaborcze spojrzenie: wiele razy widziałam je u Fritza.

– Cóż, mam nadzieję, że mnie nie rozczarujesz, Hedy. Zwłaszcza teraz, kiedy uczyniłem cię częścią rodziny MGM.

– Co ma pan na myśli, panie Mayer? Ćwiczę swój angielski i pracuję nad wyglądem, tak jak pan prosił.

Nie wspomniałam o tym, że Mayer doskonale wiedział, jak spędzam czas: zatrudnił ochroniarzy, którzy trzymali nas pod nadzorem.

– Mam nadzieję, że rozumiesz, że jeśli będziesz dla mnie miła, te okazje przytrafią ci się raczej wcześniej niż później. Rozważam nawet twoją kandydaturę do pewnej roli. – Wyciągnął dłoń, by w ciemności dotknąć mojego kolana.

Miałam rację co do oczekiwań pana Mayera.

Wciąż wspominając zniewagę ze strony pracowników RKO i złoszcząc się, że Mayer postrzega mnie jako swoją własność, powiedziałam:

– Nie należę do żadnego mężczyzny, proszę pana. I nigdy nie będę należała. Nawet do pana.

Na jego twarzy pojawiła się wściekłość. Już miał zacząć pluć na mnie jadem, kiedy oboje usłyszeliśmy jego nazwisko.

Pani Mayer pojawiła się po drugiej stronie basenu i szybko do nas podeszła.

– Hedy – powiedziała, ściskając mnie serdecznie, po czym usiadła na leżaku naprzeciwko. – Nie miałam pojęcia, że tu jesteś.

Zerknęła podejrzliwie na męża.

– Dlaczego trzymasz Hedy schowaną tu w kącie? Przecież zawsze każesz swoim gwiazdom brylować na tych okropnych imprezach.

Zachichotałam mimo woli. A zatem pani Mayer również uważała, że te przyjęcia są wstrętne? Nie zdziwiła mnie jej opinia, lecz to, że wypowiedziała ją głośno. Chociaż była błyskotliwą kobietą o silnej woli, rozumiałam, czemu te spotkania są dla niej nieznośne. Pocieszało mnie, że nie ja jedna z trudem znoszę te długie wieczory.

Postanowiłam wykorzystać jej przybycie.

– Pani mąż ma dobre powody, by rozmawiać ze mną w tym ciemnym kącie, pani Mayer.

– Ach tak? – położyła dłoń na biodrze, gotowa do bitwy.

– Tak, właśnie mówił mi o roli, którą mi załatwił. Podobno to wciąż sekret.

– Och, jak wspaniale – powiedziała, znów mnie obejmując i zaraz zganiła męża. – Już od dawna mówiłam ci, żeby zdjąć Hedy z ławki rezerwowych.

Nie znałam tego wyrażenia, ale domyśliłam się, że chodzi o brak pracy.

– Minęło dopiero kilka miesięcy, Margaret. Musiała popracować nad akcentem. Nie mogliśmy pozwolić, by na planie szwargotała po niemiecku: co by sobie publiczność pomyślała? Że zatrudniamy szkopów? To niezbyt amerykańskie.

– Pewnie masz rację, ale teraz jej angielski brzmi już dobrze. Ma tylko w sobie coś europejskiego. Ale nic konkretnego, tak jak lubisz.

– No i właśnie dlatego teraz znalazłem dla niej rolę – warknął, z pewnością zirytowany pozycją, w jakiej się za moją sprawą znalazł.

– Opowie nam pan o niej, panie Mayer? – zapytałam, pełna poważania w obecności jego żony.

Zapędziłam szefa studia w kozi róg. Był wściekły, ale wiedział, jak musi się przy niej zachowywać.

– Wydaje mi się, że znalazłem rolę, która najlepiej wykorzysta na ekranie twoją odmienność i wyjątkowość. Zostaniesz Gaby, francuską turystką zwiedzającą dzielnicę kasbę w algierskim mieście. W filmie – nazywamy go *Algier* – twoja postać poznaje przypadkowo francuskiego złodzieja klejnotów Pepe le Moko. Od tego zaczyna się akcja.

– To brzmi doskonale – powiedziałam szczerze. – Kto zagra Pepego?

– Francuski aktor. Nazywa się Charles Boyer.

– Znam jego dokonania. Jest znakomity.

– No to załatwione – oznajmiła pani Mayer. – Dopilnujesz, żeby wszystko na planie poszło dobrze, prawda, L.B.? Żeby nikt nie kłopotał naszej Hedy? – Uniosła brwi, dając jasno do zrozumienia, że nikt, z nim włącznie, nie ma prawa mnie nękać.

– Oczywiście, Margaret.

Odwróciła się do mnie.

– Chodź, Hedy. Poznam cię z kilkoma wspaniałymi kobietami.

Rozdział dwudziesty ósmy

4 marca 1938 roku
Los Angeles, Kalifornia

Czekamy na panią na planie za pięć minut, panno Lamarr – zawołał goniec do mojej garderoby. Susie pospiesznie kończyła mój makijaż, miała jeszcze zapiąć mi suknię. Nie chciałam spowalniać filmowania, jako że reżyser John Cromwell słynął z punktualności. Zbyt ciężko pracowałam na tę rolę, by teraz ryzykować.

Kiedy Susie skończyła, popatrzyła na moje odbicie w lustrze nad toaletką, na której pełno było tubek rubinowych szminek i flakoników z lakierami do paznokci, czarnego tuszu i słoiczków jasnego pudru. Energiczna młoda kobieta, której powierzono funkcję mojej garderobianej na planie, była przeciwieństwem chłodnej pani Lubbig z Theater an der Wien, za której powściągliwością czasem tęskniłam.

– Pięknie pani wygląda – pisnęła.

Wstałam i przyjrzałam się sobie w potrójnym lustrze w głębi garderoby. W jasnym świetle mój ciężki makijaż wyglądał zbyt jaskrawo, ale wiedziałam, że w kamerze będzie się prezentował dobrze. Mój kostium składał się z czarnej, jedwabnej sukienki, eleganckiej, białej marynarki, lśniących pereł i migoczących w świetle, diamentowych kolczyków. Biżuteria była, oczywiście, sztuczna, ale błyszcząca. Reżyser i autorka kostiumów Irene Gibbons uważali, że to odpowiedni strój dla bogatej Francuzki zwiedzającej labirynt ubogich uliczek w kasbie. Mnie wydawało się absurdalne, by zamożna turystka w ogóle wybrała się do tej dzielnicy Algieru, zwłaszcza w takim stroju – ale to było Hollywood.

Słuszną decyzją była natomiast kontrastowa, biało-czarna kolorystyka mojego kostiumu. Robił niesamowite wrażenie, podobnie jak suknia ślubna od Mainbocher. Ograniczona paleta barw podkreślała moje ciemne włosy i bladą cerę, jeszcze jaśniejszą po upudrowaniu. Wiedziałam, że na ekranie będę wyglądać świetnie. Liczne filmy, które obejrzałyśmy z Iloną, by doskonalić język, nauczyły mnie nie tylko angielskiego: dowiedziałam się z nich wiele także o grze świateł i cieni.

Raz jeszcze zerknęłam w lustro, kiedy dłoń Susie wylądowała na moim ramieniu. Omal nie podskoczyłam. Amerykanie byli wobec siebie bardzo bezpośredni, niemal od pierwszego spotkania. Pani Lubbig nigdy by mnie nie dotknęła, gdyby nie było to konieczne, żeby mnie ubrać, nałożyć makijaż czy też mnie uczesać. Ja też starałam się jednak teraz być Amerykanką, więc powstrzymałam austriacką chęć ucieczki przed jej dotykiem.

– Naprawdę, niezwykle szałowo – powiedziała z uśmiechem. – Niech tylko zawieszą na pani oko w hali zdjęciowej.

Nie rozumiałam, co oznacza „szałowo" ani „zawiesić oko". Z wyrazu jej twarzy odgadłam, że mnie komplementuje, ale znaczenia niektórych kolokwializmów jeszcze nie znałam.

Kiwnęłam głową do Susie, nabierając dzięki jej pochwałom tego, co nazywała werwą, i otworzyłam drzwi garderoby. Korytarz prowadzący do hali zdjęciowej wydawał się nienaturalnie długi, a moje czarne satynowe szpilki zaskakująco głośno uderzały o ziemię. Czy to tylko nerwy?

Brzęczenie sprzętu i cichy szum rozmów szybko zagłuszyły stukot moich obcasów. Nie przywitały mnie fanfary. Ze wszystkich stron otaczali mnie pracownicy studia – stolarze, oświetleniowcy, rekwizytorzy, aktorzy i statyści – a wszyscy zajęci byli swoim zadaniem budowania północnoafrykańskiego miasta w amerykańskiej hali zdjęciowej. Plan filmowy nie był dla mnie niczym nowym, ale ta skomplikowana konstrukcja różniła się od scen teatralnych i hal zdjęciowych, w których grałam do tej pory. Była ogromna i rzeczywista. Poczułam się przytłoczona. Jak mogłam pomyśleć, że krótka kariera europejskiej aktorki to wystarczające kwalifikacje do pracy w Hollywood?

Jako że nikt nie zwracał na mnie uwagi, zebrałam się na odwagę i podeszłam do siwiejącego mężczyzny o surowym wyglądzie, który stał niejako w centrum tego ula. Może on będzie w stanie dać mi jakieś wskazówki. Przerwał dość gorącą dyskusję z operatorem i popatrzył na mnie. Wreszcie zawołał:

– Ach, pani to nasza Gaby!

Wyciągnęłam do niego rękę, zadowolona, że mnie rozpoznał. Autorytatywny sposób mówienia zdradzał jego funkcję.

– Tak, proszę pana. Pan Cromwell?

– Owszem. – Uścisnął mi dłoń. – Ale proszę mówić do mnie John.

– Ja mam na imię Hedy. Bardzo się cieszę, że mogę być pańską Gaby.

Pan Cromwell obejrzał mnie od stóp do głów.

– Jest pani oszałamiająca, jak obiecał pan Mayer. I bardzo dobrze, bo w tej scenie mamy wobec pani wielkie plany.

Jego słowa o „wielkich planach" wobec Gaby zarówno mnie zachwyciły, jak i przyniosły ulgę. Fabuła *Algieru* była pełna zwrotów akcji i intryg, ale w najciekawszych scenach nie występowała moja bohaterka, zakazany owoc dla głównego bohatera, złodzieja klejnotów Pepego. To, że pełnię funkcję ozdobną, mnie nie dziwiło – większość ról kobiecych w Hollywood była czysto dekoracyjna – ale możliwość nadania Gaby faktury i ciężaru była zaskakującą i intrygującą szansą. Myślałam o scenach, w których Gaby włącza się w pościg, a nie tylko obserwuje go z boku. I tak jednak, niezależnie od funkcji mojej bohaterki, ogromny plan i ekipa przypominały mi, że powinnam być wdzięczna za tę szansę.

– Miło mi to słyszeć, panie Cromwell… to znaczy, John. Mam wiele pomysłów na to, jak ożywić Gaby, i chętnie je z panem omówię.

Zaskoczony John zmarszczył czoło, ale nie zareagował bezpośrednio na moją propozycję.

– No dobrze, przedstawię cię operatorowi Jamesowi Wongowi Howe'owi. Przygotował dla ciebie coś wyjątkowego.

Ruszyliśmy przed siebie, aż znaleźliśmy się w rogu hali, gdzie zbudowany został wąski zaułek glinianych budynków. Niewysoki Chińczyk w berecie i krawacie na szyi wydawał rozkazy dwóm kamerzystom na temat pozycji kamery i trzem stojącym na glinianych dachach oświetleniowcom na temat kąta padania światła.

– Jimmy, przyprowadziłem ci Gaby – zawołał John.

Pan Howe podszedł do nas.

– Ach, czekałem na panią, pani Lamarr. Przygotowaliśmy plan na pani przybycie.

– Wiesz, co robić, Jimmy. Zostawiam ją w twoich rękach – dodał John na odchodnym.

– Jest pani gotowa? – zapytał Howe. Nie zasugerował, bym zwracała się do niego „Jimmy".

– Znam moje kwestie, panie Howe, ale nie miałam, niestety, możliwości odbycia prób z innymi aktorami. John natomiast wspomniał, że ma pan jakieś nowe plany, ale nie zdradził jakie.

– Proszę się tym nie kłopotać – powiedział uspokajającym tonem, jakim mógłby się zwrócić do niezadowolonego dziecka. – Plany, które wobec pani mamy, nie wymagają wielu prób.

– W porządku – odparłam powoli. Wciąż nie byłam pewna, czego pan Howe ode mnie oczekuje.

– Zanim nakręcimy scenę ze wszystkimi statystami, musimy upewnić się, że kamery i oświetlenie są na miejscu. – Wziął mnie za rękę i postawił na schodku oznaczonym iksem. – Stworzyłem dla pani szczególne oświetlenie, które padać będzie z góry i rzucać odpowiednie cienie na pani harmonijne rysy. Od lat pracowałem nad tym pomysłem, ale dotąd nie pracowałem z aktorką o równie idealnym obliczu.

– Dziękuję, panie Howe – powiedziałam, chociaż nie był to z jego strony komplement, a zwykła obserwacja.

Palcem uniósł mój podbródek, żeby z różnych perspektyw przyjrzeć się mojej twarzy, po czym zrobił krok w tył i polecił:

– Proszę stanąć nieruchomo. I otworzyć usta uwodzicielsko, ale nie pokazując zębów.

Ustawiłam się, jak poprosił, i czekałam bez ruchu. Pan Howe rozkazał kamerzystom i oświetleniowcom zmodyfikować ustawienie sprzętu, a następnie popatrzył na mnie przez oko głównej kamery. Nie poruszałam się, więc trudno mi było odgadnąć, co widzi ciekawego.

Minęły długie minuty, a ja zastanawiałam się, co teraz zrobi Gaby. O jakich planach wobec niej mówił reżyser? To z pewnością nie był koniec mojej sceny.

– Czy nie powinniśmy zająć się dalszymi działaniami Gaby? – spytałam, kiedy minęło jakieś dziesięć minut.

– Co ma pani na myśli, panno Lamarr? – zapytał Howe zza kamery.

– John Cromwell wspominał o „wielkich planach". Czy nie powinniśmy przećwiczyć ruchu, który znajdzie się w scenie?

– Panno Lamarr, to długie ujęcie, z dokładnie rozplanowanym oświetleniem i pracą kamery, to właśnie „wielki plan".

– Ale ja nic nie robię – zdziwiłam się.

– Nie musi pani nic robić – odrzekł pan Howe, nie kryjąc irytacji. Niemal słyszałam jego myśli: po co ona zadaje te wszystkie pytania? Dlaczego po prostu nie robi, co jej każą? – Wizja reżysera polega na tym, by pokazać panią jako symbol kobiecości, tajemnicę, którą Pepe, a wraz z nim publiczność, będą mogli rozszyfrować. A musi pani wiedzieć, że najlepszy sposób, by sprawić wrażenie tajemniczej, to być piękną i milczeć.

Milczeć. Po raz kolejny wymagano ode mnie milczenia. Porzuciłam Fritza i jego świat po części dlatego, że pragnął niemej, uległej kukły. Chociaż wiedziałam, że było to tylko życzeniowe myślenie, miałam nadzieję na więcej. Wyglądało jednak na to, że Hollywood chce ode mnie dokładnie tego samego.

Rozdział dwudziesty dziewiąty

13 marca 1938 roku
Los Angeles, Kalifornia

Susie pomogła mi zdjąć czarną suknię wieczorową i sznur pereł, w które ubrana byłam w nakręconej właśnie na nowo scenie z *Algieru* – chwili, w której Gaby i Pepe spojrzeli na siebie po raz pierwszy. Scena ta – podobnie jak wiele innych – wymagała ode mnie siedzenia nieruchomo i pozowania do kamery. Na planie czułam się coraz lepiej, jeśli nie liczyć tych niezręcznych interludiów, kiedy to reszta ekipy musiała usuwać się w milczeniu i czekać cierpliwie, aż pan Howe skończy mnie filmować. Podczas tych niekończących się minut próbowałam zebrać w sobie moc, którą czułam na scenie, i uczynić Gaby bardziej interesującą. Miałam nadzieję, że energię tę da się zobaczyć na ekranie. Podejrzewałam jednak, że jedyną rolą, jaką mam odegrać, jest rola manekina.

Cienkie ściany mojej garderoby zadrżały. Susie zapukała głośno, otworzyła drzwi, a ja mocno obwiązałam się swoim jedwabnym szlafrokiem. Na planie sprawy załatwiano wszędzie i w dowolnej chwili, a ja – mając w pamięci *Ekstazę* – wiedziałam, że muszę zachować skromność.

Do środka zajrzała moja była współlokatorka Ilona ze zwiniętą gazetą w dłoni. Parę tygodni wcześniej postanowiłyśmy zamieszkać osobno – ja wynajęłam mały, sześciopokojowy dom wysoko na Hollywood Hills, z wystarczająco dużym podwórkiem, by towarzystwa mogło mi dotrzymać kilka zwierząt. Wciąż jednak przyjaźniłyśmy się z Iloną, zwłaszcza odkąd poznałyśmy przychylną nam grupkę podobnych do nas hollywoodzkich imigrantów jak reżyser Otto Preminger i mój dawny mentor Max Reinhardt, a także amerykańskich Żydów jak producent Walter Wanger. Podczas kolacji informowaliśmy się nawzajem o wydarzeniach w Europie, które nie trafiały do amerykańskich gazet. Chociaż mężczyzna, z którym zaczęłam się spotykać – aktor Reggie Gardiner – pochodził z Anglii, nie z kontynentu jak reszta, również zapewniał nam dostęp do informacji. Ze wszystkich moich wielbicieli wybrałam właśnie jego ze względu na przyjazną naturę i łagodny sposób bycia. Nie chciałam już żadnych Fritzów Mandlów.

Mina Ilony i gazeta w jej dłoni sugerowały mi, że chce, żebyśmy porozmawiały na osobności.

– Susie – powiedziałam – przyniosłabyś nam kawę z bufetu?

– Oczywiście, panno Lamarr – odparła promiennie. Dość już dobrze rozumiałam angielski Susie, ale nie jej nieustannie tryskającą energią osobowość. Działała mi na nerwy tak samo jak świecące bez przerwy kalifornijskie słońce.

Kiedy dziewczyna zamknęła za sobą drzwi, Ilona podała mi gazetę. Podeszła bliżej, a ja zobaczyłam, że jej oczy są czerwone od płaczu. Zanim jeszcze zdążyłam zerknąć na gazetę, spytała:

– Widziałaś?

– Nie, cały dzień byłam na planie. Czy chodzi o...? Nie musiałam kończyć zdania. Wiedziała, o co chcę spytać.

– Tak.

Wszyscy czekaliśmy na wiadomości na temat rozwoju sytuacji politycznej w Austrii, których mama w swoich listach zdawała się całkiem nieświadoma. Kilka dni wcześniej, w reakcji na protesty austriackich nazistów i nacisk ze strony Niemiec, by sympatyzujący z nazizmem Arthur Seyss-Inquart mianowany został ministrem bezpieczeństwa wewnętrznego o niczym nieograniczonych kompetencjach, kanclerz Schuschnigg – człowiek, który usunął ze stanowiska Ernsta von Starhemberga, twierdząc, że jest zbyt miękki wobec Niemców – zarządził referendum z pytaniem o zjednoczenie Austrii z Niemcami. W odpowiedzi Hitler zagroził mu inwazją. Ilona nie była Austriaczką, lecz Węgierką, ale podejrzewała, że działania Niemiec mogą powtórzyć się w stosunku do Węgier. Czy Hitler naprawdę przejmie panowanie nad Austrią? Co zrobi w tej sytuacji reszta świata?

Ilona nie mogła czekać, aż przeczytam artykuł.

– Hedy, to niewiarygodne – wybuchła. – Tak, jak się obawialiśmy, niemieckie wojska przekroczyły wczoraj austriacką granicę. I wiesz, co ujrzeli niemieccy żołnierze?

– Nie – powiedziałam, chociaż wyobrażałam już sobie austriackie wojska walczące z hitlerowskimi w kluczowych punktach, które odwiedziliśmy kiedyś z Fritzem. Po raz kolejny zastanawiałam się, czy Fritz będzie zbroił obie armie. Czy może tym razem nie udało mu się, zgodnie z jego zwyczajem, obstawić obu stron sporu, i został zmuszony do ucieczki?

– Uradowanych Austriaków wymachujących nazistowskimi flagami. Nikt nie stawiał oporu. Żadnego. Austriacki rząd nakazał wojskom nie walczyć. Hitler po prostu wjechał.

– Co? – Byłam zszokowana. Usiadłam na krześle przed toaletką, bo nogi odmawiały mi posłuszeństwa. – Nie było żadnych protestów? Nic?

– Nie. Wygląda na to, że w dniach przed właściwym przejęciem SS w sekrecie zrobiło łapankę i uwięziło wszystkich potencjalnych dysydentów. Nawet Hitlera zdziwiło ciepłe przyjęcie. Zamierzał zniszczyć austriacką armię i uczynić z Austrii państwo marionetkowe z Seyssem-Inquartem na czele nazistowskiego rządu, ale wcale nie musiał tego robić. Austriacy wsparli go, tak że Rzesza po prostu ich wchłonęła.

– I tym samym Austria stała się częścią Niemiec. – Mój głos drżał, gdy wypowiadałam te słowa.

– Tak po prostu – dodała Ilona z niedowierzaniem w głosie.

Anschluss, inwazja i przejęcie mojego domu, czego oboje z papą tak bardzo się baliśmy i co było powodem mojego małżeństwa, naprawdę się wydarzyły. Chociaż wiedziałam, że Ilona mówi prawdę – a właściwie doskonale wiedziałam też, że to, co się stało, było nieuniknione – wiadomość i tak mnie oszołomiła. W głębi duszy nigdy nie uwierzyłam, że ten dzień naprawdę nadejdzie, i zawsze modliłam się, by nie nadszedł, chociaż nie miałam swojego boga, do którego mogłabym się modlić.

Kiedy już uciekłam od Fritza, zaczęłam zdawać sobie sprawę, że naziści naprawdę mają szansę zdobyć Austrię.

Podejrzewałam, że siła wojsk Hitlera i fanatyzm jego zwolenników będą stanowić problem dla kiepsko zarządzanych przez Schuschnigga wojsk austriackich. Ale nie spodziewałam się, że sam naród z otwartymi ramionami powita szaleńca.

Gdzie była mama, kiedy nazistowskie wojska maszerowały ulicami Wiednia przy okrzykach wiwatującego tłumu? Ona na pewno nie machała im flagą na powitanie. Ale może siedziała po prostu w salonie i popijała herbatkę, kiedy czołgi jechały ulicami, udając, że nie czuje, jak jej dom się trzęsie. Czy była bezpieczna?

Musiałam zabrać ją z Austrii, nim jej obojętność stanie się przekleństwem. Ale czy się na to zgodzi teraz, kiedy Niemcy kontrolują Austrię? A jeśli tak, to jak mam jej pomóc? Nie wiedziałam nawet, na jakich zasadach można wyjechać z kraju znajdującego się pod niemieckim panowaniem, ani nie znałam amerykańskiego prawa imigracyjnego. Przyjechałam do tego kraju dzięki wpływom pana Mayera, ominęła mnie trudna papierkowa robota i zdobywanie kolejnych zgód.

Zaczęłam płakać, a Ilona uklękła obok i objęła mnie.

– Twoja matka wciąż tam jest, prawda?

Pokiwałam głową, ale nie zdradziłam nękających mnie myśli. Co się teraz stanie z austriackimi Żydami? Czy ustawy norymberskie zostaną zastosowane także wobec nich, wobec mamy? Z ust samego Hitlera słyszałam, że zamierza usunąć Żydów z niemieckiego społeczeństwa, nie miałam więc wątpliwości, choć nie mogłam nikomu o tym powiedzieć. Przyznałabym się tym samym, że i ja jestem Żydówką i że dawno już wiedziałam, co się wydarzy.

A w Hollywood Żydów przecież nie było.

Rozdział trzydziesty

14–15 stycznia 1939 roku
Los Angeles, Kalifornia

Algier zmienił wszystko i nie zmienił nic.

Nadeszła sława, której pragnęłam. Chodziłam po czerwonych dywanach podczas premier *Algieru*, a tłumy wielbicieli wykrzykiwały moje imię. Mnóstwo kobiet postanowiło „wyglądać jak Lamarr", na co składały się ciemne, często farbowane włosy opadające falami na ramiona, symetryczne brwi, blada cera i pełne, błyszczące wargi. Wygląd, który mnie wydawał się tak amerykański i na który nalegał pan Mayer, był teraz kojarzony z „egzotyczną" Hedy Lamarr. Bardzo to mnie i Ilonę bawiło.

Pojawiły się też pieniądze. Trzymając na dystans pana Mayera, który nie ustawał w swoich staraniach, nalegałam na rekompensatę wyższą niż pierwotnie wynegocjowana. „Kult" Hedy Lamarr dał mi odwagę, by domagać się wyższego uposażenia, które szłoby w parze z przewidywanymi wysokimi zyskami ze sprzedaży biletów.

Niedługo po premierze *Algieru* zniknął wciąż nękający mnie lęk przed Fritzem. Mój rozwód był już pewny. Chociaż za sprawą procedur prawnych otrzymał mój adres i zaczął wysyłać mi listy, jego słowa były zaskakująco koncyliacyjne, teraz, kiedy nie miał już nade mną kontroli, a jego władza należała do przeszłości. Kiedy jego więzi z nazistami osłabły, został wyrzucony z Austrii i wyjechał do Ameryki Południowej, gdzie przeniósł swój majątek, kiedy jeszcze byliśmy małżeństwem. Nawiązując ze mną kontakt, zdawał się pragnąć tylko sławy swojej byłej żony, ja jednak nic mu nie dałam. Rozwód nie tylko uwolnił mnie od moich lęków, ale też dał możliwość spotykania się, z kim chciałam. Znów poczułam głód poznawania kolejnych mężczyzn, poszukiwania bezpiecznej przystani w ich ramionach, nie oddając im jednak swojej autonomii. I tak po dobrym, ale dość jednak nudnym Reggiem Gardinerze nastąpili kolejni.

Niezależnie jednak od ich obecności ciągnęła się za mną głęboka samotność, jak za porzuconym psem, który szczeka w ciszy, kiedy milknie hałas tłumów czy męski szept. Czasem, szukając ukojenia dla samotnej duszy, pozwalałam sobie podążać śladem Amerykanów – którzy poruszali się prędko, jakby bali się, że gdy zwolnią, historia zastygnie na nich niczym skorupa – zaraz jednak wracały wspomnienia, które starałam się odrzucić, i ogarniało mnie poczucie winy. Jak mogłam usprawiedliwić tak dostatnie życie, kiedy w Austrii panowały bieda i strach? Kiedy opryszki ze swastykami na piersi brutalnie atakowały na ulicach Żydów, którzy po wprowadzeniu ustaw norymberskich zostali pozbawieni praw? Kiedy antysemickie szaleństwo doprowadzało do listopadowych pogromów, podczas których niszczono żydowskie sklepy i palono synagogi, także w Döbling? A o wszystkich tych strasznych rzeczach wiedziałam wcześniej. Moje amerykańskie życie zdawało się szaleństwem w obliczu tego mroku, a lekkość i wesołość, których wymagało, były dla mnie coraz trudniejsze do osiągnięcia.

Podzieliłam się więc na dwie części. Za dnia malowałam usta i brwi i rzucałam do kamery tajemnicze spojrzenia w masce Hedy Lamarr. W nocy zaś znów byłam Hedy Kiesler, kobietą pełną troski o swoich – zarówno Austriaków, jak i Żydów, chociaż przecież nie myślałam o sobie jako o Żydówce, póki nie wyjechałam z ojczyzny. Zaczynałam rozumieć, że uciekając z niej, nie ostrzegając nikogo o powadze planów Hitlera, zaciągnęłam wobec jej obywateli, zwłaszcza Żydów, ogromny dług. Ale nie miałam pojęcia, jak komukolwiek pomóc. Może oprócz mamy.

Robiło mi się słabo na myśl o tym, że nie udało mi się przekonać jej do wyjazdu podczas naszego ostatniego spotkania. Zamiast tego rozzłościłam się na nią z powodu jej krytyki papy i przestraszyłam się, że może zdradzić moje plany Fritzowi. Emocje te zawładnęły mną, przez co właściwie zrezygnowałam, kiedy tylko powiedziała, że nie chce opuszczać Wiednia. Powinnam była stłumić swoje uczucia i zdradzić jej, co naprawdę wiedziałam o planach Hitlera.

Poddałam się zbyt szybko, ale nie zamierzałam znów na to pozwolić. Musiałam znaleźć jakiś sposób, by zabrać mamę z Austrii.

Jej ostatni list podpowiedział mi, że nie muszę już skupiać swoich wysiłków na przekonywaniu jej, by opuściła swój ukochany Wiedeń. Oczywiście mama nie napisała nic o tym, co się tam dzieje: słusznie się martwiła, że nazistowskie władze mogą przechwycić listy i nałożyć kary.

Wyczuwałam jej wywołany tymi przerażającymi wydarzeniami lęk w każdym ostrożnym zdaniu i każdym słowie, którego nie napisała.

Droga Hedy,

mam nadzieję, że wciąż dobrze odnajdujesz się w Hollywood. Sukces to coś, czego zawsze pragnęłaś…

Wzięłam głęboki oddech, czytając te słowa. Starałam się, by ten dwuznaczny komplement mnie nie zirytował. Mama była z natury niezdolna do pochwał – nigdy w życiu nie pogratulowałaby mi sukcesu w *Algierze*, musiała podkreślić, że go „pragnęłam" – ale nie mogłam pozwolić, by jej wrodzony sceptycyzm zbił mnie z tropu. Czytałam dalej.

Często wspominam naszą rozmowę przy herbacie przed Twoim wyjazdem. Zdaję sobie sprawę, że powinnam była podążyć za Twoją radą. Matki jednak często nie doceniają wiedzy córek, a ja nie jestem tu wyjątkiem. Teraz zastanawiam się, czy nie jest za późno.

Gdyby tak faktycznie było, Hedy, chciałabym wyjaśnić pewne nieporozumienie, które pojawiło się między nami podczas tej samej herbaty. W trakcie naszej rozmowy podzieliłaś się ze mną przekonaniem, że od dawna szczędzę Ci czułości z czystej złośliwości lub niechęci do Ciebie. Nie miałaś racji. Chciałam jedynie zrównoważyć pochlebstwa i pobłażliwość Twojego ojca. Martwiłam się, co może przydarzyć się bardzo pięknemu dziecku, uwielbianemu już przez wszystkich wokół za swoją urodę, jeśli będzie je wychwalać oboje rodziców. Wcale nie było mi łatwo, lecz wbrew Twojemu przekonaniu, robiłam to z miłości.

Kiedy przeczytałam te słowa, po moich policzkach popłynęły łzy. Nigdy dotąd mama nie była tak bliska okazania mi czułości czy przeprosin. Jej list dowiódł też czegoś jeszcze: mama była gotowa wyjechać, może nawet zdesperowana. Musiałam tylko wymyślić, jak ściągnąć ją do Ameryki.

Następnego wieczora trop podsunęła mi przypadkowa rozmowa. Na przyjęciu w Hollywood Hills dwójka moich europejskich przyjaciół udała się na rozmowę z reżyserem, z którym chcieli pracować, pozostawiając mnie w towarzystwie dość nudnego myszowatego pana, który przysłuchiwał się naszej konwersacji. Omal sobie nie poszłam bez pożegnania, przypomniałam sobie jednak, jak przedstawiał się mojej przyjaciółce: był adwokatem.

– Jest pan prawnikiem, prawda?

Ponieważ został zaproszony na to przyjęcie pełne ludzi kina, domyślałam się, że nie zajmuje się prawem imigracyjnym, uznałam jednak, że nie zaszkodzi spytać. W najgorszym przypadku poda mi nazwisko innego prawnika, który ma pojęcie o tej dziedzinie.

Oczy mu rozbłysły, kiedy się do niego odezwałam, jakby nie mógł uwierzyć, że w ogóle do niego mówię. Zresztą ja sama też w to nie wierzyłam. Przez chwilę próbował coś wydukać. Wreszcie mu się udało:

– Tak… tak, jestem.

Nie miałam ochoty na pogaduszki, spytałam więc po prostu:

– Czy wie pan coś o tym, jak sprowadzić kogoś z Europy do Ameryki?

– Tro… troszeczkę. – Czy to ja tak go stresowałam, czy może jąkał się zawsze? – To nie moja dziedzina, ale znam ogólne zasady. Zakładam, że mówi pani o kimś konkretnym?

Kiwnęłam głową.

– Skąd miałaby przyjechać ta osoba? – Im bardziej się uspokajał, tym płynniej mówił.

– Z Austrii.

– Hmm – zawahał się. Zmarszczył czoło, częściowo ukryte za dużymi okularami. – Zacznijmy od tego, że Stany Zjednoczone nie mają polityki uchodźczej, a jedynie imigracyjną. Mamy ścisłe ograniczenia: co roku może tu przyjechać tylko określona liczba ludzi z każdego kraju. Kiedy ta liczba zostanie przekroczona, pozostali chętni nie mogą już wjechać, niezależnie od tego, czy dzieje się to na początku czy pod koniec roku.

– Jak mam się dowiedzieć, czy Ameryka wciąż przyjmuje ludzi z Austrii?

– Cóż, wydaje mi się, że po zjednoczeniu Austrii i Niemiec Roosevelt połączył kwoty dla obu państw…

Miałam ochotę krzyknąć, że kraje się nie zjednoczyły, że Niemcy siłą zajęły Austrię. Prawnik mówił jednak dalej, a ja musiałam go wysłuchać.

– Mimo to z pewnością mógłbym się dowiedzieć, jaka jest sytuacja. Musi pani jednak pamiętać, że sprawa jest bardziej skomplikowana: nie chodzi tylko o to, czy zostały jakieś wolne miejsca. Czy osoba ta zaczęła już wypełniać dokumenty?

Jeszcze nawet nie zaczęłam myśleć o całej stronie administracyjnej przedsięwzięcia. Pokręciłam głową.

– Cóż, Stany Zjednoczone celowo uczyniły imigrację dość skomplikowanym procesem. Nie bez powodu trudna aplikacja ma działać odstraszająco.

– Dlaczego?

– By wjechało tu jak najmniej ludzi, oczywiście – odrzekł, jakby nie zdając sobie sprawy z okropności tego stwierdzenia. – Działa to następująco: kandydat rejestruje się w amerykańskim konsulacie i trafia na listę oczekujących na wizę. W tym czasie musi zebrać całą stertę dokumentów identyfikacyjnych, zaświadczeń o niekaralności, pozwoleń na wyjazd i tranzyt czy deklaracji majątkowych, ponieważ musi udowodnić między innymi, że jest w stanie samodzielnie się utrzymać. Problem polega na tym, że wszystkie te dokumenty mają swoje daty ważności, więc trzeba zebrać je i złożyć, zanim się zdezaktualizują. Albo trzeba by zacząć wszystko od początku. Wyrobienie się w czasie jest tak trudne – niemal niemożliwe – że nazywa się to czasem „papierowym murem".

Zakręciło mi się w głowie na myśl o wszystkich wymogach, które mama będzie musiała spełnić, żeby pokonać ten „mur". Nie potrafiłam sobie nawet wyobrazić, ile ten proces potrwa. Czy w tym czasie będzie bezpieczna? Nie mogłam ryzykować.

– Czy jest jakiś sposób, by skrócić ten proces?

– Cóż, wymagałoby to dość wysoko postawionych znajomych. Gdyby jednak znała pani kogoś z dojściem do władz federalnych, miałaby pani szansę przesunąć daną osobę w górę na liście oczekujących albo oszczędzić jej części papierkowej roboty.

Wiedziałam, co muszę zrobić. Nie pytając nawet prawnika o nazwisko – i, co gorsza, nie dziękując mu za pomoc – zniknęłam w tłumie gości. Pobiegłam prosto do człowieka, który był moim najwyżej postawionym znajomym – do pana Mayera.

Rozdział trzydziesty pierwszy

28 stycznia 1939 roku
Los Angeles, Kalifornia

Może uciekniemy stąd i weźmiemy ślub? – spytał głos kryjący się w cieniu nad basenem.

Aż podskoczyłam, niemal upuszczając papierosa. Wyszłam na zewnątrz, żeby być sama, i nikogo nie zauważyłam. Gdybym wiedziała, że jest tam jakiś mężczyzna, poszukałabym sobie innego schronienia przed okropną imprezą.

Tłumne przyjęcie należało do tych hollywoodzkich zgromadzeń, których nie znosiłam najbardziej, ale pan Mayer nalegał, bym wzięła w nim udział, a ja nie ważyłam się odmówić, skoro zgodził się pomóc w sprowadzeniu mamy. Na tej uroczystości zorganizowanej z okazji żałosnej premiery filmowej wymieniano plotki na temat najnowszych hollywoodzkich kontraktów, walczono o role w nadchodzących filmach, a kobiety znosiły pożądliwe spojrzenia filmowców i szefów studiów. Zdecydowanie wolałabym spędzić wieczór, rozmawiając o polityce i kulturze w domu któregoś z moich europejskich przyjaciół, albo sama w moim nowym domu, grając na pianinie czy majstrując przy naukowych wynalazkach zainspirowanych latami spędzonymi z Fritzem przy stole i słuchaniem mężczyzn mówiących o nowych pomysłach. A jednak musiałam słuchać, jak pan Mayer chwali się mną wszechobecnym pochlebcom: „Staruszek potrafi rozpoznać talent, czyż nie? Starczyło, że zerknąłem na tę dziewczynę, a wiedziałem, że zostanie gwiazdą. I bardzo szybko gwiazdę z niej zrobiłem".

Najczęściej uciekałam przed rozmowami z nieznajomymi, zwłaszcza mężczyznami. W głosie tego dżentelmena było jednak coś znajomego i intrygującego. No i był zabawny. Jego całkiem niestosowne i zdecydowanie zbyt osobiste pytanie rozbawiło mnie, o co nie było wcale łatwo.

– Ma pan pierścionek? – zawołałam w ciemności.

Byłam ciekawa, jak poczucie humoru tego dowcipnisia poradzi sobie z wyzwaniem.

– Oczywiście. Mam nadzieję, że lubi pani diamenty.

– Wolę szmaragdy, ale diamenty też ujdą.

– Myślałem o szmaragdowym naszyjniku w prezencie ślubnym.

– Och, tak dobrze zna pan swoją pannę młodą. – Omal się nie roześmiałam.

– Po wszystkich tych latach, moja droga – jego głos przybrał na sile – muszę ją znać.

Z cienia tarasu wyłoniła się męska sylwetka. Kiedy się do mnie zbliżał, zauważyłam, że jest dość wysoki. Mógł mieć z metr dziewięćdziesiąt, jak papa.

– Tak, musi pan – powiedziałam cicho, w obawie, kto się zmaterializuje. Chociaż wciąż nie mogłam rozpoznać jego rysów, stłumione światło dobiegające ze środka padło na jego twarz, a pewnie także na moją.

– O Boże, Hedy Lamarr.

Wydawał się zaskoczony, ale nie przestraszony. Spodobało mi się to. Od czasów *Algieru* mężczyźni albo się mnie bali, albo szybko stawali się agresywni.

– O Boże, to ja – powiedziałam, udając zaskoczenie.

Zaciągnęłam się mocno papierosem. Popiół spadł z jego czubka na ziemię, a ja zdałam sobie sprawę, że bliskość tego atrakcyjnego starszego mężczyzny przyprawia mnie o drżenie. Jego starannie zaczesane włosy i nieskazitelny garnitur kontrastowały ze swobodnym uśmiechem, ciepłym spojrzeniem i przyjaznością. Miałam wrażenie, że go znam: od przyjazdu do Hollywood nie czułam nic podobnego.

– Powinienem chyba przeprosić za bezczelność – powiedział, ale nie słyszałam w jego głosie skruchy ani wstydu.

– Proszę tego nie robić, bo będę musiała zesłać pana z powrotem do kąta, żebyśmy mogli dalej prowadzić normalną rozmowę.

Roześmiał się wesoło i serdecznie. W tym też przypominał papę.

– Co sprowadza panią na zewnątrz w ten chłodny styczniowy wieczór, kiedy w środku trwa przyjęcie? – zapytał.

– Jestem Austriaczką. Nie jest chłodno.

– Nie odpowiedziała pani na moje pytanie.

– Na zewnątrz można prowadzić ciekawsze rozmowy.

Uśmiechnął się, błyskając białymi zębami.

– Komplement od panny Lamarr? Pochlebia mi pani.

– Kto powiedział, że mówię o panu? Może tylko o sobie.

Znów się uśmiechnął.

– Nie wiedziałem, że pani dowcip dorównuje urodzie.

– Pochlebstwa zaprowadzą pana wszędzie i nigdzie, panie…

Urwałam, zdając sobie sprawę, że nie wiem przecież, kto to jest. Skoro został zaproszony na przyjęcie, musiał należeć do świata filmu, co działało na jego niekorzyść.

– Markey. Gene Markey.

Znałam to nazwisko. Był scenarzystą, ale pamiętałam też, że jego żoną była aktorka Joan Bennett i że ma z nią córeczkę. Nie miał reputacji kobieciarza, ale z pruderii też nie słynął. Czułam, że tracę równowagę.

Wypełnił ciszę swoim łagodnym głosem:

– Może opuścimy tę nieszczęsną imprezę? Niedaleko jest bar, który może się pani spodobać.

Dołączyłam do niego, łamiąc swoje zasady. Nie znałam przecież tego mężczyzny, a Hollywood pełne było drapieżników. Ten jeden raz pozwoliłam sobie na ryzyko.

Skinąwszy głową, podałam mu ramię i razem wyszliśmy na ulicę. W jego obecności czułam się niespodziewanie spokojnie i bezpiecznie. Brakowało mi tego od śmierci papy. Zaczęłam się zastanawiać, czy nie poznałam wreszcie mężczyzny, przy którym nie będę musiała grać.

Rozdział trzydziesty drugi

10 lipca 1939 roku
Los Angeles, Kalifornia

Z koszem pełnym polnych kwiatów otworzyłam tylne drzwi naszego jednopiętrowego, białego domu na Benedict Canyon Drive, który nazwaliśmy Farmą za Krzewami. Ze swoimi białymi ścianami, i meblami i plamami koloru w postaci dywanów, dzieł sztuki i kwiatów, był prawdziwą oazą spokoju. Weszłam do salonu. Gene spał głęboko na białej sofie, a wszędzie wokół niego, na czerwonym dywanie, rozrzucone były kartki scenariusza. Nasz dog niemiecki Donner próbował zwinąć swoje wielkie cielsko na poduszce u stóp Gene'a. Obaj emanowali zadowoleniem, głęboko zakorzenionym szczęściem, w które powoli zaczynałam wierzyć. Przynajmniej wtedy, kiedy zasypiały moje własne demony. Nie chcąc im przeszkadzać, wkradłam się do kuchni. Wyjęłam z szafki prosty, biały wazon z porcelany i napełniłam go wodą. Obcięłam końcówki kolorowych kwiatów, włożyłam je do wazonu i zaczęłam układać.

Nagle znalazłam się w ramionach Gene'a. Szerokie spódnice mojego dirndla zawirowały, a ja zaczęłam się śmiać. Postawił mnie na ziemi i powiedział:

– Moja mała *Hausfrau*, jakże uroczo wyglądasz w swoim tradycyjnym stroju.

– Dziękuję panu bardzo – dygnęłam, kiedy znów mnie obejmował.

Nigdy bym nie zgadła, że nasze przypadkowe spotkanie nad basenem ledwie osiem tygodni później doprowadzi do ślubu. Podejrzewałam, że to zażyłość i otucha, jakie czułam w jego towarzystwie od samego początku, uczyniły tę decyzję zaskakująco łatwą. W samym środku europejskiej wojny, przed którą udało mi się właśnie uchronić mamę, zastanawiałam się wciąż, czym sobie zasłużyłam na to szczęście. Gdybym została w Austrii, moje życie wyglądałoby zupełnie inaczej.

– O czym tak rozmyślasz? – zapytał.

Ale ja nie chciałam mu powiedzieć. Nigdy nie zdradziłam mu, że jestem Żydówką ani że mój pierwszy mąż sprzedawał broń Mussoliniemu i Hitlerowi. Wiedział, że byłam wcześniej mężatką, ale nic ponad to. Nie ważyłam się zdradzić mu sekretów, które głęboko ukrywałam.

– Wspominałam dzień naszego ślubu – skłamałam więc.

Siedzieliśmy nad resztkami przepysznej kolacji złożonej z owoców morza w naszej ulubionej restauracji na plaży. Był początek marca, a oboje spędziliśmy piątek na planie. Ja miałam próby do filmu *Lady of the Tropics*, Gene zaś pracował nad nową wersją scenariusza. Oboje mieliśmy wrócić do pracy w poniedziałek i nie mogliśmy się doczekać weekendowego odpoczynku, który rzadko nam się zdarzał. Reżyserzy często wymagali ode mnie pracy przez cały tydzień.

– Weźmy jutro ślub – powiedział Gene, biorąc mnie za rękę i całując moją dłoń.

Roześmiałam się. Błyskotliwy rozmówca i niestrudzony dowcipniś, Gene zawsze potrafił mnie rozśmieszyć: podobnie jak papa zadawał mi głupkowate zagadki albo zostawiał przy moim łóżku tajemnicze figurki. Był ode mnie prawie dwadzieścia lat starszy, miał za sobą życie odznaczonego oficera marynarki w czasie wielkiej wojny i powieściopisarza, a jego doświadczenie i pewność dawały mi poczucie bezpieczeństwa.

Gene poważnie patrzył na mnie swoimi ciemnymi oczami.

– Nie żartuję, Hedy. Chciałbym, żebyśmy zaczęli wspólne życie, i nie zamierzam czekać.

– Czy to są oświadczyny? – przestałam się śmiać.

Gene sprawiał wrażenie, jakby sam siebie zaskoczył.

– Na to wygląda.

Byłam oszołomiona. Choć czułam się przy nim lepiej i bezpieczniej niż przy jakimkolwiek innym mężczyźnie, wliczając w to początek mojego związku z Fritzem, byliśmy razem od ledwie dwóch miesięcy. A ja obiecałam sobie, że nie będę już nigdy należeć do żadnego mężczyzny, jak należałam kiedyś do Fritza. Czy to drugie małżeństwo nie będzie przypominało pierwszego? Trudno mi było wyobrazić sobie, by ten światowy, godny zaufania mężczyzna, dający mi poczucie bezpieczeństwa i spokoju, mógł mnie potraktować jak kiedyś Fritz. Martwiłam się jednak, że decyzja o małżeństwie byłaby sposobem na to, by poczuć się pewnie w świecie, w którym zazwyczaj dręczyła mnie niepewność. Zagrałam na czas, odpowiadając żartem:

– Czy dasz mi wreszcie ten pierścionek z diamentem, który obiecałeś mi, kiedy się poznaliśmy?

Tym razem Gene się roześmiał.

– Miałem nadzieję, że o nim zapomnisz.

– Żona musi mieć pierścionek. – Wyciągnęłam do niego dłoń.

– Czy to znaczy, że się zgadzasz? – uśmiechnął się.

– Tak? – Trudno mi było wyobrazić sobie, że wymieniam z nim – czy kimkolwiek innym – przysięgi, ale z drugiej strony nie umiałam też odmówić. Gene uczynił moje życie w Hollywood rzeczywistym, czymś więcej niż tylko wymyślną fasadą. Czy mogłam odmówić jedynie dlatego, że bałam się wyrazić zgodę? Mimo wszystkich swoich wątpliwości, powiedziałam:

– Na to wygląda.

Tego wieczora pojechaliśmy do meksykańskiego stanu Kalifornia Dolna – jedynego miejsca, w którym mogliśmy pobrać się w ciągu dwudziestu czterech godzin. Następnego popołudnia Gene czekał na mnie na najwyższym stopniu Pałacu Gubernatora w Mexicali. Trzymał w dłoniach bukiet fioletowych kwiatów. Popołudniowe słońce czyniło budowlę nieziemską, jakby rozświetlało ją od środka.

Wysiadłam z limuzyny – zgodnie ze zwyczajem postanowiliśmy przyjechać osobno – i weszłam po schodach do pałacu. Kiedy dotarłam na górę, wzięłam bukiet od Gene'a, kiwnęłam głową i palce wolnej ręki splotłam z jego palcami. Nie rozmawialiśmy jednak. Powiedziano nam, że meksykańska tradycja nakazuje, by państwo młodzi nie odzywali się do siebie aż do końca ceremonii, a my nie chcieliśmy ściągać na siebie pecha, który towarzyszył podobno parom łamiącym tę zasadę.

Staliśmy przed meksykańskim urzędnikiem stanu cywilnego Apolonio Nunezem w towarzystwie trzech świadków – Gustava Padresa Jr. z konsulatu, Raula Mateusa z Komendy Głównej Policji i właściciela pobliskiej tawerny Jimmy'ego Alvareza. Czułam się jak na scenie, póki pan Nunez nie zaczął mówić. Nie rozumieliśmy hiszpańskiej przysięgi, ale wyczuwaliśmy wagę słów.

Zerknęłam na Gene'a, tak przystojnego w swoim prostym, szarym garniturze. Wybrał go, by pasował do mojej ciemnofioletowej sukni, którą uszył dla mnie – bynajmniej nie na tę okazję – mój przyjaciel, projektant Adrian. Ceremonia wymagała powagi, ale Gene wciąż szeroko się uśmiechał, a ja odwzajemniałam uśmiech. Jakże różnił się ten dzień weselny od mojego pierwszego ślubu!

– Hedy? – dźwięk mojego imienia wyrwał mnie z zamyślenia. – Czy nie powinniśmy zacząć się przygotowywać? – spytał Gene.

– Na co? – Byłam szczerze zaskoczona. Wydawało mi się, że umawialiśmy się na tradycyjny austriacki posiłek w domu i wspólne czytanie przy kominku.

– Na przyjęcie w Trocadero. Mężczyzn obowiązują fraki, więc powinnaś wyciągnąć jedną ze swoich sukni.

Pamiętałam o imprezie w Trocadero, ale nie chciałam iść i wydawało mi się, że osiągnęliśmy porozumienie. Udawałam tylko, że zapomniałam, chcąc przedłużyć nasz czas we dwoje.

Przysunęłam się do niego i wyszeptałam:

– Myślałam, że spędzimy miły wieczór w domu. – Zaczęłam całować go po szyi. Wiedziałam, że to lubi. Gene był znakomitym, gorącym kochankiem i zazwyczaj łatwo dawał się uwieść moim pieszczotom.

Objął mnie mocno i odwzajemnił pocałunek. Przesunęłam palcami po jego plecach, rysując na nich okręgi, póki lekko nie jęknął.

– No to postanowione – orzekłam.

Wyśliznęłam się z jego objęć, chwyciłam za rękę i zaczęłam prowadzić w stronę sypialni.

Gene odsunął się ode mnie.

– Nie, Hedy, wyjdźmy. Spędziliśmy w domu już dwa wieczory w tym tygodniu.

– A wychodziliśmy pięć razy! – Nie potrafiłam ukryć irytacji.

Jak to możliwe, że ma ochotę brać udział w tych okropnych imprezach prawie codziennie? Pokochałam nasze wspólne wieczory w domu, granie na fortepianie i rozmowy o moich pomysłach na naukowe wynalazki – czy to na podstawie szkiców, czy modeli z gliny i drutu – podczas gdy on czytał lub pracował nad scenariuszami. Czy przyjemnością z posiadania współmałżonka nie był wspólnie spędzony w domu czas, przed kominkiem albo w łóżku? Nie miałam tego szczęścia z Fritzem.

– No chodź, Hedy. Wiesz, jakie są zasady gry. Praca w filmach, czy jesteś aktorką, scenarzystą, producentem czy kimkolwiek, rodzi się z władzy. A władza bierze się z koneksji. Koneksji zaś nie sposób stworzyć ani utrzymać, nie chodząc na przyjęcia.

Gene wygłosił ten całkowicie zbędny monolog na temat funkcjonowania Hollywood – wszystko to wiedziałam doskonale – chcąc przykryć swoje prawdziwe obawy. Pracował jako producent nad nowym filmem *Lillian Russell* i miał mnóstwo kłopotów z kolegami z Twentieth Century Fox. Uważał najwyraźniej, że pogaduszki wystarczą, by uspokoić sytuację, tak jak sądził, że moje pojawienie się w Trocadero rozwiąże mój konflikt z panem Mayerem dotyczący gaży za najnowszy mój film *I Take This Woman* ze Spencerem Tracym. Pokłóciłam się z szefem o procent z zysków, który moim zdaniem mi się należał. Jak na tak wyrafinowanego mężczyznę, Gene bywał czasem zaskakująco naiwny. Przyjęcie w Trocadero z pewnością nie wystarczy.

Spojrzałam w patrzące błagalnie oczy mojego męża, zastanawiając się, kogo właściwie poślubiłam. I za kogo on uważa swoją żonę.

Rozdział trzydziesty trzeci

14 października 1939 roku
Los Angeles, Kalifornia

Wilgoć przykryła miasto jak koc, utrudniając oddychanie. Na suficie wirowały wiatraki, a fioletowa zasłona nocy przykrywała słońce, mimo to moje ubrania były mokre i śliskie. Tęskniłam za lodowatymi lasami Wiednia, ale wiedziałam, że nie mogę wrócić do domu. Ani teraz, ani być może nigdy.

Na rozrzuconych na stole prywatnego saloniku w restauracji Brown Derby gazetach widniały okrągłe, mokre ślady po denkach szklanek. Pochodziły z daleka, a wiele egzemplarzy było trudno dostępnych, ale niezależnie od języka, ze wszystkich pierwszych stron wyzierały przerażające wiadomości. W Europie wybuchła wojna.

Spotkaliśmy się z moimi europejskimi przyjaciółmi nie po to, by zapić swoje troski, ale po to, by podzielić się informacjami. Wiedzieliśmy niewiele, tyle tylko, ile napisano w gazetach. Napaść nazistów na Polskę opisana została ze szczegółami, podobnie jak ultimatum, które Niemcy postawili Wielkiej Brytanii i Francji. Jak jednak lubiłam przypominać naszej grupie, kiedy Hitler najechał na Austrię, wprowadzono ustawy norymberskie, a napisało o tym niewiele gazet. Nasza europejska sieć była źródłem opowieści o splądrowanych domach i sklepach austriackich Żydów; o tym, że Żydom nie wolno już było uczęszczać do szkół i na uczelnie ani wykonywać wielu zawodów; że naziści bili ich na ulicach, kiedy tylko mieli ochotę; i, co szczególnie przerażające dla moich próżnych koleżanek, że żydowskie aktorki zmuszano do czyszczenia toalet. Tylko otwarta przemoc, do jakiej doszło w listopadzie 1938 roku podczas nocy kryształowej, zdawała się zasługiwać na uwagę reporterów. Nagłówki potępiły plądrowanie przez nazistów żydowskich zakładów, domów, szpitali i szkół, spalenie ponad tysiąca synagog, zabicie ponad setki ludzi i deportację trzydziestu tysięcy żydowskich mężczyzn do nowo zbudowanych obozów koncentracyjnych. Pokrzepiło nas oburzenie, jakie wzbudziła na całym świecie noc kryształowa, i wierzyliśmy, że powstrzyma ono antysemicką nagonkę Hitlera, szybko jednak głosy potępienia ucichły i znów zdani byliśmy na swoją sieć informatorów, zwłaszcza w temacie żydowskich obywateli Europy.

Prawdę przekazywaliśmy sobie z ust do ust, jakbyśmy byli pierwszymi ludźmi na ziemi, zdanymi tylko na taką formę komunikacji. Kiedy zaczęły krążyć plotki o zorganizowanym programie segregacji wszystkich Żydów i zamknięciu ich w dzielnicach oddzielonych od reszty miasta, zwanych gettami, nasz niepokój wzrósł. Ja jednak obawiałam się, że getta – choć przerażające – są tylko krokiem na drodze Hitlera do rozwiązania tego, co nazywał żydowskim „problemem". Zastanawiałam się, jak daleko się posunie w swoich planach usunięcia Żydów z niemieckiego społeczeństwa, zwłaszcza biorąc pod uwagę, że Niemcy rozprzestrzeniali się po Europie niczym plaga.

Ciężar mojej zbrodni stał się jasny. Czy zdołałabym pomóc europejskim Żydom, gdybym poinformowała ich, że ustawy norymberskie to nie koniec planów Hitlera? Miałam poczucie winy, że trzymałam to w sekrecie. Przez moje milczenie i egoizm otworzyły się bramy piekieł. Co mogłam zrobić, by to naprawić?

Mój kolega, aktor Peter Lorre z Węgier, zapytał:

– Czy ktoś z was ma jakieś wieści od rodziny o tym, co się dzieje na miejscu? – Nauczyliśmy się już, że najdokładniejsze są doniesienia z pierwszej ręki.

Jako pierwsza odpowiedziała Ilona:

– Dostałam telegram potwierdzający, że wszystko w porządku. Ale Węgry nie zostały zaatakowane. Na razie.

Otto Preminger, reżyser i aktor również pochodzący z Austrii, pokiwał głową.

– Jak większość z was wie, zeszłej wiosny udało mi się przenieść moją matkę z Wiednia do Londynu, nie mam więc od niej nowych informacji – wtrąciłam się, nie wspominając, że to koneksje pana Mayera pomogły zorganizować jej przeprowadzkę. By uzyskać jego pomoc, musiałam zrezygnować z niektórych żądań finansowych, a także przysiąc, że nie poproszę go już o pomoc dla żadnych innych uchodźców. – Nie kontaktowałam się też ostatnio z dalszą rodziną w Austrii. Nigdy nie byliśmy szczególnie blisko z rodzeństwem mojego ojca.

Chciałam ściągnąć mamę bliżej, może do Ameryki, chociaż okazało się, że znacznie łatwiej sprowadzić ją do Anglii niż tutaj. Nie wiedziałam, czy władze zezwolą jej na wjazd, niezależnie od mojej sławy i wsparcia studia, zwłaszcza po tym, co stało się ze statkiem M/s St Louis. Niemal trzy miesiące wcześniej, w maju, St Louis wypłynął z Niemiec z prawie tysiącem uciekinierów na pokładzie. Dotarł do wybrzeży Kuby, gdzie pasażerowie błagali, by wpuszczono ich do Stanów Zjednoczonych. Kubański i amerykański rząd odmówiły, zmuszając ich, by wrócili na niebezpieczne wybrzeże Europy. Dlaczego sądziłam, że mamę spotka lepszy los niż te dziewięćset nieszczęsnych dusz?

Mój również pochodzący z Austrii partner z *Lady of the Tropics* Joseph Schildkraut powtórzył słowa, które wypowiedziałam.

– Większa część mojej najbliższej rodziny jest tutaj, a od dalszych krewnych nie mam żadnych wieści.

Pozostali po prostu pokręcili głowami. Nikt nie miał krewnych w Niemczech ani w Polsce, od których moglibyśmy dowiedzieć się więcej. Patrząc na gazety i otaczające mnie, przygnębione europejskie twarze – Gene nie dołączył do mnie tego wieczora; coraz częściej wybierał hollywoodzkie przyjęcia zamiast jakichkolwiek innych planów – po raz nie wiem który zastanawiałam się nad swoim egoizmem. Ukryłam głęboko swoją wiedzę o planowanym Anschlussie i podejrzenia dotyczące poczynań Hitlera i niczym w puszce Pandory zabrałam ją ze sobą do Ameryki. Bardziej bałam się tego, co wyjawienie prawdy powie o mnie, niż tego, co grozi ofiarom gniewu Hitlera. Ile istnień mogłam uratować, gdybym tylko otworzyła to pudełko i podzieliła się ze światem moim strasznym sekretem? Czy zostałabym uznana za winną zaniechania działania mimo wiedzy, którą miałam?

Peter trzasnął pustą szklanką o stół przykryty gazetami.

– Nienawidzę bezradności. Tak bardzo bym chciał, żeby dało się coś zrobić.

Czułam dokładnie to samo.

– Co możemy zrobić? Wstąpić do wojska? Zebrać pieniądze na cele wojenne? Ameryka nie chce się angażować. – Ilona zaczęła odpowiadać na niepostawione pytania. – Powrót do Europy nie wchodzi w grę.

– Słyszałem, że Kanada może niedługo przystąpić do walk. – Joseph bardzo chciał włączyć się do rozmowy.

– I co dobrego z tego wyniknie? – spytał z irytacją Peter.

– Może skłoni Stany Zjednoczone, by też wypowiedziały Niemcom wojnę?

Zapadła cisza. Wszyscy zastanawiali się nad wojną i jej wpływem na losy ich rodzin i przyjaciół. Dym z naszych papierosów unosił się wysoko do sufitu, wijąc się wokół śmigieł wiatraka. Słyszałam dobiegający zza zamkniętych drzwi szmer rozmów klientów Brown Derby, pełnej filmowców restauracji o wymyślnie łukowatym suficie. Nic nie wiedzieli o niepokoju czającym się w tych ścianach, o strachu, który mógł niedługo towarzyszyć im samym, gdyby Hitler zrealizował swoje plany. Mówili językiem wyparcia i zamydlającej oczy rozrywki.

– Jest coś, co mogłoby zrobić co najmniej jedno z was – powiedziała nieznajoma kobieta. Widziałam ją tylko na wcześniejszej kolacji z podobną grupą przyjaciół, którzy zmieniali się, przechodząc z jednego planu na drugi. Wydawało mi się, że przyszła z Josephem Schildkrautem, ale było zbyt późno, by uprzejmie spytać ją o imię.

– Ach, tak? – spytał Peter, zaciągając się papierosem. Nie ukrywając sceptycyzmu, powiedział: – A co by to miało być?

– Moglibyście adoptować dziecko.

– Co takiego? – spytałam. Zaskoczyła mnie jej sugestia. – Co to ma wspólnego z wojną?

– Wszystko. – Rozejrzała się po pokoju. – Trzy kobiety, Cecilia Razovsky i Frances Perkins w Ameryce oraz Kate Rosenheim w nazistowskich Niemczech, potajemnie przenoszą zagrożone dzieci z terenów kontrolowanych przez nazistów do tego kraju. Pani Razovsky jest przewodniczącą komitetu doradczego sekretarz pracy, pani Perkins, która zajmuje się reformą prawa imigracyjnego. Informuje ją o sytuacji uchodźców na świecie i razem starają się wprowadzić pewną elastyczność, jeśli chodzi o politykę administracyjną. Kiedy im się to nie udaje, a zdarza się to często, zajmują się indywidualnymi przypadkami. Pani Razovsky pracuje z panią Rosenheim, która jest przewodniczącą Departamentu Emigracji Dzieci w Niemczech i ponosi ogromne ryzyko, namierzając dzieci znajdujące się w niebezpieczeństwie, którym następnie panie Razovsky i Perkins zapewniają wizy i we współpracy z prywatnymi organizacjami sponsorują podróże do Ameryki.

– Bez rodziców? – spytała Ilona.

– Ich rodzice nie mogą wyjechać albo zostali zabici – odpowiedziała.

Nie musiała więcej wyjaśniać, żebyśmy zrozumieli znaczenie jej słów: dzieci były Żydami lub pochodziły z rodzin stawiających opór nazistom. W przeciwnym wypadku miałyby rodziców, którzy by im towarzyszyli.

Cisza, która zapadła w pokoju, była przytłaczająca. Kobieta wypełniła pustkę tak płaczliwym błaganiem, że nikt, nawet ci zmęczeni życiem filmowcy, nie mógł pozostać niewzruszony.

– Czy ktoś przyjmie dziecko? – błagała, kładąc złożony skrawek papieru na wolnym kawałku stołu. – Nie wiemy o nim wiele, poza tym że jego rodzice zostali deportowani. Musicie wiedzieć, że nie będzie to oficjalna adopcja, bo Amerykanie nie chcą ubrudzić sobie rąk. Przynajmniej na razie, jak sami zauważyliście. Znajdziemy jednak jakiś sposób, by zalegalizować całą procedurę. Proszę.

Moi przyjaciele odwrócili wzrok i zajęli się swoimi drinkami i papierosami. Nikt nie sięgnął po złożony kawałek papieru. Nikt oprócz mnie.

Rozdział trzydziesty czwarty

8 lipca 1940 roku
Los Angeles, Kalifornia

Czy moje sekrety szkodziły związkowi z Gene'em? Czy może nasze oddalenie było nieuniknione? Każde z nas poślubiło przecież kogoś, kogo ledwie znało. I wzięliśmy ślub z zupełnie innych powodów.

System, który wypracowaliśmy w pierwszym okresie małżeństwa, z początku działał dobrze. Wolna jak ptak, codziennie rano wychodziłam na hollywoodzki plan, podczas gdy on w domu pracował nad scenariuszami. Wracałam w nadziei, że spędzimy spokojny wieczór. Szybko przekonałam się jednak, że podczas gdy ja marzyłam o spokoju Farmy za krzewami, Gene uwielbiał kręcić się po hollywoodzkich imprezach i klubach nocnych, nawiązując relacje i zbierając materiał do pracy. Lubił mieć u boku swoją piękną żonę, gwiazdę filmową, a ja z początku się na to zgadzałam.

Z czasem jednak przestałam odgrywać rolę słynnej Hedy Lamarr za każdym razem, kiedy Gene sobie tego życzył. Jego pragnienie posiadania u boku sztucznej, publicznej Hedy zamiast tej prawdziwej, sprawiało mi przykrość. Zaczął wychodzić z domu, zanim ja wróciłam z planu. Coraz częściej spędzałam wieczory sama, a kiedy chciałam nawiązać kontakt z własnym mężem, zaczęłam zostawiać mu liściki albo zaskakiwać go na hollywoodzkich przyjęciach. Jedyne wieczory, które spędzaliśmy w domu, to te, gdy zapraszaliśmy gości, zwłaszcza naszych drogich przyjaciół Arthura Hornblowa Jr. i Myrnę Loy. Poza tym nigdy nie zostawaliśmy sami.

Czasami zastanawiałam się, czy zbliżylibyśmy się do siebie bardziej, gdybym zdradziła mu moje sekrety. Czy może by uciekł? Za bardzo się bałam, by zaryzykować, a dystans między nami stał się prawdziwą otchłanią.

– Gotowa? – spytał Gene.

– Gotowa – odpowiedziałam, chociaż wcale się tak nie czułam.

Wymieniliśmy się kartkami papieru z eleganckimi inicjałami – monogramem, który stworzyliśmy w dniach przed naszym ślubem. Kiedy spojrzałam na tę, którą podał mi Gene, ścisnął mi się żołądek. Co znajdę na jego liście? Dlaczego w ogóle zgodziłam się na to ćwiczenie, zasugerowane przez koleżankę aktorkę, która twierdziła, że uratowało ono jej małżeństwo?

Wiedziałam jednak, dlaczego byłam gotowa zrobić listę cech, które najbardziej ceniłam w moim mężu, a także moich największych z nim problemów. I vice versa. Była to ostatnia próba odsunięcia tego, co nieuchronne: końca naszego małżeństwa.

Zanim przeczytałam, ułożyłam śpiącego Jamesiego w kołysce. Zerknęłam najpierw na Gene'a, potem na naszego bobasa. Gene nie był zachwycony wizją adoptowania małego uchodźcy. A mówiąc całkiem szczerze, ja też nie. Czułam się w obowiązku wziąć tę kartkę ze stołu w Brown Derby. Poczucie to wynikało nie z mojej tęsknoty do macierzyństwa – moje własne dzieciństwo pozbawione było ciepłych matczynych wzorców – ale z poczucia winy i mojej dotychczasowej bierności. Pomyślałam, że może jeśli uratuję to dziecko, odpokutuję za wszystkie te, których nie uratowałam.

Nigdy nie zdradziłam Gene'owi prawdy o pochodzeniu Jamesiego ani okolicznościach jego adopcji, ale przecież on nie miał nawet pojęcia o tym, że i ja jestem Żydówką. Czy prawda silniej by nas połączyła? Czy przywiązałby się bardziej do Jamesiego? Gene o adopcji wiedział tylko tyle, że był to sposób na scalenie nas na nowo. Sama jego chęć, by spełnić moją prośbę, chociaż miał już przecież własną córkę, zbliżyła mnie do niego, a kiedy trzymałam Jamesiego w ramionach i patrzyłam na Gene'a, czułam się spełniona. Kiedy jednak okazało się, że obecność noworodka w domu nie stała się zaczątkiem rodzinnego szczęścia, a my wciąż prowadziliśmy osobne życie, nasze oddalenie stało się jasne.

Przeczytałam słowa Gene'a. Zrobiło mi się miło, kiedy zobaczyłam, jakie cechy we mnie podziwia: mój europejski urok, urodę, umiejętność bycia gospodynią i matką, mój intelekt. Zerknęłam na Gene'a i uśmiechnęłam się do niego lekko, ale on tego nie widział. Był zbyt zajęty lekturą.

Przygotowałam się na poznanie swoich wad, ale lista była pusta.

Zmarszczyłam brwi i uniosłam wzrok. Gene patrzył na mnie wyczekująco.

– Nie wymieniłeś żadnych problemów.

– Nie.

– Dlaczego?

– Bo to nie są twoje problemy, Hedy. To nie są twoje wady. Tylko moje.

– Co masz na myśli?

Gene patrzył na mnie z łagodnym smutkiem.

– Poślubiłaś mnie, żywiąc całkiem rozsądne nadzieje. Chciałaś męża, domu, rodziny. Ale ja nie mogę dać ci tego, czego pragniesz. Nie jestem zdolny do bycia ojcem kolejnego dziecka. Przynajmniej nie teraz.

Pokiwałam głową, wreszcie go rozumiejąc. Nasze małżeństwo nigdy się nie naprawi, nigdy nie będzie lepiej. To koniec.

Gene zmierzył się z ciszą, wypowiadając słowa, które wypowiedziane zostać musiały, choć żadne z nas nie chciało tego zrobić.

– Umówimy się z prawnikiem?

Kiwnęłam głową. Naprawdę nie było innego sposobu.

– A co z Jamesiem? – spytał Gene, wskazując głową śpiące dziecko.

O co on pytał? Komu zostanie przyznana opieka nad małym? Czy może rozważał niewyobrażalne: oddanie go?

Podniosłam synka z kołyski i przytuliłam mocno. Jamesie pisnął cicho, ale się nie obudził.

– Ja się nim zajmę – powiedziałam, wiedząc, że z powodu pracy to niania Jamesiego, pani Burton, będzie z nim spędzać więcej czasu ode mnie. Mimo to byłam pewna, że jego życie w Ameryce będzie znacznie lepsze niż los, który czekał go w Europie.

Gene pokiwał głową, sięgając po moją dłoń.

– Chciałbym móc go od czasu do czasu zobaczyć.

– Oczywiście, Gene. Jesteś przecież jego ojcem. Możesz odegrać taką rolę, jaką tylko chcesz.

Ja wyobraziłam sobie, że Gene jest moją bezpieczną przystanią, obsadziłam go w roli papy, której nie mógł odegrać, on zaś poślubił wspaniałą gwiazdę filmową, która codziennie brylowała na przyjęciach. Tyle tylko, że ja byłam prostą Hedy Kiesler, on zaś – hollywoodzkim bon vivantem. Nosiłam w sobie tajemnicę, którą musiałam odpokutować, a Gene poszukiwał światła, stroniąc choćby od śladu ciemności. Byliśmy przeciwieństwami i obcymi sobie ludźmi.

Rozdział trzydziesty piąty

19 września 1940 roku
Los Angeles, Kalifornia

Kołysałam Jamesiego w ramionach, a Susie czytała mi na głos gazetę. Uwielbiałam, kiedy mój cherubinek odwiedzał mnie w garderobie podczas przerw w pracy, chociaż wciąż miałam wątpliwości co do swojej zdolności do pełnienia roli matki przez tych kilka krótkich godzin, które miałam do dyspozycji każdego dnia. Krążyłam między halami zdjęciowymi, pracując jednocześnie nad *Come Live with Me* z życzliwym Jimmym Stewartem i *Towarzyszem X* z wesołym Clarkiem Gable'em. A jednak to Jamesie, jedyny ślad po moim krótkim małżeństwie z Gene'em, był prawdziwym promieniem słońca rozświetlającym każdy mój pracowity, stresujący dzień.

– Storpedowani… Utonęły, tuląc swoje pluszowe misie – wydukała Susie, a łzy napłynęły jej do oczu.

– O czym ty mówisz? – musiałam coś źle usłyszeć przez gaworzenie Jamesiego. Czemuż miałaby mówić jednym tchem o torpedach i dziecięcych zabawkach?

Może nie zrozumiałam czegoś po angielsku? Czy też w slangu Susie.

Nie odpowiedziała na moje pytanie, co zdarzało jej się bardzo rzadko. Nie odrywała wzroku od gazety, a po policzkach płynęły jej łzy.

– O co chodzi, Susie?

Wciąż się nie odzywała. Pani Burton, która siedziała w rogu, robiąc Jamesiemu czapeczkę na drutach, wstała i spojrzała Susie przez ramię. Wydała z siebie zduszony okrzyk.

Z piszczącym w moich ramionach malcem podeszłam do kobiet i zaczęłam czytać razem z nimi.

– „Naziści torpedują statek z uchodźcami, zabijając dzieci" – przeczytałam na głos przerażający nagłówek.

– „W obliczu coraz częstszych ataków z powietrza i rosnącego zagrożenia inwazją lądową, mieszkańcy Kanady spontanicznie zaoferowali brytyjskiemu rządowi gościnę dla brytyjskich dzieci i małych uchodźców". – Susie czytała szeptem fragmenty przerażającego artykułu. – „12 września 1940 roku na pokład S/s City of Benares wsiadło 197 pasażerów i dwustuosobowa załoga, w tym 90 dzieci uciekających przed zagrożeniem niemieckiej inwazji do bezpiecznej Kanady. 17 września 1940 roku statek płynący z Liverpoolu został trafiony przez niemieckie torpedy, gdy znajdował się o 600 metrów od lądu. S/s City of Benares zatonął, a wraz z nim 134 pasażerów i 131 członków załogi – w tym 83 z 90 dzieci wysłanych przez rodziców do Kanady".

– Nie! – zawołałam. Jak to się mogło stać? Przecież nawet naziści nie celowaliby w statek pełen dzieci!

Susie czytała dalej na głos o dzieciach na pokładzie statku. Pochodziły z brytyjskich rodzin, których domy zostały zbombardowane w czasie nalotów i które obawiały się o życie swoich żydowskich dzieci w wypadku, gdyby Hitlerowi udało się najechać Anglię – to musiałam wyczytać między słowami, bo gazeta opisywała ich sytuację jedynie eufemistycznie. Niezależnie od ich pochodzenia, wszyscy pragnęli dla swoich dzieci tylko jednego – bezpieczeństwa. I to właśnie odbierali im naziści.

Patrzyłam w oczy mojego półtorarocznego synka. Gdyby nie szczęśliwe zrządzenie losu – jakiś nieznany czynnik, który pokierował paniami Rosenheim, Perkins i Razovsky – Jamesie mógłby być jednym z dzieci na statku. Tylko przez kaprys losu trafił na statek zdążający do Stanów Zjednoczonych w październiku zeszłego roku, a nie do Kanady w ostatnich dniach. Omal nie utraciłam syna przez system opieki społecznej, kiedy rozstaliśmy się z Gene'em w lipcu – amerykański sąd nie był w stanie zrozumieć, że matka może wychować adoptowane dziecko sama – i wciąż się o niego bałam. Niemal fizycznie czułam ból rozpaczających rodziców małych ofiar katastrofy S/s City of Benares.

Asystent planu zajrzał przez drzwi.

– Pora na panią, panno Lamarr.

Pani Burton wyciągnęła ramiona i powiedziała:

– Zabiorę go do domu na drzemkę, proszę pani.

Niechętnie podałam jej syna. Ułożyła go bezpiecznie w wózku i wyszła z garderoby. Pomyślałam sobie, że biedny Jamesie sądzi pewnie, iż to pani Burton jest jego prawdziwą matką. Jednym jego rodzicem była ciężko pracująca kobieta, drugim zaś – pustka, jako że jego więź z Gene'em od czasu rozwodu niemal nie istniała.

Bez mojego ukochanego syna w ramionach czułam się niepewnie, przygniatał mnie nieznośny ciężar straty. Nie zważając na suknię balową, w której miałam wystąpić w kolejnej scenie, opadłam na podłogę niczym rzucona kartka papieru, przytłoczona rozpaczą i poczuciem winy. Czy mogłam coś zrobić, by powstrzymać całe to nieszczęście? Czy gdybym powiedziała amerykańskim albo może angielskim politykom o moich obawach dotyczących planów Hitlera, te dzieci w ogóle musiałyby wyruszać w fatalną podróż? Czy wrogowie nazistów powstrzymaliby jego perfidne działania, tak by rodzice nie musieli pakować swoich cennych dzieciątek i wysyłać ich w samotną podróż przez ogromny, niebezpieczny Atlantyk? Czy ktokolwiek by mi uwierzył? Czy może wyolbrzymiałam swoją rolę? Emocje mnie przytłaczały. Musiałam coś z nimi zrobić.

– No już, proszę wstać, panno Lamarr. – Susie objęła mnie, chcąc delikatnie unieść z ziemi, nie mogła jednak ruszyć ciężaru mojego bezwładnego ciała. Usiadła obok mnie na podłodze i tak trwałyśmy w milczeniu. Nawet żywiołowa Susie nie wiedziała, co powiedzieć. Języka żałoby dotąd nie poznała.

Asystent znowu zapukał do drzwi. Pewnie czekali na mnie na planie. Nikt mu nie odpowiedział, więc zajrzał do środka.

– Panno Lamarr?

Omal nie podskoczył, widząc mnie i Susie siedzące na podłodze pod ścianą. Kiedy się otrząsnął, podbiegł do nas i zapytał:

– Mam posłać po doktora, proszę pani?

Spojrzałam w niebieskie oczy chłopca – był to bowiem ledwie chłopiec, starający się wspiąć po hollywoodzkiej drabinie – i zdałam sobie sprawę, że w tym momencie wszystko się zmieni. Moja osobista historia i każda droga, którą wybierałam w przeszłości, ukształtowały moją teraźniejszość. Kierowały moimi działaniami niczym niewidzialny ster statku. Nic jednak nie miało odmienić mojego życia bardziej niż S/s City of Benares. Nie zamierzałam dłużej nurzać się w poczuciu winy i rozpaczy: chciałam odpokutować za grzechy. Zamierzałam zebrać wszystko, co wiedziałam o Hitlerze, i przekuć siebie samą w ostrze. A potem wbić to ostrze głęboko w Trzecią Rzeszę.

Rozdział trzydziesty szósty

30 września 1940 roku
Los Angeles, Kalifornia

Za Robina Gaynora Adriana. – Gilbert Adrian, znany po prostu jako Adrian, wzniósł toast za swojego nowo narodzonego syna.

Tylko przyjęcie na cześć dziecka moich drogich przyjaciół mogło wyciągnąć mnie z domu w dniach, które nastąpiły po zatopieniu S/s City of Benares. Jak mogłabym nie świętować narodzin zdrowego niemowlęcia, kiedy tyle ich ostatnio zginęło? Stuknęłam się kieliszkiem szampana z moimi towarzyszami z prawej i lewej strony stołu i zdałam sobie sprawę, że nie zostałam dotąd przedstawiona mężczyźnie z lewej, niewysokiemu blondynowi o oczach dużych i błękitnych jak u dziecka.

Byłam w tak ponurym nastroju i tak skupiona na pracy, że nie miałam ochoty na uprzejmości. Odkąd dowiedziałam się o tragedii, przestrzegałam ścisłego reżimu. Po powrocie do domu z planu głupkowatego filmu pod tytułem *Gorączka nafty* spędzałam czas z Jamesiem, póki nie poszedł spać. Resztę nocy poświęcałam na przypominanie sobie kolacji, w których brałam udział jako pani Mandl, a podczas których dyskutowano o kwestiach dotyczących broni i wojskowości. Jak szalona zapisywałam w notatniku wszystko, co przychodziło mi do głowy. Miałam nadzieję, że w notatkach tych znajdę drogę do pokuty, sposób na wykorzystanie sekretnych informacji, by pomóc ludziom, których zostawiłam za sobą.

Kiedy po Anschlussie naziści spalili książki naukowe, żydowskie i inne, spopielone kawałki kartek podobno wznosiły się w powietrzu przez wiele dni. Wiedeńczycy znajdowali słowa Alberta Einsteina, Zygmunta Freuda, Franza Kafki czy Ernesta Hemingwaya na chodnikach i na rękawach swoich płaszczy. Wieczorami starali się osadzić te fragmenty w kontekście i je zrozumieć. Kiedy usiłowałam zebrać i przeanalizować swoje wspomnienia zasłyszanych przy stole rozmów o broni, czułam się jak inni wiedeńczycy po Anschlussie, zbierający zagubione puzzle, starający się odnaleźć sens w chaosie.

Robiłam długie listy planów wojskowych i wad broni, na które narzekał Fritz. Z całej jego produkcji to właśnie torpedy powodowały najwięcej problemów. Wyzwaniem okazała się ich dokładność, a także podatność na zakłócanie sygnałów przez wrogie statki. Obok wszystkich podsłuchanych informacji o torpedach zapisałam te, które wyciągnęłam z krótkiej rozmowy z nazistowskim ekspertem od torped Hellmuthem Walterem w fabryce Fritza w Hirtenberger niedługo przed ucieczką. Wyglądało na to, że największą szansę na zaszkodzenie Trzeciej Rzeszy – i upewnienie się, że niemiecki okręt podwodny nie zatopi już żadnego statku pełnego dzieci – miałam, wykorzystując zebraną wiedzę, by obnażyć słabości systemu niemieckich torped.

Rozwiązanie tego problemu – jak poprawić precyzję torped używanych przez wrogów nazistów, uniemożliwiając hitlerowcom zakłócanie sygnału w przypadku użycia systemów radiowych – istniało gdzieś na świecie lub gdzieś wewnątrz mnie. Elementy tego rozwiązania nękały mnie zarówno w koszmarach sennych, jak i na jawie. Inspiracja wymykała mi się z rąk, gdy próbowałam udoskonalić broń przeciwko Hitlerowi.

Adrian sprowadził mnie na ziemię. Nie skończył jeszcze swojego toastu.

– Chwilę to potrwało, nim pojawił się Robin – przerwał, wiedząc, że po tych słowach nastąpi śmiech.

Większość przyjaciół projektanta i kostiumografa oraz jego żony, aktorki Janet Gaynor, podejrzewała, że ich małżeństwo jest białe. Że choć Janet i Adrian bardzo się kochają, poszukują romantycznej miłości u partnerów tej samej płci. Bynajmniej nie osłabiało to stabilności ich związku ani radości z rodzicielstwa. Ci błyskotliwi, wyrafinowani ludzie urządzali jedyne hollywoodzkie przyjęcia, które naprawdę sprawiały mi przyjemność.

Zerkając na Janet, Adrian powiedział:

– Dziękujemy wam, drodzy przyjaciele, za to, że nas poganialiście, i za to, że teraz z nami świętujecie.

Janet uniosła kieliszek do czternaściorga przyjaciół, którzy zebrali się wokół nich. Kobiety, łącznie ze mną, ubrane były w piękne kreacje od Adriana.

A on właśnie obrócił swoją żoną i ogłosił:

– Teraz zatańczymy.

Większość gości podniosła się, by zatańczyć do muzyki z płyty gramofonowej, którą wybrali na tę okazję Adrian i Janet, ja jednak zostałam na swoim miejscu: nie byłam w nastroju do tańca. Mój sąsiad także siedział.

Po kilku minutach zaczął się jąkać:

– Bardzo przepraszam, że się nie przedstawiłem. Oczywiście wiem, kim pani jest, i siedziałem tu, obok słynnej Hedy Lamarr, cały w nerwach. Nie byłem w stanie nic zjeść. – Wskazał swój nieruszony talerz ostryg.

Roześmiałam się na te słowa. Co mogłam zrobić? Większość ludzi, którzy mnie jeszcze nie znali, reagowała podobnie, ale zazwyczaj nie mieli odwagi tego przyznać – zwłaszcza mężczyźni. Jego szczerość była jak powiew świeżości. Podałam mu rękę i powiedziałam:

– To ja powinnam przeprosić. Ostatnio niezbyt się udzielałam towarzysko i źle to wpłynęło na moje maniery.

– Czy wszystko w porządku, panno Lamarr? – Wydawał się zaniepokojony.

– Proszę mówić do mnie Hedy – odparłam i zapalając papierosa, zastanawiałam się chwilę, jak odpowiedzieć na jego pytanie. – Widzi pan, chodzi o wojnę. W jej obliczu codzienne życie w Ameryce stało się… – szukałam właściwego słowa – …trywialne. Nie mam ochoty na życie towarzyskie. Dziwnie się czuję, kręcąc filmy i zarabiając pieniądze tutaj, w Hollywood, kiedy reszta świata znalazła się w takim… – przerwałam w obawie, że moje słowa nie mają sensu dla Amerykanina, i zastanawiając się, czemu dzielę się z obcym człowiekiem najskrytszymi przemyśleniami.

– Rozumiem – wypełnił ciszę. – Moja żona jest Europejką i jej wojna wydaje się znacznie bardziej rzeczywista i nieuchronna niż mnie, chociaż mój brat Henry zginął w czerwcu, gdy pracował w amerykańskiej ambasadzie w Finlandii, wskutek krótkiej wojny między tym krajem a Związkiem Radzieckim.

Zakryłam usta dłonią.

– Tak mi przykro.

– Dziękuję. To straszliwa strata. Ale to też straszliwe czasy, nawet jeśli stąd, z Hollywood, tego nie widać – wskazał na wesoło tańczących gości.

– A więc naprawdę pan rozumie.

Poczułam ulgę, że prowadzimy poważną rozmowę zamiast tracić czas na miałkie pogawędki. Przez chwilę milczeliśmy, w zamyśleniu patrząc na tancerzy. Potem on zapytał:

– Jak to możliwe: siedzę obok Hedy Lamarr, a nie zaprosiłem jej do tańca. Mogę?

– A obrazi się pan, jeśli odmówię?

– Mówiąc szczerze, poczuję ulgę. Nigdy nie byłem dobrym tancerzem. Jestem raczej muzykiem.

– Muzykiem? Cudownie. Moja matka jest emerytowaną pianistką. Czy gra pan także na fortepianie?

– Tak, chociaż teraz częściej komponuję, niż gram.

– Jest pan kompozytorem! – Byłam zaintrygowana. – Przepraszam, ale chyba w końcu nie poznałam pańskiego nazwiska.

– George Antheil.

– Autor *Le Ballet mécanique*?

W młodości, podczas jednej z naszych rodzinnych wycieczek do Francji, słyszałam o tym raczej niesławnym utworze – który zakładał synchronizację kilkunastu pianoli i innych instrumentów, a brzmiał podobno jak atak nieskoordynowanego metrum i akordów o radykalnym brzmieniu – a także o zamieszkach, które wybuchły w Paryżu i w nowojorskim Carnegie Hall, kiedy odegrano go po raz pierwszy ponad dekadę temu. Pan Antheil był dość znanym kompozytorem i wykonawcą współczesnych utworów awangardowych, a także autorem dobrze przyjmowanych artykułów prasowych na temat wojny w Europie i stojących za nią reżimów politycznych. Oraz ostatnią osobą, którą spodziewałabym się spotkać na hollywoodzkim przyjęciu.

– Słyszała pani o tym utworze? – Był wyraźnie zaskoczony.

– Jak najbardziej. A więc to pan go skomponował?

– Tak, to ja.

– Co pana sprowadza do Hollywood?

Rozbawiło go moje zaskoczenie.

– Pracuję nad ścieżkami dźwiękowymi do kilku filmów.

– To chyba coś zupełnie innego niż to, co robił pan do tej pory.

– Cóż, wszyscy czasem potrzebujemy pieniędzy. A *Le Ballet mécanique* nie wystarczył, by opłacić czynsz – powiedział bez entuzjazmu.

– Powinien pan być z niego dumny. Słyszałam, że jest bardzo pomysłowy. Chciałabym usłyszeć, jak go pan gra.

– Naprawdę?

– Nie kłamałabym. – Wskazałam gestem fortepian.

Wstaliśmy, a gdy szliśmy do instrumentu, zauważyłam, że George jest ode mnie znacznie niższy. Ja miałam metr siedemdziesiąt, on pewnie z dziesięć centymetrów mniej. Różnica wzrostu przestała jednak mieć znaczenie, kiedy usiedliśmy przy fortepianie. Gdy zaczął grać, wydawał się wręcz rosnąć.

Le Ballet mécanique okazał się rzeczywiście utworem niezwykłym, ale też znacznie żywszym niż cokolwiek, co ostatnio słyszałam. Dźwiękowe dysonanse naładowały mnie energią, wyraziłam więc rozczarowanie, gdy utwór dobiegł końca.

– Domyślam się, że skoro pani matka jest pianistką, i pani potrafi świetnie grać, panno Lamarr – powiedział George.

– Proszę mi mówić Hedy. Owszem, gram, ale nie powiedziałabym, że świetnie. A tym bardziej nie powiedziałaby tak moja matka.

Wyobraziłam sobie przerażenie mamy, gdyby dowiedziała się, że znany kompozytor George Antheil pyta mnie o umiejętności muzyczne. Zapewne pierwsza zaczęłaby krytykować moją technikę.

– Zagrałabyś ze mną duet?

– Pod warunkiem, że nie będzie ci przeszkadzał mój brak umiejętności.

Uśmiechnął się do mnie szelmowsko i zaczął grać melodię, która wydawała mi się znajoma, ale nie umiałam jej zidentyfikować. Dołączyłam, jako że była dość prosta, a on po chwili zmienił utwór. Synchronizacja szła nam całkiem dobrze – bez wątpienia dzięki jego umiejętnościom, nie moim – zaczęliśmy więc przeskakiwać z jednego utworu do drugiego, nie przestając się śmiać.

Nagle przyszedł mi do głowy pewien pomysł. Od dawna zastanawiałam się nad tym, w jaki sposób torpedy i okręty mogłyby komunikować się ze sobą drogą radiową. Uniosłam palce ponad klawisze i zwróciłam się do George'a:

– Mam bardzo dziwną prośbę.

– Każda prośba Hedy Lamarr to dla mnie zaszczyt.

Patrząc błagalnie, spytałam:

– Czy nie zechciałbyś współpracować ze mną nad pewnym projektem? Projektem, który może pomóc zakończyć wojnę?

Rozdział trzydziesty siódmy

30 września 1940 roku
Los Angeles, Kalifornia

A więc to tak wygląda salon gwiazdy filmowej – mówił George, przechadzając się po białej przestrzeni, nieskazitelnie czystej, jeśli nie liczyć rozrzuconych materiałów służących do pracy. – Przyznam, że wyobrażałem sobie raczej mnóstwo kosmetyków, biżuterii i sukien, nie deski kreślarskie pełne szkiców i… – uniósł mój egzemplarz książki B.F. Miessnera *Radiodynamika: bezprzewodowa kontrola torped i innych mechanizmów* – niezrozumiałych książek.

Roześmiałam się, gestem omiatając pomieszczenie.

– W salonie tej gwiazdy filmowej panuje naukowy bałagan.

– Teraz rozumiem, dlaczego tak rzadko można cię ostatnio zobaczyć poza planem filmowym.

– Sprawdzałeś? – Nie wiedziałam, czy powinno mi to pochlebiać czy mnie zawstydzać.

– Przygotowuję się do lekcji – zawiesił głos dla efektu. – Zwłaszcza kiedy mam rozpocząć ważną pracę z rzeczoną gwiazdą.

Uznałam, że mi pochlebia.

– Cieszę się, że lubisz odrabiać lekcje, bo od tej pory prac domowych będzie bardzo dużo.

– Czy teraz dowiem się wreszcie, nad czym będziemy pracować?

– Na to wygląda. – Wskazałam mu krzesło naprzeciwko mnie.

Wzięłam głęboki oddech i zaczęłam opowiadać mu o moim życiu, kiedy byłam jeszcze panią Mandl. Nie zdradzałam, oczywiście, co okropniejszych szczegółów, ale mówiłam o niezliczonych zasłyszanych rozmowach o amunicji i broni oraz – co dla naszych celów najważniejsze – o torpedach. W największym skrócie wyjaśniłam mu problemy torped przewodowych i opowiedziałam o swoim pragnieniu stworzenia przeznaczonego dla aliantów systemu torped sterowanych radiowo, które precyzyjnie trafiałyby do celu i wykorzystywałyby niezakłócalne częstotliwości.

George wyglądał na zszokowanego. Gwizdnął cicho i powiedział:

– Jestem pod wielkim wrażeniem twojego zrozumienia tej technologii i wiedzy na temat wojskowych poczynań Trzeciej Rzeszy. Nie tego się spodziewałem i sam nie wiem, od czego zacząć, Hedy.

– Możesz zapytać mnie o cokolwiek.

Czułam się wolna, mogąc otwarcie rozmawiać z George'em o mojej przeszłości i ambicjach, zamiast kryć się za maską gwiazdy Hedy Lamarr, którą odgrywałam przez większość czasu. W jego głosie nie słyszałam oceny ani rozczarowania tą Hedy, miałam za to poczucie, że ktoś dostrzega mnie i akceptuje po raz pierwszy, odkąd przyjechałam do Hollywood.

– Dlaczego torpedy? Jak rozumiem, miałaś dostęp do najróżniejszych militarnych planów, ale skupiłaś się na torpedach.

– Z początku wcale nie skupiałam się właśnie na nich. Zanotowałam wszystko, co pamiętałam na temat strategii wojskowych i broni, i zaczęłam szukać obszaru, na który mogłabym wpłynąć. A potem Niemcy zatopili Benares. A ja przysięgłam sobie, że użyję swojej wiedzy, by pomóc aliantom zatopić każdy niemiecki okręt wojenny. Nigdy już nie chcę czytać o podobnej tragedii.

Był to oczywiście tylko jeden z powodów. Motywacją było moje przemożne poczucie winy. Chociaż tak dobrze nam się rozmawiało, nie mogłam zdradzić mu jeszcze szczegółów swojej przeszłości i podejrzeń dotyczących planów Hitlera.

– To ma sens. Benares było straszliwą tragedią – pokręcił głową. – Tyle dzieci zginęło…

– Właśnie. – Omal się nie rozpłakałam. – Miałam też wyjątkową okazję porozmawiać z niemieckim ekspertem od torped Hellmuthem Walterem. Zaczęliśmy od rozmowy na temat proponowanego przez niego rozwiązania problemów z napędem okrętów podwodnych przy użyciu nadtlenku wodoru, a następnie przeszliśmy do jego badań nad zdalnym sterowaniem torped. W tamtym czasie – do dzisiaj jest zresztą podobnie – większość armii wolała torpedy sterowane przewodowo: łączy je z okrętem cienki, izolowany przewód i są sterowane przez operatora. Walter pracuje nad zdalnym sterowaniem torped. Zajmował się systemem kontroli radiowej używanym przez bomby szybujące – skrzydlate bomby zrzucane z samolotów – który polega na przydzielaniu każdemu z bombowców i każdej bombie jednej z osiemnastu różnych częstotliwości radiowych. Jego wysiłki nie okazały się szczególnie owocne, ponieważ wróg potrafił zakłócić komunikację między bombowcem a bombą, kiedy rozpoznawał wykorzystywaną do komunikacji częstotliwość. Pomyślałam jednak, że może udałoby się zastosować nieco zmieniony system bomb szybujących w wypadku torped.

Przerwałam, czekając na komentarze czy pytania George'a. Zmarszczył brwi, wyraźnie zdezorientowany.

– Domyślam się, że masz jakieś pytania – powiedziałam.

– Tysiące – roześmiał się. – Ale najbardziej zastanawia mnie... no cóż, dlaczego ja? Czemu sądzisz, że kompozytor bez odpowiedniego wykształcenia pomoże ci rozwiązać problem, którego nie rozwiązały dotąd najwybitniejsze wojskowe umysły? Oczywiście nie chcę przez to powiedzieć, że ci nie pomogę.

– Cóż, masz wszystkie cechy niezbędne u mojego naukowego partnera w tym projekcie. Doskonale znasz się na instrumentach mechanicznych i jesteś wybitny. Patrzysz na problemy i na cały świat szeroko, w odróżnieniu od większości wynalazców i myślicieli, których horyzonty są wąskie. A to czyni cię osobą właściwszą do tej pracy od większości naukowców. Poza tym jesteś... – przerwałam.

– Tak?

– Jesteś źródłem inspiracji. Kiedy graliśmy razem na fortepianie podczas przyjęcia u Adrianów, rozwiązałam zagadkę zdalnie sterowanej torpedy niemożliwej do zablokowania – uśmiechnęłam się na wspomnienie tamtego przebłysku, kiedy to znalazłam odpowiedź na kluczowe pytanie dotyczące torped. – A przynajmniej znalazłam generalne rozwiązanie. I bardzo jasno zobaczyłam, jak możesz mi pomóc.

– I to wszystko dzięki naszemu duetowi? – Patrzył na mnie z niedowierzaniem.

– Owszem. – Zapaliłam papierosa, zaproponowałam drugiego George'owi, ale ten odmówił.

– Jak?

– Jak wspomniałam, głównym problemem zdalnie sterowanych torped, a takie pozwoliłyby na większą precyzję, bo ominęłyby ograniczenia, które wiążą się ze sterowaniem za pomocą przewodu, jest to, że wróg może bez trudu zakłócić częstotliwość, na której operator tą torpedą steruje. Nie rozwiązał go nawet taki ekspert jak Walter.

– To rozumiem. Ale co to ma wspólnego ze wspólną grą na fortepianie?

– Kiedy graliśmy w duecie, bez trudu przeskakiwaliśmy z utworu do utworu. Ty zaczynałeś, a ja podążałam za tobą. W pewnym sensie działałeś jak nadajnik sygnału – jak operator na okręcie – a ja jak odbiornik, czyli jak torpeda. Zaczęłam zastanawiać się, co by było, gdyby operator i torpeda przeskakiwali z jednej częstotliwości na drugą, tak jak my przeskakiwaliśmy z jednego utworu do drugiego. Takiej komunikacji nie dałoby się zakłócić, prawda? Mógłbyś pomóc mi zbudować instrument, który by tak działał.

George usiadł z powrotem w fotelu, w milczeniu rozmyślając nad moją teorią.

– To genialne, Hedy – powiedział cicho.

Ktoś zapukał do drzwi salonu.

– Proszę wejść, pani Burton – powiedziałam, wiedząc, że tylko ona jest w domu oprócz nas.

Niania w swoim uniformie otworzyła drzwi, prezentując mi Jamesiego w niebieskich śpioszkach.

– Młody dżentelmen jest gotowy do snu – oznajmiła.

Zerwałam się, żeby wziąć go na ręce.

– Daj mamie buziaka przed snem – poprosiłam, łaskocząc go w małe stópki.

Pocałowaliśmy się z Jamesiem, a ja przez dłuższą chwilę wąchałam jego pachnącą mydłem i pudrem szyjkę.

– Dobranoc, kochanie – wyszeptałam i niechętnie oddałam go pani Burton. Zamknęłam za nimi drzwi i znów usiadłam naprzeciw George'a. – Na czym skończyliśmy?

– Ty masz syna? – wydawał się zszokowany.

– Tak. Adoptowaliśmy go z Gene'em Markeyem, kiedy byliśmy małżeństwem. Gdy dołączył do nas w październiku trzydziestego dziewiątego roku, miał osiem miesięcy.

– A teraz, po rozwodzie?

– Jest tylko mój – chwilę milczałam, zastanawiając się, czy powierzyć George'owi tajemnicę moją i Jamesiego. Postanowiłam zatrzymać się w połowie drogi. – Nie ma nikogo innego na świecie. Jest uchodźcą z Europy.

– Ach – spojrzał na mnie ze zrozumieniem. – Teraz wszystko nabiera sensu. Mały uchodźca, Benares, torpedy.

Kiwnęłam głową. Niech George sądzi, że adopcja Jamesiego i tragedia Benares były jedynymi impulsami mojej pracy. Ja wiedziałam, że Jamesie jest tylko jedną z wielu ofiar Trzeciej Rzeszy, które musiałam uratować. Wiedziałam, że kiedy uciekłam z Austrii, nie dzieląc się z nikim swoimi podejrzeniami – i nikogo ze sobą nie zabierając – sama nałożyłam na siebie obowiązek pomocy wielu, wielu ludziom.

Rozdział trzydziesty ósmy

19 października 1940 roku
Los Angeles, Kalifornia

Praca zmieniła mnie fizycznie i psychicznie. Nie czułam się już rozdarta.

– Hedy, posprzątasz tu kiedyś? – zawołał George z progu mojego salonu, gdzie na podłodze leżały wciąż rozrzucone pozostałości naszych ostatnich spotkań.

Poznaliśmy się bardzo dobrze i swobodnie się przekomarzaliśmy, trochę jak rodzeństwo. Była to bardzo mile widziana odmiana w stosunku do tego, jak traktowali mnie zazwyczaj mężczyźni – nadgorliwi wielbiciele męczyli mnie swoimi desperackimi zalotami, zaś chłodni filmowcy traktowali mnie jak przedmiot występujący w ich filmach.

George wiedział, że może krzyczeć, bo w sobotnie popołudnia pani Burton zazwyczaj zabierała Jamesiego do parku. Praca nad moim nowym filmem *Kulisy wielkiej rewii* była tak wymagająca, że z George'em musiałam spotykać się w weekendy. Do tej pory umawialiśmy się po pracy w dni powszednie, ponieważ wolne soboty i niedziele wolałam spędzać z Jamesiem. George twierdził, że ta zmiana mu nie przeszkadza, ponieważ jego żona i syn odwiedzali akurat rodzinę na wschodnim wybrzeżu, mimo to miałam jednak wrażenie, że zabieram jego prywatny czas.

– Przenieśmy się dzisiaj na patio. Pogoda jest piękna – odpowiedziałam z kuchni, w której parzyłam kawę.

Ogromne ilości kawy napędzały nasze gorące dyskusje, podczas których poszukiwaliśmy mechanizmu synchronizującego częstotliwość naszego okrętu podwodnego i torped. Zawsze sama ją parzyłam, gdyż służba zamiast porządnej, mocnej austriackiej kawy przyrządzała amerykańską lurę.

W Kalifornii październikowe popołudnie było oczywiście ciepłe, ale mimo gorących promieni niestrudzonego słońca wyczuwałam lekką rześką bryzę. Chłód przypomniał mi kolorowe wiedeńskie jesienie i zatęskniłam nagle za Döbling i za papą. Na myśl o nim do oczu napłynęły mi łzy i zaczęłam się zastanawiać, czy byłby dumny z pracy, której się teraz oddawałam. W końcu to w niedzielne popołudnia cierpliwie mi tłumaczył, jak działa świat, i tylko dzięki temu byłam teraz na tyle pewna siebie, by prowadzić z George'em badania. Dopiero teraz zaczynałam rozumieć, jak bardzo ukształtowały mnie godziny z nim spędzone. Jedno wiedziałam na pewno: tata byłby dumny, że udało mi się bezpiecznie przenieść mamę do Kanady z bombardowanego Londynu.

Wytarłszy łzę, podniosłam ciężką tacę i wyszłam na patio. George rozłożył już deskę kreślarską i tablicę, na której rozpisaliśmy konstrukcję naszego wynalazku.

Spotykaliśmy się niemal codziennie przez kilka tygodni, ale wreszcie ustaliliśmy trzy powiązane ze sobą cele i zaczęliśmy do nich dążyć. Były to: (1) stworzenie zdalnie sterowanych torped o większej dokładności, (2) opracowanie systemu dla sygnałów radiowych pomiędzy samolotem, okrętem a torpedą i (3) opracowanie mechanizmu, który zsynchronizowałby przeskakiwanie między częstotliwościami radiowymi, by uniknąć zakłócenia sygnału przez wroga.

Nalałam nam po filiżance parującej kawy. Popijając ją powoli i patrząc na tablicę, siedzieliśmy w cieniu parasola i słuchaliśmy szumu poruszających się na wietrze liści figowców, dębów i jaworów. Był to przyjemny, uspokajający dźwięk.

– Widzę, że *Kulisy wielkiej rewii* dają ci się we znaki – zauważył George.

Zerkając na swoje pogniecione lniane spodnie i gładząc niedbale zaplecione włosy, chciałam mu powiedzieć, że ten wybór stroju stanowi dowód na to, jak swobodnie czuję się w jego towarzystwie i że powinien odbierać go jako komplement. Wiedziałam też jednak, że długie dni na planie musicalu o trzech tancerkach z Judy Garland, Laną Turner, Tonym Martinem i Jimmym Stewartem u boku dołożyły pewnie do tego nabiegłe krwią, zapuchnięte oczy. Jimmy był uroczym, dobrym człowiekiem, jednak napięcie między mną, Laną i Judy rosło, ponieważ wszystkie kobiety nieustannie walczyły o więcej czasu ekranowego i ciekawsze kwestie. Mimo to nie żałowałam swojej decyzji, ponieważ lekki, dowcipny musical wniósł nieco beztroski w moje dokonania zawodowe. Spędziłam wiele godzin z moim drogim przyjacielem Adrianem, który przygotowywał mi kostiumy, między innymi fantastyczny stroik na głowę z pawich piór. Nie potrafiłam przewidzieć, jak film zostanie odebrany, ale cieszył mnie jego lekki wydźwięk.

– Może to tak właśnie wyglądam bez wszystkich ozdób. Może to prawdziwa ja, którą pokazuję tylko nielicznym. – Mówiłam niby żartem, ale szczerze.

Od tak dawna przeglądałam się w oczach innych, że w towarzystwie George'a czułam ulgę, bo przy nim nie siliłam się na sztuczność. Tu, na moim patio i w moim salonie, czułam się na tyle bezpiecznie, by zrzucić z siebie maski, chociaż wciąż nękało mnie pytanie, czy na to zasługuję. Już raz dostałam możliwość przemiany i teraz zastanawiałam się, czy kolejna jest usprawiedliwiona.

– Czuję się zaszczycony – odrzekł George, a ja byłam pewna, że mówi szczerze. – Ale nikt by w to nie uwierzył. Oczywiście gdybym komukolwiek o tym powiedział, a nie zamierzam.

Roześmiałam się, wiedząc, że ma rację. Niechętnie podniósłszy się z wygodnego fotela, stanęłam przed tablicą. Zrobiliśmy wyraźne postępy, jeśli chodzi o dwa pierwsze z naszych celów, ale wiedzieliśmy, że teraz musimy skupić się na trzecim.

– Czy jesteśmy gotowi na kolejny etap? – zapytałam.

– Mam nadzieję. – Zatarł ręce, jakby rozgrzewał się przed walką.

Odsłoniłam kolejny arkusz, ukazując listę pomysłów na mechanizm konieczny, by nadajnik i odbiornik radiowy mogły przeskakiwać jednocześnie z jednej częstotliwości na drugą. Czasem przerzucaliśmy się na niemiecki, George nauczył się tego języka od pochodzących z Niemiec rodziców; wtedy nazywaliśmy to urządzenie *Frequenzsprungverfahren*.

Na razie nasz plan wyglądał następująco: kiedy już okręt wyrzuca torpedę, lecący nad nim samolot ma sygnalizować korektę kursu, okręt zaś przekazywać ją torpedzie, a pomiędzy każdym krótkim sygnałem częstotliwość zmieniałaby się ręcznie z minutowymi przerwami. Już sam pomysł zmieniania częstotliwości, by uniknąć wykrycia i zakłócenia, był nowością – inspiracją był dla mnie pierwszy duet fortepianowy z George'em – ale zależało nam na systemie bardziej zaawansowanym, który nie opierałby się jedynie na ręcznej zmianie częstotliwości. Ludzie często popełniali błędy, a trafienie we właściwy moment było absolutnie kluczowe.

Jaką jednak formę miałby ten system przyjąć? Jaki mechanizm mógłby wykonać to zadanie? Wielokrotnie zadawaliśmy sobie te pytania, czego odbiciem był narysowany wykres. Musieliśmy zacząć od nowa, przerzuciłam więc arkusz i zapisałam nasz cel: „Zsynchronizowany przyrząd zmieniający częstotliwości radiowe".

Z kawą w dłoni zaczęłam chodzić w tę i z powrotem po patio, zastanawiając się, jakie urządzenie mogłoby przekazywać informacje o sekwencjach częstotliwości radiowych i jednocześnie potrafiło je zmieniać. Kiedy skończyłam kawę, zapaliłam papierosa i chodziłam dalej. Ani denko filiżanki, ani dym papierosowy nie spisały się jako źródło inspiracji, a kiedy zerknęłam na George'a, domyśliłam się, że i on nie doznał jak dotąd olśnienia. Być może postawiłam przed nami zadanie niemożliwe. Koniec końców nie rozwiązali tego problemu także najbardziej błyskotliwi naukowcy – czemu w ogóle sądziłam, że uda się to niewykształconej aktorce i muzykowi? Czułam się głupia.

Wspomniałam nasz duet. Wtedy byłam przekonana, że jesteśmy właściwymi partnerami do tego projektu, chociaż nasze przygotowanie do niego było co najmniej nieoczywiste. Nie tylko dlatego, że duet był zarzewiem mojego pomysłu na synchroniczność, ale i dlatego, że niezwykły intelekt i doświadczenie George'a w budowaniu maszyn – choć były to mechanizmy muzyczne – dawały mi dużą nadzieję.

Zwolniłam. W mojej głowie, gdzieś na skraju świadomości, zaczął krystalizować się pewien pomysł. Przypomniałam sobie maszyny George'a. Na przykład pianolowe taśmy, których używał, by osiągnąć synchroniczność w *Le Ballet mécanique*. Miały one perforacje, dzięki którym instrument otrzymywał sygnał, by zmienić klawisze. Patrząc z nieco innej perspektywy: czy taśmy – lub coś podobnego – nie mogłyby służyć do wymiany zsynchronizowanych instrukcji zmiany częstotliwości między okrętem a torpedą?

Wzięłam ze stołu czerwony długopis i podeszłam do tablicy. Wielkimi literami napisałam na niemal pustej białej kartce słowo TAŚMA.

George spojrzał na mnie:

– Co masz na myśli, bo chyba nie jedwabne tasiemki swojej sukni?

Byłam tak podekscytowana możliwościami, które się przede mną otwierały, że nawet nie zirytował mnie jego niemądry komentarz. Roześmiałam się.

– Nie, taśmę pianoli. Może stworzylibyśmy dla okrętu i torpedy coś podobnego, co miałoby dziurki – jak rolka pianoli – z instrukcjami dla przeskakującej między częstotliwościami sekwencji radiowej? Jedno działałoby jako nadajnik, drugie – jako odbiornik.

George aż podskoczył.

– O Boże, tak. Czemu wcześniej o tym nie pomyśleliśmy? Moglibyśmy użyć pasujących do siebie rolek papieru, podobnych do taśm w pianolach, z otworami kodującymi zmiany częstotliwości.

– Ale w jaki sposób zmieniałoby to sygnał radiowy?

Wyrwał mi czerwony długopis z dłoni i zaczął szkicować coś na kartce.

– Spójrz, Hedy. – Wskazał mi swój szkic. – Kiedy podziurkowane taśmy owijają się wokół panelu sterowania, mogą uruchomić mechanizm poruszający poszczególne przełączniki łączące się z oscylatorem, który wytwarza sygnał radiowy.

– Tym samym eliminując udział człowieka w przełączaniu sygnału.

– Tak.

– Pozwoliłoby to na skakanie po całym spektrum, nie tylko w ograniczonej skali. Zakłócenie sygnału stałoby się niemal niemożliwe.

– Tego właśnie chciałaś.

– Kod niemożliwy do złamania – wyszeptałam te słowa niczym mantrę. Albo modlitwę.

Zrobiliśmy to. Stworzyliśmy urządzenie, którego istnienie podawałam w wątpliwość jeszcze kilka minut wcześniej. Czułam taką radość i dumę, jakich nigdy nie doświadczyłam podczas kariery aktorskiej. Odruchowo przytuliłam George'a.

On mnie też. Spoglądając na niego z góry – był ode mnie kilka centymetrów niższy – uśmiechnęłam się, a wtedy on wyciągnął szyję i pocałował mnie w usta.

Odsunęłam się, wściekła. Nie dlatego, że sobie na to pozwolił, ale dlatego, co oznaczało to dla naszej przyjaźni.

– Jak mogłeś?

Zrobił się czerwony na twarzy, a usta zakrył dłonią.

– Co ja zrobiłem? Hedy, tak bardzo cię przepraszam.

– Przyzwyczaiłam się, że mężczyźni traktują mnie w ten sposób, George, jakbym była przedmiotem skrojonym pod ich fantazje, ale po tobie spodziewałam się czegoś więcej. Nigdy wcześniej nie przytrafiła mi się taka przyjaźń i współpraca jak ta między nami. Nasza relacja znaczy dla mnie więcej niż jakikolwiek romans. Rozumiesz?

Jego rumiane policzki zbladły. Pokiwał głową.

– Rozumiem. Wybaczysz mi?

Wybaczałam w życiu znacznie gorsze pogwałcenia intymności mojego ciała, ale rzadko zdarzały mi się podobne krzywdy na duchu i ciele jednocześnie. A jednak, patrząc mu w oczy, widziałam skruchę. Poznałam ją, ponieważ coś podobnego widziałam codziennie w lustrze. Czy mogłam odmówić mu rozgrzeszenia, którego sama szukałam? Czy przebaczenie nie było impulsem dla całego tego przedsięwzięcia?

– Oczywiście, George – powiedziałam poważnie, po czym szturchnęłam go lekko, by rozładować napięcie. – Ale żeby mi to było ostatni raz.

Rozdział trzydziesty dziewiąty

26 października 1940 roku
Los Angeles, Kalifornia

Co to za bazgroły? – spytał George, mrużąc oczy i wskazując zdanie obok słowa „taśma". – W twojej ekskluzywnej szwajcarskiej szkole pisać cię nie nauczyli.

Roześmiałam się. Często żartowaliśmy z George'em z mojej niepraktycznej elitarnej edukacji, zwłaszcza gdy skonfrontować ją z technicznymi informacjami naukowymi, które zdobyłam sama. Jakimś cudem, rozmawiając na podobne tematy z George'em, nie czułam się zepchnięta do defensywy, jak miałoby to miejsce z innym mężczyzną. Albo z mamą.

Po kilku dniach niezręczności i sztywnej wymiany zdań znów czułam się w towarzystwie George'a równie swobodnie, jakby był bratem, którego nigdy nie miałam. Rozumiałam, że jego zachowanie było czymś w rodzaju, jak nazywała to Susie, odruchu bezwarunkowego, narzuconego mężczyznom przez społeczeństwo, i wybaczyłam mu.

– Doskonale wiesz, że tu jest napisane „Philco Remote Control" – roześmiałam się.

Pod tą nazwą kryło się nowe urządzenie sterujące torpedą. Pomysł, zainspirowany służącym zmianie częstotliwości przez użytkowników systemem radiowym Philco, który niedawno wszedł na rynek, nawiązywał do naszego podstawowego projektu mechanizmu mającego odnosić się do sygnałów radiowych i przetwarzania ich na namiary dla torped. Nasz pomysł był nieco inny. Zaczęło się od fragmentu koncepcji, z którego powstał finalny, w pełni rozwinięty projekt. Uśmiechnęliśmy się do siebie, potwierdzając, że i ta część pomysłu jest wykonalna. Orientacyjny szkic stawał się rzeczywistością. Sądziliśmy, że niedługo będziemy mogli zgłosić go do National Investors Council, Narodowej Rady Wynalazców – był to pierwszy krok w procesie akceptowania nowej technologii przez wojsko. Mieliśmy nadzieję, że ostatecznie zostanie ona przyjęta przez marynarkę.

Drzwi wejściowe, które zostawiłam otwarte, by do środka dostał się lekki wietrzyk, zatrzasnęły się.

– Pani Burton! – zawołałam. – Mogłaby pani przyprowadzić do mnie Jamesiego przed jego drzemką? – Tęskniłam za miękkim brzuszkiem mojego syna. Fizyczny kontakt z jego skórą łagodził poczucie winy, że spędzam z nim za mało czasu.

Usłyszałam kroki na marmurowej posadzce, ale pani Burton i Jamesie się nie pojawili. Może niania mnie nie usłyszała?

– Pani Burton? – zawołałam znowu.

Kroki stały się głośniejsze, ale to nie pani Burton otworzyła drzwi do patio i przekroczyła próg, lecz drobna, ładna kobieta z ciemnymi włosami i wysokimi, słowiańskimi kośćmi policzkowymi. Kim ona była i co robiła w moim domu?

Już chciałam krzyknąć, że ktoś się włamał do domu, kiedy przemówił George.

– Boski, co ty tu robisz?

Boski była żoną George'a. Myślałam, że jest razem z synem u rodziny na wschodnim wybrzeżu. To właśnie powiedział mi George podczas naszego pierwszego spotkania, ale nie wspominał, że wrócili, co najwyżej czasem opowiadał jakąś anegdotkę o swoim synu, którą Boski opisała mu w liście.

Dopiero po chwili zdałam sobie sprawę, że łagodne pozory kryją furię.

– Co ja tu robię? – wrzasnęła. – Powiedz mi lepiej, co ty robisz, spędzając sobotę z gwiazdą filmową, podczas gdy twoja żona i syn wrócili do domu po dwóch miesiącach na wschodnim wybrzeżu, gdzie wspierali twoich rodziców po śmierci twojego brata! Sama musiałam się przekonać o twoim wiarołomstwie.

George już miał odpowiedzieć coś wściekle, ale uniosłam dłoń, żeby go uciszyć. Rozumiałam tę kobietę. Byłam tą kobietą. Ostatnim, czego teraz potrzebowała, były pospieszne tłumaczenia męża.

Podeszłam do niej i wyciągnęłam dłonie. Skrzywiła się, ale w końcu podała mi swoje.

– Pani Antheil, zapewniam panią, że między mną a pani mężem nie wydarzyło się nic nieprzyzwoitego.

Nie chciałam tłumaczyć, że niezależnie od zalotów sprzed tygodnia miałam George'a za brata. Ani że odkąd zaczęliśmy pracę, rozwiodłam się z Gene'em Markeyem i spotykałam z aktorem Johnem Howardem, playboyem Jockiem Whitneyem i potentatem przemysłowym Howardem Hughesem, który udostępnił mi parę swoich chemików i laboratorium, by wesprzeć moje niemilitarne pomysły na wynalazki, takie jak rozpuszczalne kostki zmieniające wodę w napój w stylu coca-coli. Nigdy nie myślałam o George'u w podobny romantyczny sposób co o tych mężczyznach, chociaż pod wieloma względami był dla mnie znacznie ważniejszy niż ci, z którymi umawiałam się na randki. Od Fritza, od Gene'a, od wszystkich, którzy nastąpili po nich, nauczyłam się, że zatracenie siebie w mężczyźnie nie uchroni mnie przed sobą samą i moim poczuciem winy. Musiałam się uratować, a George był moim partnerem w tym odkupieniu.

– Pracujemy z pani mężem nad projektem – podjęłam – który może pomóc w zakończeniu wojny. Jakkolwiek nieprawdopodobne może się to wydawać, projektujemy nowy system torped.

Pani Antheil popatrzyła na mnie z otwartymi ustami, po czym wybuchła histerycznym śmiechem. Z akcentem silniejszym nawet niż mój powiedziała:

– Mam uwierzyć w te bzdury, panno Lamarr? Nie jestem idiotką. Mój mąż jest muzykiem, nie naukowcem, pani zaś… – zawahała się, ale zaraz wyzwoliła słuszną wściekłość – …jest tylko ładną buźką.

Ta etykietka zirytowała mnie, bo odzwierciedlała mój marzeczywisty lęk – że Narodowa Rada Wynalazców i marynarka wojenna odrzucą nasz wynalazek ze względu na mnie. Zamiast jednak ostro ripostować, odpowiedziałam łagodnie i spokojnie. Nie mogłam pozwolić, by cokolwiek zniszczyło moją współpracę z George'em. Co by się stało, gdyby zabroniła mu ze mną pracować? Nie mogłam znieść myśli, że będziemy musieli przerwać tak blisko celu.

– Chciałam pracować z pani mężem właśnie dlatego, że jest muzykiem. W jego symfonii *Le Ballet mécanique* maszyny rozmawiają ze sobą w synchronii. Takiej właśnie wiedzy było potrzeba mojej wizji systemu torped. Mogę pokazać pani nasze badania?

Poprowadziłam ją przez patio do salonu i pokazałam nasze deski kreślarskie, notatki, modele, wyliczenia, a także książki o fizyce, torpedach i częstotliwościach radiowych. Skrzyżowała ramiona na piersi i ściągnęła brwi. Nawet nie zerknęła na męża, ale jej bystrym, spostrzegawczym oczom nie umknęły żadne szczegóły naszej pracy. Wreszcie jej twarz złagodniała, kiedy powiedziałam:

– Przepraszam, że zabrałam pani męża w czasie weekendu. Obiecuję, że ten czas będzie od tej pory święty. Podobnie jak każdy projekt, który pozwoli mu zarobić na waszą rodzinę. A pani i pani syn jesteście tu zawsze mile widziani. Nasi synowie mogliby bawić się razem w basenie.

– Ma pani syna? – spytała, zaskoczona.

– Tak, ma osiemnaście miesięcy.

– Dziękuję, panno Lamarr – powiedziała po chwili wahania.

– Proszę mówić do mnie Hedy. Pani też jest Europejką, prawda? Z Węgier?

Kiwnęła głową.

– Ja jestem Austriaczką. Wojna uczyniła wrogami wielu dawnych przyjaciół. Nie pozwólmy, by nam przeszkodziła się zaprzyjaźnić.

– No dobrze – odpowiedziała po chwili.

Wzięłam ją za rękę i poprowadziłam do rogu salonu, gdzie znajdował się model naszego systemu zrobiony z zapałek.

– Zapraszam. Pokażę pani, w jaki sposób chcemy z pani mężem zakończyć wojnę.

Rozdział czterdziesty

4 września 1941 roku
Los Angeles, Kalifornia

Patrzyłam w lustro, jak Susie odmienia moją twarz, kiedy George bez pukania otworzył drzwi mojej garderoby. Wbiegł do środka, ściskając w dłoni kartkę.

– Hedy! – zawołał. – Hedy, nie uwierzysz.

Susie aż podskoczyła. Właśnie skończyła zapinać stylową, chociaż praktyczną suknię, którą miałam nosić w najbliższej scenie mojego nowego filmu *H.M. Pulham, Esq.*, w której moja bohaterka poznaje swojego potencjalnego kochanka, granego przez Roberta Younga. Zdjęcia dopiero się zaczęły, ale byłam tym filmem bardziej podekscytowana niż jakimkolwiek innym od czasów *Algieru*.

Spoglądając na czerwonego na twarzy, dyszącego ciężko George'a, który nigdy dotąd nie odwiedził mnie na planie żadnego filmu, Susie rozsądnie założyła, że to intruz – choć niegroźny, biorąc pod uwagę jego wzrost i nie najlepszą kondycję.

– Czy mam wezwać ochronę, panno Lamarr?

– Nie, nie, Susie, choć dziękuję ci za propozycję. Pan George Antheil – zawiesiłam głos i uniosłam brwi – jest moim przyjacielem, któremu zdarza się czasem zapominać o dobrych manierach.

– Skoro jest pani pewna… – zawahała się Susie.

– Jestem. Czy mogłabyś sprawdzić, o której będą mnie oczekiwać na planie? Ja w tym czasie zajmę się panem Antheilem. Nie chcę, by pan Vidor musiał na mnie czekać.

Miałam wielki dług wobec Kinga Vidora – reżysera tego filmu oraz *Towarzysza X*. Po niemile widzianej przerwie w pracy – najpierw miałam zapalenie płuc, a później pan Mayer nie chciał użyczyć mnie innemu studiu – Vidor obsadził mnie w roli kierowniczki agencji reklamowej Marvin Myles w swoim najnowszym filmie *H.M. Pulham, Esq*. Pan Mayer z początku stawiał opór, ale wywalczyłam tę nietypową rolę, opracowaną na moją prośbę. Vidor nie obsadził mnie w roli egzotycznego i pięknego lodowego posągu, ale dał mi szansę zagrania postaci wyróżniającej się nie wyglądem, lecz intelektem i ambicją. Udało mu się zajrzeć w głąb mnie i na pewnym poziomie zrozumieć, że taką właśnie kobietą stałam się poza planem.

Susie zerknęła na George'a podejrzliwie, ale ustąpiła.

– Dobrze, proszę pani, pójdę spytać – powiedziała, cicho zamykając za sobą drzwi.

– Nie mogłeś poczekać do wieczora, George? – spytałam, zirytowana. – Ten film wiele dla mnie znaczy.

Wieczorem mieliśmy spotkać się po kolacji w moim domu ku rozczarowaniu Johna Howarda, z którym znów zaczęłam się umawiać. Choć John rozumiał, że moja relacja z George'em jest zawodowa i platoniczna, wyczuwał też, że w jego towarzystwie tryskam energią bardziej niż przy kimkolwiek innym, i nie znosił być spychany na drugi plan, nawet gdy tłumaczyłam mu, że pracujemy nad kolejnym wojskowym wynalazkiem. Tym razem chodziło o pocisk przeciwlotniczy, który eksplodowałby nie w chwili uderzenia, tylko zbliżając się do samolotu. Myślę, że John nie do końca mi wierzył, ale przekonałam go, że jego wyrzuty są małostkowe i bezpodstawne. Gdyby nie udało mi się go przekonać, i tak nie zmieniłabym planów, za to pozbyłabym się jego i wymieniła na kogoś innego; nie zamierzałam pozwolić, by ktokolwiek przeszkodził mi w pracy.

Tymczasowo odstawiliśmy na bok system torped, ponieważ czekaliśmy na odpowiedź na naszą propozycję. Zgodnie z planem w grudniu zgłosiliśmy Narodowej Radzie Wynalazców szczegółowy opis naszego systemu komunikacji. Od samego początku spodziewaliśmy się, że rada zareaguje pozytywnie, nie tylko dlatego, że wierzyliśmy w swój wynalazek, ale też dlatego, że katalizatory naszych wysiłków były podobne. Podczas gdy nasz system był po części inspirowany straszliwą tragedią Benares, sama Rada powstała podczas wielkiej wojny, kiedy statek pasażerski zwany RMS Lusitania został ostrzelany podczas transatlantyckiego rejsu z Nowego Jorku do Liverpoolu. Minęło jednak wiele miesięcy, odkąd przedstawiliśmy swoją propozycję. Chociaż staraliśmy się wciąż myśleć pozytywnie, odkąd w czerwcu, zgodnie z sugestią członka rady Lawrence'a Langnera, który spotkał się z nami, by wyrazić swoje poparcie, a nawet przedstawić nas profesorowi z California Institute of Technology Samuelowi McKeownowi i prawnikom patentowym z kancelarii Lyon & Lyon, zgłosiliśmy patent, teraz zaczęliśmy tracić nadzieję.

Eskalacja działań wojennych na wszystkich frontach jeszcze bardziej nas przygnębiła. Codziennie czytaliśmy przerażające wiadomości. Hitler prowadził ekspansję na wschód i na południe Europy, aż do Grecji. Coraz cięższe walki toczono w Afryce, między innymi na terenach, na których Fritz dostarczał broń Mussoliniemu; wciąż trwały naloty na Anglię, Szkocję, Irlandię i Walię; naziści utworzyli rząd Vichy we Francji, zaś na Atlantyku wzmogła się ofensywa niemieckich U-Bootów. W gazetach nie można było jednak przeczytać o eskalacji przemocy wobec Żydów ani o zamykaniu ich w gettach i obozach koncentracyjnych; o tym dowiadywaliśmy się od naszej siatki europejskich przyjaciół. Chociaż Stany Zjednoczone wciąż jeszcze nie przyłączyły się do walk, można było odnieść wrażenie, że już jesteśmy oblężeni, a ja chciałam, by nasz system był gotowy, nim wojna zostanie wypowiedziana.

Pośród wszystkich tych ponurych wieści jedyną pozytywną była ta o przeniesieniu mamy z Kanady do Stanów. Wiele miesięcy zajęło mi obalenie barykady, którą Amerykanie wznieśli, by chronić się przed napływem uchodźców. Jako że mama znajdowała się tymczasowo we względnie bezpiecznej Kanadzie, trudno było dowieść, że przeprowadzka jest konieczna, chociaż ona w odróżnieniu od wielu imigrantów nie stanowiła „ciężaru ekonomicznego". Wreszcie jednak, dzięki pracy z prawnikami i wymuszeniu pomocy na panu Mayerze, otrzymałam nieoficjalne potwierdzenie, że zostanie wpuszczona.

– Nie, Hedy, nie mogłem czekać. Od miesięcy czekaliśmy na odpowiedź, a teraz wreszcie przyszła.

Zerwałam się z krzesła.

– Decyzja rady?

– A cóż innego? – Trzymał kartkę blisko piersi z tajemniczym uśmiechem na twarzy.

Sięgnęłam po nią, ale odsunął ją ode mnie.

– Pozwól, że przeczytam ci najważniejsze fragmenty.

– Tylko się pospiesz. Muszę zaraz iść na plan, a dłużej już nie wytrzymam.

– List adresowany jest do Marynarki Stanów Zjednoczonych, ale Narodowa Rada Wynalazców przesłała nam kopię do wiadomości. Później możemy przyjrzeć się każdemu słowu po kolei, na razie jednak przejdę do najważniejszego zdania. – Przerwał i znów zerknął na mnie, nie umiejąc powstrzymać uśmiechu, który mimowolnie pojawiał się na jego wciąż chłopięcej twarzy. – O, tutaj jest. – „Po zapoznaniu się z analizami i szczegółowym przestudiowaniu propozycji Narodowa Rada Wynalazków zaleca, by Marynarka Wojenna Stanów Zjednoczonych rozważyła wykorzystanie projektu pani Hedwig Kiesler Markey i pana George'a Antheila do celów wojskowych".

Specjalnie postanowiłam użyć nazwiska innego niż Hedy Lamarr. Obawiałam się, że moja sława negatywnie wpłynie na decyzję rady. Pisnęłam z radości, ale nim zdążyłam zarzucić go pytaniami, George dodał:

– A co najlepsze, Hedy, rekomendację tę wydał nie kto inny, lecz Charles Kettering.

– Charles Kettering?! – Aż mi się w głowie zakręciło na dźwięk tego nazwiska. Był to słynny wynalazca i przewodniczący rady. Kilka lat wcześniej pojawił się nawet na okładce „Time'a".

– Właśnie on. Jego zdaniem wynalazek jest na tyle obiecujący, że warto polecić go marynarce wojennej.

Czy odważę się wypowiedzieć myśl, która przyszła mi do głowy? Czy nadzieja nie oznaczała zachłanności?

– Skoro Kettering dostrzega w nim taki potencjał, marynarka chyba musi się zgodzić?

– Też mi się tak wydaje. – Jego wielkie, błękitne, dziecięce oczy rozbłysły.

– Teraz możemy tylko czekać na ich odpowiedź.

– Tak, nigdy dość czekania.

– Ale to już chyba czysta formalność?

– Miejmy nadzieję, Hedy.

Uśmiechnęliśmy się do siebie szeroko, a mnie ogarnęła euforia na myśl o tym, że ktoś wreszcie publicznie docenił moją pracę, nie tylko wygląd. Miałam ochotę świętować, ale wiedziałam, że zaraz będę musiała pojawić się na planie *H.M. Pulham, Esq.* Okazja była jednak zbyt ważna, by całkiem ją zignorować, nalałam nam więc po kieliszku brandy i wznieśliśmy toast.

Czy to naprawdę możliwe, że swoim wynalazkiem, który wesprze wrogów Trzeciej Rzeszy, zdołam odkupić winy? Że ratując życie atakowanych na morzu, oddam sprawiedliwość ludziom pozostawionym w Austrii? I czy to możliwe, że przy okazji stanę się kimś więcej niż tylko „ładną buzią”?

„Nie” – skarciłam się w milczeniu, odstawiając kieliszek po brandy na stół z siłą, która zaskoczyła George’a. Byłam na siebie zła. Jak śmiałam liczyć na nagrodę, skoro odprawiałam pokutę? Musiało mi wystarczyć, że nasz wynalazek ma szansę doprowadzić do skrócenia wojny.

Rozdział czterdziesty pierwszy

7 grudnia 1941 roku
Los Angeles, Kalifornia

Pomimo niedzieli na planie *Tortilla Flat* zebrała się cała ekipa. Przyzwyczailiśmy się do pracy nad adaptacją powieści Johna Steinbecka siedem dni w tygodniu. Nasz reżyser Victor Fleming wymagał od siebie więcej jeszcze niż od aktorów, nigdy więc nie narzekaliśmy, nawet kiedy musiałam odwoływać kolejne weekendowe plany z moim nowym mężczyzną, wysokim aktorem z Montany George'em Montgomerym. I tak jednak nie podobało mi się, gdy omijały mnie wieczory z moim nowym, romantycznym George'em, którego śmiech przyciągnął mnie do niego w mroczny czas.

Umówiłam się już z panią Burton, że zajmie się Jamesiem w dzień, kiedy zazwyczaj miała wolne, i wróciłam na plan, gdzie słońce płonęło wysoko ponad Hollywood Hills. Susie w milczeniu pomagała mi włożyć prosty kostium. *Tortilla Flat* opowiadało historię Kalifornijczyków hiszpańskiego pochodzenia, a moja bohaterka Dolores

Ramirez była pracownicą fabryki konserw. Dzisiejsza scena wymagała robotniczego uniformu i w odróżnieniu od większości moich filmowych ról – ledwie odrobiny makijażu. Cieszyłam się ze swobody ruchu, którą dawały mi prosty strój i fryzura.

Wypiłam ostatni łyk mocnej kawy w austriackim stylu, którą zaparzyłam sobie w garderobie, i długim korytarzem ruszyłam w stronę wielkiej hali zdjęciowej, w której odtworzono wiejski pejzaż łącznie ze stadem zwierząt gospodarskich. Stukot moich obcasów odbijał się echem w niemal pustym budynku. Spodziewałam się usłyszeć zaraz typowy dla filmowej ekipy harmider, a tymczasem dobiegło mnie mrożące krew w żyłach zawodzenie.

Pobiegłam na plan, zakładając, że ktoś zrobił sobie krzywdę, jak to się często na planach filmowych zdarzało. Na planie innego filmu Fleminga, *Czarnoksiężnik z krainy Oz*, aktorka mocno się poparzyła, gdy zbyt późno otworzyła się zapadnia. Tu na miejscu zastałam inną katastrofę. Nie licząc jednej płaczącej kobiety, cała ekipa stała nieruchomo. Słuchali grającego na cały regulator radia. Podbiegłam do moich ekranowych partnerów, Spencera Tracy'ego i Johna Garfielda, którzy zamarli tak jak wszyscy pozostali.

– Co się dzieje? – spytałam Johna, który wydawał mi się bardziej przyjazny od Spencera, znanego mi już z planu *I Take This Woman*. Nawet to podwójne doświadczenie nie przekonało mnie do niego. Ani zresztą jego do mnie.

Zanim John zdążył odpowiedzieć, Spencer rzucił mi wściekłe spojrzenie i uciszył, przystawiając palec do ust.

John, grający w filmie obiekt zainteresowania mojej bohaterki Dolores, podszedł bliżej i wyszeptał mi do ucha.

– Zbombardowano Pearl Harbor.

Jego słowa wprawiły mnie w zakłopotanie. Co to jest Pearl Harbor? Zaczęłam zarzucać go pytaniami, kiedy w radiu znów rozbrzmiał głęboki głos reportera.

„Tu stacja KGU z Honolulu na Hawajach. Mówię z dachu budynku Advertiser Publishing Company. Dzisiaj rano byliśmy z daleka świadkami krótkiej bitwy o Pearl Harbor: ciężkiego bombardowania bazy Pearl Harbor przez wrogie samoloty – bez wątpienia japońskie. Miasto Honolulu również zostało zaatakowane. Wyrządzono tam znaczne szkody. Bitwa trwała przez niemal trzy godziny. Jedna z bomb spadła piętnaście metrów od wieży KGU. To nie żart, lecz prawdziwa wojna. Mieszkańców Honolulu uprzedzono, że powinni zostać w domach i czekać na informacje o działaniach armii i marynarki wojennej. Zażarte walki toczyły się w powietrzu i na morzu. Nie potrafimy jeszcze oszacować ogromu szkód, ale atak był bez wątpienia bardzo gwałtowny. Wygląda jednak na to, że wojsko ma teraz sytuację pod kontrolą".

Choć reporter żywo protestował przeciwko temu wrażeniu, ja wciąż miałam nadzieję, że to żart. O zagrożeniach ze strony Europy mówiło się od pewnego czasu. Wszyscy śledziliśmy doniesienia z londyńskich nalotów i planowaliśmy, co zrobimy, jeśli nasze wybrzeże zostanie w podobny sposób zaatakowane. Ale Japonia? Ani gazety, ani politycy nie wspominali o atakach z Azji, milczeli też na ten temat moi przyjaciele, którzy wiedzieli o wojnie znacznie więcej, niż przedostawało się do mediów.

Rozejrzałam się dokoła. Moi koledzy aktorzy, ekipa i nasz reżyser wyglądali na równie zaskoczonych jak ja. Staliśmy nieruchomo, słuchając kolejnych przerażających faktów. Nieświadomie sięgnęłam po dłoń Johna, żeby się uspokoić. Ponad trzysta japońskich bombowców i samolotów zaatakowało bazę marynarki wojennej na Oahu na Hawajach. Trafiono niezliczone okręty Floty Pacyfiku, w tym pancernik USS Arizona. Liczby poległych nie dało się jeszcze oszacować. Wiedzieliśmy, że w ciągu kilku godzin Stany Zjednoczone wypowiedzą wojnę.

Kiedy w radiu raz po raz powtarzano ten sam komunikat, a członkowie ekipy zaczęli rozmawiać, w milczeniu schowałam się w najciemniejszym kącie, za frontem budynku udającego farmę, i rozpłakałam się. Lepiej niż ktokolwiek tutaj rozumiałam okrutną naturę wrogów, z którymi miała się zmierzyć Ameryka. Dla ludzi, którzy mnie otaczali, siły te były pozbawione twarzy i głosu. Ja jednak patrzyłam przywódcom naszych przeciwników prosto w oczy, na własne uszy słyszałam ich słowa. Wiedziałam, w jakim koszmarze chcą pogrążyć nasz świat.

Rozdział czterdziesty drugi

30 stycznia 1942 roku
Los Angeles, Kalifornia

Chodziłam po marmurowych posadzkach Farmy za Krzewami, czekając na George'a – Antheila, nie Montgomery'ego, który wciąż pozostawał częścią mojego życia. Wcześniej tego dnia przesłał mi pilny liścik na plan nowego filmu noir produkcji MGM pod tytułem *Crossroads*, w którym grałam u boku Williama Powella. Umówiliśmy się na spotkanie późnym popołudniem w moim domu. Kręciłam się ze scenariuszem w dłoni, pozornie ucząc się tekstu, w rzeczywistości jednak nie potrafiłam myśleć o niczym prócz wieści od George'a.

W ciągu siedmiu tygodni, odkąd Stany Zjednoczone zaczęły toczyć walkę nie tylko z Japonią, ale i z Europą, moja niecierpliwość codziennie rosła. Kraj przygotowywał się do wysyłania żołnierzy na wschód i na zachód, na europejską ziemię, z której ja uciekłam, i przez ocean, który przepłynęłam. Docierały do nas oficjalne informacje na temat zestrzelonych samolotów i zatopionych statków, a moi europejscy przyjaciele przekazywali sobie opowieści o tym, że amerykańskie torpedy wycelowane w japońskie jednostki często bądź przepływały pod nimi, bądź za wcześnie wybuchały. Byłam pewna, że marynarka zastosuje nasz system, by naprawić te błędy. Wojsko nie mogło przecież pozwolić wrogom zwyciężać dalej, skoro przedstawiliśmy im z George'em skuteczniejsze wyjście!

Mój niepokój sięgnął szczytu, kiedy po hollywoodzkich korytarzach zaczęły krążyć plotki o planie nazywanym przez nazistów *Endlösung*, unicestwieniu europejskich Żydów, którego bałam się najbardziej. Zbieraliśmy się z moimi europejskimi przyjaciółmi w ciemnych barach i kawiarniach, by dzielić się zasłyszanymi plotkami. Jaskrawy surrealizm Hollywood był nie do zniesienia skonfrontowany z niewyobrażalnymi opowieściami o żydowskich gettach, wagonach bydlęcych i obozach koncentracyjnych. Wydawało nam się, że tylko nam towarzyszą podobne koszmary. Albo może ze wszystkich, którzy słyszeli podobne plotki, jedynie my wierzyliśmy, że są one prawdziwe.

Moją świadomość wypełniały obrazy nieszczęsnych austriackich Żydów. Tak wielu z nich, podobnie jak ja, uważało się za wiedeńczyków. Nie potrafili jednak zmyć z siebie skazy swojego dziedzictwa w obliczu nazistowskiej inwazji, choćby szorowali ją z germańskim wigorem. Gdzie byli teraz ci ludzie? Jeśli nie uciekli z Wiednia jak mama, czy znaleźli się w obozach koncentracyjnych albo gettach? A może przydarzyło im się coś jeszcze gorszego? Czy mogłam coś zrobić?

Miałam nadzieję, że wizyta George'a przyniesie ze sobą zaproszenie do działania. Przez wiele miesięcy czekaliśmy, aż marynarka wypowie się na temat naszego systemu. Nie mogłam już dłużej wytrzymać na planach filmowych – w kostiumach, obciążona klejnotami i poczuciem winy.

Rozległ się dzwonek do drzwi, a chociaż na to właśnie czekałam, teraz aż podskoczyłam. Moja gospodyni Blanche weszła do przedpokoju, żeby otworzyć, ale odprawiłam ją. Obecność George'a nie wymagała ceremonii, zresztą nie sądziłam, by udało mi się znieść choćby kilka minut niepotrzebnych uprzejmości.

Rzuciłam się na niego, nim jeszcze zdążył zdjąć kapelusz i palto.

– Co to za wieści?

– Proszę, daj mi chwilę. Zaraz ci wszystko powiem. – Zdjął kapelusz i strząsnął z niego krople deszczu.

Teoretycznie spełniłam jego prośbę, ale nie mogłam się powstrzymać przed zadaniem kolejnego pytania.

– Słyszałeś doniesienia o niepowodzeniach naszych torped?

– Owszem – odparł, ściągając rękaw płaszcza.

– To chyba zachęci ich do przyjęcia naszego systemu, nie uważasz? Skoro ich własny działa tak słabo.

– Czy twoja matka już przyjechała? – zapytał, wieszając trencz. Dlaczego zmieniał temat?

Faktem jest, że George miesiącami wysłuchiwał moich niepokojów o los mamy. Towarzyszył mi, kiedy walczyłam o przeniesienie jej z Londynu do Kanady. A teraz aż zbyt dobrze wiedział, jak walczyłam ze studiem filmowym, by pomogło jej pokonać ostatnią część trasy do Stanów. Kto jak kto, ale on zasługiwał na aktualne informacje.

– Jedzie właśnie pociągiem do Kalifornii. Podróż z Kanady trwa trzy dni, powinna więc dotrzeć tu drugiego lutego.

– To musi być dla ciebie ogromna ulga. – George wszedł za mną do salonu, gdzie ustawiłam nową tablicę w oczekiwaniu na kolejny projekt.

– Rzeczywiście – powiedziałam, choć miałam mieszane uczucia.

Od tak dawna walczyłam, żeby sprowadzić ją do Kalifornii, ale teraz, kiedy od jej przyjazdu dzieliło mnie już tylko kilka dni, zaczęłam się wahać. Jak to będzie mieć przy sobie, w moim nowym świecie, na stałe mamę z jej trudnym charakterem? Czy szczere wyznanie z jej listu – że chłód i negatywne nastawienie miały zrównoważyć pobłażliwość papy – poprawi nasze relacje? Czy mogłam uwierzyć w miłość, którą mi wyznawała? Postanowiłam skupić się jedynie na pozytywach. Będę miała całą i zdrową matkę przy sobie, podczas gdy tak wielu naszych wiedeńskich przyjaciół, sąsiadów i członków rodziny wpadło w łapy nazistów.

– Gdzie będzie mieszkała? Tutaj, z tobą i Jamesiem?

Nie odpowiadając, przyglądałam się badawczo mojemu przyjacielowi i koledze. Mojemu towarzyszowi broni. Dlaczego nie dzielił się ze mną swoimi pilnymi wieściami? Dlaczego był taki ciekawy, co się dzieje z mamą, o której w przeszłości ledwie chciał słuchać? Nie znałam go od tej strony: był zazwyczaj aż nadto bezpośredni.

Odpowiedź nadeszła nagle, ale ja nie byłam w stanie wysłuchać jej z ust George'a. Chodziłam w tę i z powrotem po pobielonych deskach podłogi w moim salonie, raz po raz zerkając w górę i odpowiadając na kolejne pytania o mamę. Deszcz przestał lać, niebo przejaśniło się, ale chmury rzucały cień na żywą zieleń mojego podwórka, a ciemność ogarnęła także mnie samą.

– Marynarka wojenna odrzuciła nasz projekt. – Zebrałam się wreszcie na odwagę, ponieważ wiedziałam, że on nie potrafi przekazać mi straszliwej wiadomości.

George westchnął, przyznając wreszcie:

– Tak.

Nie odzywając się więcej ani słowem – nie byłam jeszcze w stanie rozmawiać o odmowie – podeszłam do kredensu i nalałam nam obojgu po potężnej szklance szkockiej. Gestem wskazałam mu czekoladowobrązowy skórzany fotel obok i usiedliśmy razem. Tym razem jednak nie dyskutowaliśmy o naszych nowych wynalazkach, lecz piliśmy w milczeniu.

– Na jakiej podstawie? – zapytałam wreszcie, chociaż nie byłam pewna, czy chcę wiedzieć.

– Cóż, miałaś rację co do torped marynarki. Słyszałem plotki, że ponad sześćdziesiąt procent wystrzelonych torped nie trafiło do celu. Coś okropnego. – Chwilę milczał, wziął łyk bursztynowego napoju i mówił dalej. – Te rachunki nie doprowadziły ich jednak do wniosku, na jaki liczyłaś. Ja też sądziłem, że rozczarowanie doprowadzi do wprowadzenia naszego rozwiązania. A jednak marynarka wojenna postanowiła się skupić na pracy nad swoimi staroświeckimi torpedami, zamiast rozwijać całkowicie nowy, skomplikowany system.

– Chociaż nasz pomysł jest lepszy? – Nie mogłam w to uwierzyć.

– Chociaż nasz pomysł... – przerwał, jakby mówienie o tym sprawiało mu ból. – Oczywiście marynarka nie przyznaje się do swoich problemów. Moje źródła twierdzą, że uzasadnieniem ich decyzji jest przekonanie, że nasz system jest zbyt ciężki.

– Co? Przecież to bez sensu, George.

– Wiem. Powiedzieli, że nasz wynalazek jest zbyt duży, by dało się go wykorzystać.

– Co? – Nie wierzyłam własnym uszom. – To najbardziej absurdalny ze wszystkich możliwych pretekstów. Nasz mechanizm da się zmieścić w zegarku. Wyjaśniliśmy to wszystko w dokumentach złożonych Narodowej Radzie Wynalazców i wojsku!

– Wiem, a Rada poparła nasz pomysł. Mówiąc szczerze, Hedy, zastanawiam się, czy oni w ogóle przeczytali całą dokumentację. Myślę, że zobaczyli analogię między niektórymi aspektami naszego wynalazku a pianolą, i na tej podstawie zrobili nonsensowne założenie, które wykorzystali jako wymówkę, zamiast przyznać prawdę: że od dziesięcioleci badania nad torpedami są niedofinansowane, a w rezultacie marynarka dysponuje archaicznym, nieefektywnym systemem, który jest zbyt drogi, by wyrzucić go na śmietnik.

George wydawał się przybity, ale we mnie dopiero zaczęła buzować wściekłość. Odwróciłam się do niego z krzykiem:

– Jak mogli odrzucić wynalazek, który nie tylko umiałby doprowadzić do celu całą flotę torped, ale też był odporny na zakłócenia wroga! Jak to możliwe, że wolą zachować staroświecki system, który nigdy nie działał właściwie?

– Nie wiem – powiedział ze smutkiem George, ale w jego głosie nie było złości ani energii. Nie znałam go takiego.

Chciałam walczyć z tą jego uległością.

– Powinniśmy napisać do marynarki wojennej i do Rady, wyjaśnić, że źle zinterpretowali nasze zgłoszenie. Wytłumaczyć, jak maleńkie mechanizmy możemy zbudować.

– Myślę, że nie warto, Hedy. Nie sądzę, by zmienili zdanie.

Czemu był tak dziwnie uległy? Może to długie oczekiwanie tak zmęczyło zazwyczaj pełnego optymizmu kompozytora – a właściwie wynalazcę?

Wstałam z mojego skórzanego fotela i odezwałam się jeszcze silniejszym głosem:

– Jedziemy do Waszyngtonu, gdzie osobiście zaprezentujemy swój wynalazek. – Zmobilizowałam całą swoją siłę, jak wtedy, gdy stałam na scenie. – George, jeśli czegokolwiek się w życiu nauczyłam, to tego: to Hedy Lamarr aktorka, nie wynalazczyni, potrafi nakłonić mężczyznę do zmiany zdania.

Rozdział czterdziesty trzeci

20 kwietnia 1942 roku
Waszyngton, D.C.

W Waszyngtonie wojna wydawała się bardziej rzeczywista. Z okna wynajętego samochodu widziałam wojsko zbierające się na ćwiczenia, flagi powiewające na wszystkich budynkach i więcej niż zwykle agentów bezpieczeństwa przed najważniejszymi budynkami rządowymi. Energia i duma pulsowały wśród obywateli, dodając mi otuchy w tej wojnie przeciwko Trzeciej Rzeszy.

Samochód zabrał mnie i George'a przed budynek znany jako New War Building, na rogu Dwudziestej Pierwszej Ulicy i Północno-Zachodniej Virginia Avenue. Weszliśmy na górę po imponujących schodach budynku z piaskowca, w którym znajdowały się biura poszczególnych wydziałów Departamentu Wojny, w tym marynarki wojennej. Wojskowy przepuścił nas przez mosiężne drzwi obrotowe. Podeszliśmy do dwóch zaskoczonych strażników, pomagających w nadzorowaniu obywateli wchodzących do budynku, pośród tłumów kobiet i mężczyzn w marynarskich mundurach. Rozpoznali mnie i poprowadzili nas na przód kolejki, wzdłuż długiego na piętnaście metrów muralu, zatytułowanego, jak nam powiedzieli, *Obrona amerykańskich wolności*.

– Jesteśmy umówieni na pierwszą – poinformowałam recepcjonistkę siedzącą za serią drzwi, przez które nas eskortowano. To spotkanie z wysokimi przedstawicielami marynarki zostało nam załatwione przez „źródło" George'a, jego przyjaciela z rządu, który cały czas informował nas o statusie naszego wniosku.

Młoda żołnierka, która na głowie miała blond wersję fryzury na Lamarr, wpatrywała się we mnie szeroko otwartymi oczami.

– Pa... pa... pani to Hedy... Hedy... – zdołała jedynie wydukać.

– Lamarr – uśmiechnęłam się uprzejmie. – Tak, jestem Hedy Lamarr, a to pan George Antheil. Jesteśmy umówieni.

Zerwała się na równe nogi.

– Tak, tak, bardzo przepraszam, panno Lamarr. Zaprowadzę państwa do gabinetu pułkownika Smitha.

Prowadziła nas przez labirynt korytarzy, oglądając się raz po raz, jakby nie mogła uwierzyć, że obok niej kroczy prawdziwa gwiazda filmowa. Wchodziliśmy coraz głębiej, aż wreszcie dotarliśmy do dużego biura zajmującego cały kąt budynku. Zanim jeszcze młoda dziewczyna zdążyła zapukać, zza rogu wyłonił się jakiś mężczyzna i przywitał nas.

– Bullitt! – zawołał George, wyciągając rękę.

Mężczyźni uścisnęli sobie dłonie i poklepali się po plecach. Zrozumiałam, że musi to być „źródło" George'a.

William C. Bullitt był obecnie starszym urzędnikiem Departamentu Stanu, ale wcześniej pracował jako dziennikarz i dyplomata, kiedy George i jego żona poznali go w Paryżu w 1925 roku. Chociaż Bullitt miał na pieńku z prezydentem Rooseveltem z powodu swojej wyrażonej publicznie niechęci do prezydenckiego ulubieńca, podsekretarza stanu Sumnera Wellesa, był wciąż na tyle blisko władzy, by dzielić się z nami ważnymi informacjami. Załatwił nam spotkanie i zgodził się nam w nim towarzyszyć.

Mężczyźni przywitali się wylewnie i George przedstawił mi przyjaciela.

– Jestem Bullitt. – Wyciągnął do mnie rękę. – A więc pani to słynna Hedy Lamarr – dodał z pewnym zaskoczeniem, choć przecież się mnie spodziewał. – Kiedy George powiedział mi, że pracuje z panią nad pewnym wynalazkiem, byłem pewien, że żartuje.

Nie podobał mi się ton tego mężczyzny, chociaż był przyjacielem George'a.

– Tak trudno było uwierzyć, że kobieta może zajmować się sprzętem wojskowym?

– Oczywiście, że nie. – Bullitt szeroko otworzył oczy. – Trudno było uwierzyć, by piękna gwiazda filmowa chciała spędzać czas z tym gościem. – Żartobliwie szturchnął George'a.

Mężczyźni roześmiali się. Może z tych całych nerwów źle oceniłam Bullitta? Odwrócił się ku drzwiom i zapytał jeszcze przez ramię:

– Gotowi?

– Bardziej gotowi już nie będziemy – odparł George.

Ścisnęłam jego dłoń. Byłam bardziej zdenerwowana, niż wchodząc na scenę czy plan filmowy, ponieważ tym razem nie grałam. Bullitt otworzył drzwi i wkroczyliśmy do dużego gabinetu, w którym czekało na nas dwóch żołnierzy w mundurach i jeden dżentelmen po cywilnemu. Bullitt przedstawił nam pułkownika L.B. Lenta, głównego inżyniera Narodowej Rady Wynalazców, pułkownika Smitha, asystenta dyrektora do spraw zaopatrzenia marynarki, i pana Robsona, którego stanowisko pozostało tajemnicą.

Kiedy wymieniliśmy uprzejmości, stanęłam naprzeciw mężczyzn, zadowolona, że włożyłam swój najbardziej klasyczny granatowy kostium.

– Dzień dobry panom – zaczęłam pewnym głosem. – Dziękujemy, że zgodziliście się z nami spotkać, zwłaszcza biorąc pod uwagę, jak wiele obowiązków musi nakładać na was wojna. Oboje z panem Antheilem rozumiemy, że z początku odmówiliście przyjęcia proponowanego przez nas systemu torped jako elementu waszego ogólnego planu wojskowego ze względu na wątpliwości dotyczące jego rozmiarów. Chcielibyśmy więc dzisiaj zająć wam kilka minut, by wyjaśnić, jak niewielki jest nasz system. Zaczniemy od opisu, który przedstawiliśmy już w naszym wniosku patentowym, rozpatrywanym obecnie przez Amerykański Urząd Patentowy.

Mężczyźni spojrzeli po sobie zaskoczeni. Czyżby nikt ich nie uprzedził, że mimo ich odmowy złożyliśmy wniosek patentowy? Czy może zdziwienie to było tylko udawane? Dalej wygłaszałam zaplanowaną przemowę, przedstawiając wykresy i modele prezentujące znikomy rozmiar naszego wynalazku. George przejął inicjatywę w wyznaczonym momencie, a naszą prezentację zakończyliśmy, podkreślając skuteczność systemu i zapraszając do zadawania pytań.

Pan Robson przełknął ślinę.

– To była niezwykle kształcąca przemowa, panie Antheil i panno Lamarr. Z pewnością wszyscy wiemy teraz więcej o waszym systemie, a zwłaszcza o jego rozmiarach. Bez wątpienia nie jest wielki, jak sądziliśmy wcześniej. Wasz wynalazek jest naprawdę intrygujący.

Rzuciliśmy sobie z George'em pełne nadziei spojrzenia.

– A jednak – mówił dalej – musimy podtrzymać naszą wcześniejszą decyzję dotyczącą systemu. Postanowiliśmy dalej korzystać z naszego systemu torped, oczywiście wprowadzając aktualizacje i modyfikacje.

Nie rozumiałam. George spojrzał na mnie pytająco.

– Czy mogę spytać o przyczynę? – Starałam się mówić spokojnie. – Odnieśliśmy się do waszych wątpliwości dotyczących rozmiaru naszego wynalazku.

– Tak, zrobiliście to. – Mężczyźni znów popatrzyli na siebie ukradkowo, a pan Robson chwilę się wahał, nim podjął: – Czy mogę być z panią szczery, panno Lamarr?

Kiwnęłam głową.

– Jestem wielkim wielbicielem pani talentu i myślę, że wszyscy, jak tu siedzimy, doceniamy niezwykły wysiłek, jaki podjęliście oboje z panem Antheilem. Ale moja rada brzmi następująco: proszę się trzymać filmów. Podtrzymują one ludzi na duchu. A jeśli zależy pani na wspieraniu wojennych wysiłków, naszym zdaniem lepiej pani zrobi, pomagając w sprzedaży obligacji wojennych, niż budując torpedy. Może zamiast skupiać się na tej całej broni, pomoże nam pani zbierać pieniądze, które pozwolą wygrać z Japońcami i Szkopami?

Choć przez całe życie miałam do czynienia z seksizmem, nie wierzyłam własnym uszom. Ci mężczyźni odrzucali system, dzięki któremu samolot czy okręt mogłyby sterować całą flotyllą torped przeciw wrogim jednostkom z pełną dokładnością, nie dopuszczając jednocześnie do zakłócania sterujących nimi sygnałów radiowych. Czy marynarka zamierzała pozwolić swoim żołnierzom ginąć na morzu tylko dlatego, że nie chciała wykorzystać systemu zaprojektowanego przez kobietę?

W moim głosie rozbrzmiewał spokój, którego bynajmniej nie czułam. Czułam za to wściekłość.

– Proszę mi coś wyjaśnić. Odrzucacie nasz wynalazek, który uczyniłby waszą flotę niedoścignioną na morzu, ponieważ jestem kobietą? I to słynną aktorką, która powinna raczej podbijać cenę wojennych obligacji, niż pomagać w budowie efektywnych systemów zbrojnych? Jeśli trzeba, mogę robić jedno i drugie.

– To nie jedyny powód, dla którego postanowiliśmy odrzucić propozycję, panno Lamarr – odpowiedział pan Robson. – Ale skoro już podniosła pani tę kwestię, to przyznaję, że trudno byłoby nam przekonać naszych żołnierzy do systemu zbrojnego zaprojektowanego przez kobietę. I nie będziemy próbować.

Nie byłam w stanie ruszyć się ani odezwać. Jego słowa tak mnie zszokowały, że zamarłam. Zaszliśmy z George'em tak daleko po to tylko, by na ostatniej prostej pokonały nas zwykłe uprzedzenia. Widząc wyraz mojej twarzy, George włączył się, próbując desperacko załagodzić cios, broniąc moich „dość mało kobiecych zainteresowań" i wychwalając moje zdolności i intelekt, które pozwoliły na zbudowanie niepokonanego systemu. Ale moja rana była śmiertelna.

Gdy on walczył dalej, dowodząc wyższości naszego systemu i przekonując, że płeć jego twórcy nie ma żadnego znaczenia, ja opadłam na fotel, który wydawał mi się w tym momencie jedynym pocieszeniem.

Cała wściekłość, która krążyła w moich żyłach, uleciała, pozostawiając po sobie piękną, lecz pustą skorupę. Być może tylko tej skorupy chciał ode mnie świat. Być może nigdy nie pozwoli mi odbyć pokuty.

Rozdział czterdziesty czwarty

4 września 1942 roku
Filadelfia, Pensylwania

Za szkarłatną, aksamitną kurtyną słyszałam szalejący tłum. Kolorem i fakturą materiał przypominał mi kurtynę z Theater an der Wien, gdzie triumfowałam, debiutując w roli cesarzowej Elżbiety. Ileż czasu minęło od tamtej chwili i jakże niewinna była tamta dziewczyna! Trudno było mi uwierzyć, że byłam kiedyś wolna od poczucia winy, które teraz stanowiło nieodłączną część mojego istnienia.

Zastanawiałam się, jak mierzyć moją winę. Czy przeprowadzone zostaną rachunki, obliczenia, ile istnień mogłam uratować? Czy szala przechyli się bardziej w moją stronę dzięki mojemu wynalazkowi, choć wojsko go nie chciało? Marynarka nie zmieniła zdania, nawet kiedy Urząd Patentowy Stanów Zjednoczonych przyjął nasz wniosek, oznaczając wynalazek numerem patentowym 2 292 387, co było równoznaczne z uznaniem go za realny. Czy zasłużę na wyrozumiałość za wszystkie te wysiłki powstrzymania nazistów, które czyniłam teraz w jedyny sposób, jaki mi pozostał? Sprzedawałam obligacje, zamiast budować torpedy, zgodnie z niezbyt uprzejmą sugestią pana Robsona. Potraktowałam ją poważnie, choć on sam zapewne nie sądził, że to uczynię.

Dźwięki skrzypiec i instrumentów dętych nałożyły się na zgiełk publiczności, która powoli ucichła, z szacunkiem żegnając poprzednich artystów. Gospodarz głębokim barytonem zapowiedział gościom Filadelfijskiej Akademii Muzyki kolejny występ, a ja przygotowałam się do swojej sztuczki. Gdyż była to właśnie sztuczka.

Kurtyna uniosła się, odkrywając architektoniczne cudo ze złota, kryształu i purpury, przypominający wiedeńskie dekoracje z czasów mojej młodości. Jak straszliwie ucierpiał Wiedeń i jego mieszkańcy! Czy choćby jeden z moich sąsiadów z dzieciństwa pozostał w którymś z dziwnych domków stojących wzdłuż uliczek Döbling, takich jak Peter-Jordan-Strasse, przy której mieszkała moja rodzina? Czy też wszyscy zostali wywiezieni na wschód, do Polski i znajdujących się na jej terenie obozów? W kąciku mojego oka pojawiła się łza, ale zamrugałam szybko, żeby się jej pozbyć.

Wróciłam do teraźniejszości, słuchając stłumionego okrzyku, jaki wydała publiczność na widok błyszczącego podarunku, jakim dla niej byłam. Ubrana w cekinową suknię barwy cynobru, zaprojektowaną tak, by odbijała światło na scenie, nie poruszałam się, czekając, aż widzowie nacieszą się moim wyglądem. Potem ruszyłam ku nim, wyciągając ręce, przygotowując ich na późniejsze zbieranie datków. Byłam bowiem zarówno podarunkiem, jak i zaproszeniem.

– Witajcie na Gali Zwycięstwa Stanów Zjednoczonych! – ogłosiłam swoim najlepszym amerykańskim akcentem, wiedząc, że naturalna dla mnie niemiecka wymowa nie zostałaby dziś dobrze przyjęta. Uniosłam dłoń w słynnym już geście „V jak victoria", a publiczność zrobiła to samo.

Widzowie opuścili dłonie i zaczęli klaskać. Teatr aż zatrząsł się od gorącego aplauzu.

– Nazywam się Hedy Lamarr i jestem zwyczajną poszukiwaczką złota dla Wuja Sama. Stoję tu, by pomóc wygrać wojnę. Myślę, że wy przybyliście tu, by zobaczyć panią Lamarr. – Mówiłam z komediową intonacją, opierając dłoń na biodrze. To była moja najlepsza imitacja wesołej Susie.

Tak jak chciałam, widzowie wybuchli śmiechem. Potem jednak opuściłam głos o oktawę, by wygłosić poważną przemowę.

– Powinniśmy być tu z tego samego powodu. Hedy Lamarr na żywo nie powinna was interesować bardziej niż poczynania Hirohito i Hitlera. Za każdym razem, kiedy sięgacie do portfela, mówicie tym dwóm okrutnikom, że nadchodzą Jankesi. Postarajmy się, by wojna skończyła się jak najszybciej. Nie zastanawiajcie się, co robi wasz sąsiad. Kupujcie obligacje!

Nagrodzono mnie ogłuszającym aplauzem. Czekając, aż ucichnie, zastanawiałam się nad najbliższymi dniami, pełnymi podobnych wydarzeń, podczas których wygłaszać miałam podobne przemowy. Czekały mnie parady, prezentacje, a nawet kolacje dla biznesmenów i przywódców, na które wstęp kosztował co najmniej pięć tysięcy dolarów w obligacjach wojennych. Ile milionów uda mi się zebrać dla aliantów?

Osłoniłam dłonią oczy, by lepiej widzieć widownię.

– Mamy może dziś na sali jakichś żołnierzy?

Organizatorzy specjalnie wręczyli bilety grupie wojskowych i wybrali jednego z nich, z którym wcześniej przećwiczyłam scenę. Siedzący z przodu po lewej stronie żołnierze unieśli do góry ręce.

– Wygramy tę wojnę, chłopcy?

Tym razem już cała publiczność wiwatowała, chociaż żołnierze najgłośniej. Potem, zgodnie ze scenariuszem, jeden z marynarzy zawołał do mnie:

– A może buziak, nim wyruszymy na wojnę?

Udając zdziwienie, spojrzałam na niego i rozdziawiłam usta.

– Prosiłeś o buziaka, marynarzu?

– Tak, proszę pani.

Zwróciłam się do publiczności.

– Myślicie, że powinnam pocałować tego dzielnego marynarza?

– Tak! – odpowiedział mi wrzask.

– Ci mili Amerykanie uważają, że powinnam spełnić twoją prośbę, marynarzu. Chodź no tutaj.

Chłopiec, ubrany w idealnie wyprasowany, biały mundur z czapką i krawatem, wszedł na scenę. Póki nie stanął na szerokim podeście, wydawał się zuchwały i pewny siebie, zaraz jednak na jego twarzy pojawił się wyraz nieśmiałości. Pierwszy raz stał na scenie i pierwszy raz odgrywał rolę – choć wcale nie musiał udawać, że jest marynarzem, który niedługo ruszy na front. Jego okręt czekał na niego, podobnie jak wielki Pacyfik i wroga flota.

Chcąc go uspokoić, przywitałam się uściskiem dłoni i poprosiłam, by przedstawił się publiczności jako Eddie Rhodes. Potem znów zwróciłam się do widowni.

– Zawrzyjmy układ. Obiecuję, że ucałuję naszego odważnego żołnierza Eddiego Rhodesa, jeśli wy obiecacie, że wpłacicie co najmniej pięćset tysięcy dolarów. Na skraju każdego rzędu stoją dziewczęta gotowe, by zapisać deklarowane przez was sumy.

Dziewczęta, również ubrane w wojskowe mundury, przekazywały listy wzdłuż długich rzędów Akademii Muzyki, a my z Eddiem czekaliśmy na scenie. Wyglądało na to, że przeszła mu trema, przez kilka minut rozmawialiśmy więc sobie swobodnie o jego rodzinie, słuchając odgrywanych przez orkiestrę patriotycznych utworów. Potem jednak zdradził, jak bardzo jest podekscytowany powołaniem na okręt płynący na Pacyfik, a ja poczułam, że skręca mi się żołądek. Tak bardzo żałowałam, że marynarka nie przyjęła naszego systemu torped. Gdyby to uczyniła, ten biedny chłopak miałby znacznie większe szanse na przeżycie. Odwróciłam się, żeby nie widział napływających mi do oczu łez.

Pod sceną zaczęła się zbierać kolejka dziewcząt, które wykonały swoje zadanie.

– Czy mamy wynik? – zawołałam do kierownika trasy, który zajęty był sumowaniem deklaracji.

Patrzyłam, jak żywo dyskutuje z konferansjerem, żaden z nich nie odpowiedział jednak na moje pytanie. Czyżbyśmy nie osiągnęli celu? Może zażądaliśmy zbyt wiele? Długo zastanawialiśmy się, jakiej sumy zażądać od naszych widzów, a ja traktowałam to szalenie ambicjonalnie, jakby każdy dolar zbliżał mnie do rozgrzeszenia.

Popatrzyliśmy na siebie z Eddiem, wyraźnie zaniepokojeni. Wreszcie konferansjer wszedł po schodach na scenę. Kiedy znalazł się przy nas, powiedziałam do mikrofonu:

– Czy nasz marynarz zasłużył na pocałunek?

– Cóż, panno Lamarr, muszę coś powiedzieć. Poprosiliśmy dziś naszą widownię o wielką sumę. Pięćset tysięcy dolarów to prawdziwa fortuna.

– Bez wątpienia – odparłam lekko, jakbym nie przygotowywała się na nieuchronną złą nowinę.

– Ale dziś nie zebraliśmy pięciuset tysięcy dolarów – dodał ku rozczarowaniu widowni.

– Tak mi przykro. – Odwróciłam się do Eddiego. Wydawał się strapiony.

– Och, proszę się nie martwić, panno Lamarr. I ty, Eddie, też się nie smuć. Ponieważ dzisiejszego wieczoru zebraliśmy dwa miliony dwieście pięćdziesiąt tysięcy dolarów! – Konferansjer aż wrzasnął do mikrofonu. Nie miał zresztą wyboru, jeśli chciał przekrzyczeć wiwatujący tłum.

Byłam oszołomiona. Podczas żadnej kampanii wojennej nie udało się dotąd zebrać pięciuset tysięcy dolarów, a co dopiero dwa miliony! Tylko podczas wystawnych kolacji dla bogaczy, gdzie minimalne datki były gigantyczne, osiągano podobne sumy. Nigdy podczas zwykłych licytacji.

– Pocałuj go! Pocałuj go! – zagrzewała widownia, wyrywając mnie z zamyślenia. – Pocałuj go! Pocałuj!

Odwróciłam się do Eddiego. Zasłużył na ten pocałunek, podobnie jak zebrani tu dziś ludzie. Kiedy się do niego przygotowywałam, reflektory oślepiły mnie na chwilę, przypominając mi wieczór mojego debiutu na scenie

Theater an der Wien. Czas zatrzymał się i cofnął do tamtej chwili, która zmieniła wszystko. To tamta noc wysłała mnie w podróż, która trwała aż do dzisiaj, pełną poczucia winy, ciągłego poszukiwania rozgrzeszenia i czasem także niespodziewanej radości.

Ileż masek musiałam założyć po drodze? – zastanawiałam się, nie potrafiąc powstrzymać łez spływających mi po policzkach. Łez, które w oczach mojego menadżera Eddiego Rhodesa, a pewnie i w oczach publiczności, były łzami szczęścia po tak udanej zbiórce. Czy od czasu śmierci papy chociaż raz naprawdę zdjęłam wszystkie maski i obnażyłam się do końca? Najbliżej byłam tego podczas pracy z George'em, pracy, która – jak się dowiedziałam – była niedopuszczalnie „niekobieca". Pracy, do której nie chciałam wrócić, choć George mnie o to błagał; nie byłam w stanie zmusić się, by znów się tak narazić. Odradzałam się wielokrotnie, za każdym razem przybierając nową postać, a koniec końców wracając do tych samych pozorów.

Nawet tego wieczoru. Zwłaszcza tego wieczoru.

Czy wreszcie stałam się osobą, za którą od dawna wszyscy mnie mieli? W oczach innych ludzi byłam tylko ładną buzią i gibkim ciałem Hedy Lamarr. Nie byłam nigdy Hedy Kiesler – aspirującą wynalazczynią, ciekawską myślicielką i Żydówką. Nie byłam sobą samą, ukrytą pod wieloma rolami, które odegrałam na ekranie i poza nim.

A może ten wizerunek, który widział świat, sama wykorzystywałam jako przebranie, zasłonę dymną, która miała odwrócić jego uwagę, kiedy ja osiągałam swoje cele? Czy pod maską, którą mi przypisano, uczyniłam jednak z siebie broń przeciwko Trzeciej Rzeszy, choć nie taką, jakiej chciałam? Zastanawiałam się, czy to miało w ogóle znaczenie, za co – czy za kogo – mnie mieli, skoro mogłam zemścić się na europejskich pogromcach, finansując dzisiejszego wieczoru aliantów, a być może tym samym zyskując jakże upragnione rozgrzeszenie.

Pod maską zawsze byłam sama, zawsze byłam jedyną kobietą na sali.

Podziękowania

Opisanie historycznej i współczesnej spuścizny Hedy Lamarr było możliwe jedynie dzięki wsparciu, zachętom i ciężkiej pracy wielu, wielu ludzi. Jak zwykle muszę zacząć od podziękowania mojej wspaniałej agentce Laurze Dail, której mądre rady są dla mnie niewyczerpanym źródłem inspiracji. Znakomita ekipa z Sourcebooks zasługuje na moją nieskończoną wdzięczność. Bez pomocy mojej błyskotliwej redaktorki Shany Drehs, fenomenalnej Dominique Raccah, a także fantastycznych Valerie Pierce, Heidi Weiland, Heather Moore, Liz Kelsch, Kaitlyn Kennedy, Heather Hall, Stephanie Graham, Margaret Coffee, Beth Oleniczak, Tiffany Schultz, Adrienne Krogh, Willa Rileya, Danielle McNaughton, Katherine McGovern, Lizzie Lewandowski i Travisa Hasenoura ta historia nigdy nie ujrzałaby światła dziennego. Jestem ogromnie wdzięczna także znakomitym księgarzom, bibliotekarzom i czytelnikom, którzy wspierali mnie i moją pracę.

Moi krewni i przyjaciele, zwłaszcza ekipa z Sewickley – Illana Raia, Kelly Close i Ponny Conomos Jahn – byli integralną częścią procesu tworzenia tej książki, przede wszystkim jednak nic by mi się nie udało, gdyby nie miłość moich chłopców, Jima, Jacka i Bena. Mam u nich dług nie do spłacenia.

Od autorki

Codziennie bierzemy do ręki jakąś część historii napisanej przez kobiety. Nie mówię metaforycznie, lecz zupełnie dosłownie. Każdego dnia prawie każdy z nas trzyma fragment historii stworzony – pośrednio – przez Hedy Lamarr.

Czym jest ten namacalny fragment historii? Czas akcji i zakres mojej powieści nie pozwoliły mi o nim wspomnieć: to telefon komórkowy. W jaki jednak sposób wynalazek opatentowany w 1942 roku przez olśniewającą gwiazdę filmową stał się podstawą współczesnego telefonu komórkowego, narzędzia, które odmieniło nasz świat?

Jak prawdopodobnie już wiecie, *Wszystkie życia Hedy Lamarr* opowiadają niezwykłą, a czasem wręcz niewiarygodną historię kobiety znanej najlepiej jako gwiazda filmowa. Jeśli udało mi się dobrze wykonać moją pracę, książka przedstawia również znacznie mniej znane aspekty jej życia: młodość Żydówki w bardzo katolickiej Austrii; zaskakujące, pod wieloma względami niepokojące małżeństwo z producentem i sprzedawcą broni Friedrichem („Fritzem") Mandlem, od którego uciekła; i może najważniejszy czas spędzony nad opracowaniem wynalazków, którymi chciała pomóc aliantom podczas II wojny światowej. To właśnie w tym okresie, do dziś niemal całkowicie zapomnianym, austriacka dziewczyna, której prawdziwe nazwisko brzmiało Hedwig Kiesler, (wraz z kompozytorem George'em Antheilem) stworzyła swój wynalazek, dzięki któremu sygnały radiowe przekazywane z okrętu do torpedy mogły nieustannie zmieniać częstotliwość, by uniknąć zakłóceń, a jednocześnie poprawiać celność tej torpedy. Był to wkład Hedy w technologię systemów szerokopasmowych.

Kiedy Hedy zaprezentowała swój wynalazek marynarce wojennej i zapłaciła głębokim rozczarowaniem za odrzucenie go mimo niedostatków aktualnie stosowanych systemów torped, uznała, że musi pożegnać się ze swoim systemem komunikacji raz na zawsze. Co jednak ciekawe, wojsko zaklasyfikowało patent 2 292 387 jako ściśle tajny, a w latach pięćdziesiątych przekazało go konstruktorowi boi sonarowej, która potrafiła wykrywać okręty podwodne w zanurzeniu, a następnie przekazywała informacje samolotowi, wszystko zaś dzięki wynalazkowi Hedy wykorzystującemu automatyczną zmianę częstotliwości. Później wojsko, a także inne podmioty zaczęły tworzyć własne wynalazki, korzystając z tej interpretacji technologii systemów szerokopasmowych – przy czym Hedy nie dostała za to żadnego wynagrodzenia, ponieważ minął czas ochrony patentowej – a do dzisiaj pewne aspekty jej pomysłu są wykorzystywane w używanych przez nas codziennie urządzeniach bezprzewodowych. Rola Hedy w tym wszystkim pozostawała nieznana do lat dziewięćdziesiątych, kiedy to otrzymała ona za swój wynalazek kilka nagród – uznanie to uważała za ważniejsze od aktorskiej sławy.

Kiedy więc zerkamy w swoje telefony komórkowe – a prawie wszyscy robimy to niezliczoną ilość razy każdego dnia – patrzymy na wynalazek stworzony po części przez Hedy Lamarr. To namacalna pamiątka po niej – obok filmów, z których zasłynęła bardziej. Kto wie, czy udałoby się skonstruować komórkę, jaką dzisiaj znamy, gdyby nie jej praca?

Wydaje mi się jednak, że Hedy, jej historia i dzieło mogą mieć jeszcze większe znaczenie symboliczne. Fakt, że jej wkład w ten odmieniający świat wynalazek odszedł w zapomnienie – czy został zignorowany – na wiele dekad, odzwierciedla marginalizację działalności kobiet, problem także współczesny. Niezależnie od tego, czy praca Hedy nad technologią systemów szerokopasmowych została celowo zlekceważona czy zapomniana nieświadomie, stoi za tym błędne mniemanie o jej zdolnościach – a przy okazji o zdolnościach wszystkich kobiet. Przez takie chybione przekonania o kobiecym potencjale, podsycane przez niewłaściwy podział ról społecznych, wielu ludzi ma ograniczony obraz przeszłości. Tak pozostanie, jeśli nie zaczniemy inaczej patrzeć na dawne bohaterki i nie przywrócimy im należnego miejsca.

Gdyby otoczenie Hedy widziało w niej nie tylko olśniewająco piękną istotę, ale też osobę o błyskotliwym, płodnym umyśle, zauważono by może, że jej życie wewnętrzne jest ciekawsze i bogatsze niż powierzchowność. Może marynarka wojenna zastosowałaby jej wynalazek, a wtedy kto wie, jak odmieniłyby się losy wojny. Gdyby tylko ludzie zajrzeli pod maskę „jedynej kobiety na sali" i dostrzegli kryjącą się tam osobę, poznaliby kobietę wielką, nie tylko na ekranie.

Pani Einstein

CZY W MĘSKIM
ŚWIECIE NAUKI
JEST MIEJSCE DLA
KOBIET?

CZY MIŁOŚĆ MOŻE
W NIM PRZETRWAĆ?

Jesień 1896 roku. Mileva ma dwadzieścia jeden lat i jako jedna z pierwszych kobiet zaczyna studiować fizykę na Uniwersytecie w Zurychu. Uważa, że jej kalectwo przekreśla szanse na miłość.

Postanawia w pełni poświęcić się nauce. Jest nieprzeciętnie inteligenta, ambitna i zamierza wiele osiągnąć.

Studiujący z nią Albert zakochuje się w jej niezwykłym umyśle i niedoskonałym ciele. W ich małżeństwie jest miejsce nie tylko na miłość, ale też na wspólną pasję.

Kilkanaście lat później świat zachwyca się odkryciami Einsteina.

Nikt nie pyta, jak ich dokonał, nikt nie wspomina o Milevie.

Powieść Marie Benedict to wciągająca i poruszająca historia żony Einsteina, genialnej fizyczki, której wkład w naukę został zapomniany. Kim była i dlaczego nic o niej nie wiemy?

Pokojówka miliardera

Rok 1863. Do portu w Pensylwanii przybija kolejny okręt pełen irlandzkich emigrantów. Uciekają od głodu i marzą o rozpoczęciu lepszego życia. Wśród nich jest Clara Kelley – jedyna nadzieja swojej rodziny, wysłanniczka mająca znaleźć nowy dom.

Młoda, ambitna dziewczyna, schodząc z pokładu statku, ma przed sobą ponurą perspektywę wielu lat ciężkiej pracy w fabryce. Gdy pojawia się szansa na lepszą posadę, kłamie, by ją otrzymać.Tak staje się pokojówką w domu Andrew Carnegiego – najbogatszego człowieka w Ameryce. Ten szybko odkrywa, że Clara ma wyjątkowy dryg do interesów i dziewczyna zostaje jego sekretnym doradcą.

Uczucie, jakie się między nimi narodzi, postawi Clarę przed najtrudniejszym z wyborów: szczęście własne lub najbliższych. Czy zaryzykuje i przyzna się do oszustwa? Czy milioner poświęci fortunę dla miłości?

Po rewelacyjnej *Pani Einstein* Marie Benedict przedstawia opowieść o namiętności, która nie powinna mieć miejsca w świecie wielkich pieniędzy.

NOWA KSIĄŻKA AUTORKI
Wszystkie
życia
Hedy
Lamarr
Marie
Benedict
znak